Totem e tabu

Colaboradores desta edição:

Renato Zwick é bacharel em filosofia pela Unijuí e mestrando em letras (língua e literatura alemã) pela USP. É tradutor de Nietzsche (*O anticristo*, L&PM, 2008; *Crepúsculo dos ídolos*, L&PM, 2009; e *Além do bem e do mal*, L&PM, 2008), de Rilke (*Os cadernos de Malte Laurids Brigge*, L&PM, 2009), de Freud (*O futuro de uma ilusão*, L&PM, 2010; *O mal-estar na cultura*, L&PM, 2010; *A interpretação dos sonhos*, L&PM, 2012) e de Karl Kraus (*Aforismos*, Arquipélago, 2010), e cotradutor de Thomas Mann (*Ouvintes alemães!: discursos contra Hitler (1940-1945)*, Jorge Zahar, 2009).

Paulo Endo é psicanalista e professor do Instituto de Psicologia da USP, com mestrado pela PUC-SP, doutorado pelo Instituto de psicologia da USP e pós-doutorado pelo Centro Brasileiro de Análise e Planejamento/CAPES. É coordenador do grupo Psicanálise, Teoria Política e Psicologia Social (DIVERSITAS/FFLCH-USP) e pesquisador do grupo de trabalho Psicanálise, Política e Cultura da Associação Nacional de Pesquisa e Pós-Graduação em Psicologia e do laboratório e do grupo de pesquisa em Psicanálise, Arte e Política (LAPAP/UFRGS). É membro da cátedra USP/UNESCO de Educação para a Paz, Direitos Humanos, Democracia e Tolerância e do Comitê Nacional de Prevenção e Combate à Tortura e à Violência Institucional. É autor de dezenas de artigos em revistas científicas e organizador de diversos livros e coletâneas, entre eles *A violência no coração da cidade* (Escuta/Fapesp, 2005; prêmio Jabuti 2006) e *Sigmund Freud* (com Edson Sousa; L&PM, 2009).

Edson Sousa é psicanalista, membro da Associação Psicanalítica de Porto Alegre. É formado em psicologia pela PUC-RS, com mestrado e doutorado pela Universidade de Paris VII, e pós-doutorado pela Universidade de Paris VII e pela École des Hautes Études en Sciences Sociales de Paris. Pesquisador do CNPq, leciona como professor titular do Departamento de Psicanálise e Psicopatologia e no Pós-graduação em Psicanálise: Clínica e Cultura da UFRGS, onde também coordena, com Maria Cristina Poli, o Laboratório de Pesquisa em Psicanálise, Arte e Política. É autor de *Freud* (Abril, 2005), *Uma invenção da utopia* (Lumme, 2007) e *Sigmund Freud* (com Paulo Endo; L&PM, 2009), além de organizador de *Psicanálise e colonização* (Artes e Ofícios, 1999) e *A invenção da vida* (com Elida Tessler e Abrão Slavutzky; Artes e Ofícios, 2001).

SIGMUND FREUD

Totem e tabu

Algumas correspondências entre a vida psíquica dos selvagens e a dos neuróticos

Tradução do alemão de RENATO ZWICK

Revisão técnica e prefácio de PAULO ENDO

Ensaio biobibliográfico de PAULO ENDO *e* EDSON SOUSA

www.lpm.com.br

Coleção **L&PM** POCKET, vol. 1113

Texto de acordo com a nova ortografia.
Título original: *Totem und Tabu. Einige Übereinstimmungen im Seelenleben der Wilden und der Neurotiker*

Primeira edição na Coleção **L&PM** POCKET: julho de 2013
Esta reimpressão: julho de 2024

Tradução: Renato Zwick
Tradução baseada no vol. 9 da *Freud-Studienausgabe*, 10. ed. corrigida, Frankfurt am Main, Fischer, 2009, p. 291-444
Revisão técnica e prefácio: Paulo Endo
Ensaio biobibliográfico: Paulo Endo e Edson Sousa
Preparação: Patrícia Yurgel
Revisão: Lia Cremonese
Capa: Ivan Pinheiro Machado. *Foto*: Sigmund Freud (1921). Akg-Images/Latinstock

CIP-Brasil. Catalogação na fonte
Sindicato Nacional dos Editores de livros, RJ

F942t

Freud, Sigmund, 1856-1939
  Totem e tabu: algumas correspondências entre a vida psíquica dos selvagens e a dos neuróticos / Sigmund Freud; tradução do alemão de Renato Zwick; revisão técnica e prefácio de Paulo Endo; ensaio biobibliográfico de Paulo Endo e Edson Sousa. – Porto Alegre, RS: L&PM, 2024.
  256 p. : il. ; 18 cm   (Coleção L&PM POCKET; v. 1113)

  Tradução de: *Totem und Tabu. Einige Übereinstimmungen im Seelenleben der Wilden und der Neurotiker*
  Inclui bibliografia e índice
  ISBN 978-85-254-2790-8

  1. Psicanálise. 2. Tabu. 3. Neuroses. 4. Totemismo. I. Zwick, Renato. II. Endo, Paulo Cesar, 1965-. III. Sousa, Edson Luiz André de, 1959-. IV. Título. V. Série.

13-1596.   CDD: 150.1952
                                        CDU: 159.964.2

© da tradução, ensaios e notas, L&PM Editores, 2013.

Todos os direitos desta edição reservados a L&PM Editores
Rua Comendador Coruja, 314, loja 9 – Floresta – 90220-180
Porto Alegre – RS – Brasil / Fone: 51.3225.5777

Pedidos & Depto. comercial: vendas@lpm.com.br
Fale conosco: info@lpm.com.br
www.lpm.com.br

Impresso no Brasil
Inverno de 2024

Sumário

Itinerário para uma leitura de Freud
Paulo Endo e Edson Sousa 7

Prefácio
Totem e tabu e a psicanálise além de suas próprias
fronteiras – *Paulo Endo* 17

Totem e tabu

Prólogo 31
Prefácio à edição hebraica 35
I – O horror ao incesto 37
II – O tabu e a ambivalência dos sentimentos 58
III – Animismo, magia e onipotência dos pensamentos .. 126
IV – O retorno infantil do totemismo 156

Bibliografia 233
Índice 239

Itinerário para uma leitura de Freud

Paulo Endo e Edson Sousa

Freud não é apenas o pai da psicanálise, mas o fundador de uma forma muito particular e inédita de produzir ciência e conhecimento. Ele reinventou o que se sabia sobre a alma humana (a psique), instaurando uma ruptura com toda a tradição do pensamento ocidental, a partir de uma obra em que o pensamento racional, consciente e cartesiano perde seu lugar exclusivo e egrégio. Seus estudos sobre a vida inconsciente, realizados ao longo de toda a sua vasta obra, são hoje referência obrigatória para a ciência e para a filosofia contemporâneas. Sua influência no pensamento ocidental não só é inconteste como não cessa de ampliar seu alcance, dialogando com e influenciando as mais variadas áreas do saber, como a filosofia, as artes, a literatura, a teoria política e as neurociências.

Sigmund Freud (1856-1939) nasceu em Freiberg (atual Příbor), na região da Morávia, hoje parte da República Tcheca, mas àquela época parte do Império Austríaco. Filho de Jacob Freud e de sua terceira esposa, Amália Freud, teve nove irmãos – dois do primeiro casamento do pai e sete do casamento entre seu pai e sua mãe. Sigmund era o filho mais velho de oito irmãos e era sabidamente adorado pela mãe, que o chamava de "meu Sigi de ouro".

Em 1860, Jacob Freud, comerciante de lãs, mudou-se com a família para Viena, cidade onde Sigmund Freud residiria até quase o fim da vida, quando teria de se exilar em Londres, fugindo da perseguição nazista. De família pobre, formou-se em medicina em 1882. Devido a sua precária situação financeira, decidiu ingressar imediatamente na clínica médica em vez de se dedicar à pesquisa, uma de suas grandes paixões. À medida que se estabelecia como médico, pôde pensar em propor casamento para Martha Bernays. Casaram-se em 1886 e tiveram seis filhos: Mathilde, Martin, Oliver, Ernst, Sophie e Anna.

Embora o pai tenha lhe transmitido os valores do judaísmo, Freud nunca seguiu as tradições e os costumes religiosos; ao mesmo tempo, nunca deixou de se considerar um judeu. Em algumas ocasiões, atribuiu à sua origem judaica o fato de resistir aos inúmeros ataques que a psicanálise sofreu desde o início (Freud aproximava a hostilidade sofrida pelo povo judeu ao longo da história às críticas virulentas e repetidas que a clínica e a teoria psicanalíticas receberam). A psicanálise surgiu afirmando que o inconsciente e a sexualidade eram campos inexplorados da alma humana, na qual repousava todo um potencial para uma ciência ainda adormecida. Freud assumia, assim, seu propósito de remar contra a maré.

Médico neurologista de formação, foi contra a própria medicina que Freud produziu sua primeira ruptura epistêmica. Isto é: logo percebeu que as pacientes histéricas, afligidas por sintomas físicos sem causa aparente, eram, não raro, tratadas com indiferença médica e negligência no ambiente hospitalar. A histeria pedia, portanto, uma nova inteligibilidade, uma nova ciência.

A característica, muitas vezes espetacular, da sintomatologia das pacientes histéricas de um lado e, de outro, a impotência do saber médico diante desse fenômeno impressionaram o jovem neurologista. Doentes que apresentavam paralisia de membros, mutismo, dores, angústia, convulsões, contraturas, cegueira etc. desafiavam a racionalidade médica, que não encontrava qualquer explicação plausível para tais sintomas e sofrimentos. Freud então se debruçou sobre essas pacientes; porém, desde o princípio buscava as raízes psíquicas do sofrimento histérico e não a explicação neurofisiológica de tal sintomatologia. Procurava dar voz a tais pacientes e ouvir o que tinham a dizer, fazendo uso, no início, da hipnose como técnica de cura.

Em 1895, é publicado o artigo inaugural da psicanálise: *Estudos sobre a histeria*. O texto foi escrito com o médico Josef Breuer (1842-1925), o primeiro parceiro de pesquisa de Freud. Médico vienense respeitado e erudito, Breuer reconhecera em Freud um jovem brilhante e o ajudou durante anos, entre 1882 e 1885, inclusive financeiramente. *Estudos sobre a histeria* é o único material que escreveram juntos e já evidencia o distanciamento intelectual entre ambos. Enquanto Breuer permanecia convicto de que a neurofisiologia daria sustentação ao que ele e Freud já haviam observado na clínica da histeria, Freud, de outro modo, já estava claramente interessado na raiz sexual das psiconeuroses – caminho que perseguiu a partir do método clínico ao reconhecer em todo sintoma psíquico uma espécie de hieróglifo. Escreveu certa vez: "O paciente tem sempre razão. A doença não deve ser para ele um objeto de desprezo, mas, ao contrário, um adversário respeitável, uma parte do seu ser que tem boas razões de existir e que lhe deve permitir obter ensinamentos preciosos para o futuro".

Em 1899, Freud estava às voltas com os fundamentos da clínica e da teoria psicanalíticas. Não era suficiente postular a existência do inconsciente, uma vez que muitos outros antes dele já haviam se referido a esse aspecto desconhecido e pouco frequentado do psiquismo humano. Tratava-se de explicar seu dinamismo e estabelecer as bases de uma clínica que tivesse o inconsciente como núcleo. Há o inconsciente, mas como ter acesso a ele?

Foi nesse mesmo ano que Freud finalizou aquele que é, para muitos, o texto mais importante da história da psicanálise: *A interpretação dos sonhos*. A edição, porém, trazia a data de 1900. Sua ambição e intenção ao usar como data de publicação o ano seguinte era a de que esse trabalho figurasse como um dos mais importantes do século XX. De fato, *A interpretação dos sonhos* é hoje um dos mais relevantes textos escritos no referido século, ao lado de *A ética protestante e o "espírito" do capitalismo*, de Max Weber, *Tractatus Logico-Philosophicus*, de Ludwig Wittgenstein, e *Origens do totalitarismo*, de Hannah Arendt.

Nesse texto, Freud propõe uma teoria inovadora do aparelho psíquico, bem como os fundamentos da clínica psicanalítica, única capaz de revelar as formações, tramas e expressões do inconsciente, além da sintomatologia e do sofrimento que correspondem a essas dinâmicas. *A interpretação dos sonhos* revela, portanto, uma investigação extensa e absolutamente inédita sobre o inconsciente. Tudo isso a partir da análise e do estudo dos sonhos, a manifestação psíquica inconsciente por excelência. Porém, seria preciso aguardar um trabalho posterior para que fosse abordado o papel central da sexualidade na formação dos sintomas neuróticos.

Foi um desdobramento necessário e natural para Freud a publicação, em 1905, de *Três ensaios sobre a teoria da sexualidade*. A apresentação plena das suas hipóteses fundamentais sobre o papel da sexualidade na gênese da neurose (já noticiadas nos *Estudos sobre a histeria*) pôde, enfim, vir à luz, com todo o vigor do pensamento freudiano e livre das amarras de sua herança médica e da aliança com Breuer.

A verdadeira descoberta de um método de trabalho capaz de expor o inconsciente, reconhecendo suas determinações e interferindo em seus efeitos, deu-se com o surgimento da clínica psicanalítica. Antes disso, a nascente psicologia experimental alemã, capitaneada por Wilhelm Wundt (1832-1920), esmerava-se em aprofundar exercícios de autoconhecimento e autorreflexão psicológicos denominados de introspeccionismo. A pergunta óbvia elaborada pela psicanálise era: como podia a autoinvestigação esclarecer algo sobre o psiquismo profundo tendo sido o próprio psiquismo o que ocultou do sujeito suas dores e sofrimentos? Por isso a clínica psicanalítica propõe-se como uma fala do sujeito endereçada à escuta de um outro (o psicanalista).

A partir de 1905, a clínica psicanalítica se consolidou rapidamente e se tornou conhecida em diversos países, despertando o interesse e a necessidade de traduzir os textos de Freud para outras línguas. Em 1910, a psicanálise já ultrapassara as fronteiras da Europa e começava a chegar a países distantes como Estados Unidos, Argentina e Brasil. Discípulos de outras partes do mundo se aproximavam da obra freudiana e do movimento psicanalítico.

Desde muito cedo, Freud e alguns de seus seguidores reconheceram que a teoria psicanalítica tinha um alcance capaz de iluminar dilemas de outras áreas do conhecimento além daqueles observados na clínica. Um dos primeiros textos fundamentais nesta direção foi *Totem e tabu: algumas correspondências entre a vida psíquica dos selvagens e a dos neuróticos*, de 1913. Freud afirmou que *Totem e tabu* era, ao lado de *A interpretação dos sonhos*, um dos textos mais importantes de sua obra e o considerou uma contribuição para o que ele chamou de psicologia dos povos. De fato, nos grandes textos sociais e políticos de Freud há indicações explícitas a *Totem e tabu* como sendo o ponto de partida e fundamento de suas teses. É o caso de *Psicologia das massas e análise do eu* (1921), *O futuro de uma ilusão* (1927), *O mal-estar na cultura* (1930) e *O homem Moisés e a religião monoteísta* (1939).

O período em que Freud escreveu *Totem e tabu* foi especialmente conturbado, sobretudo porque estava sendo gestada a Primeira Guerra Mundial, que eclodiria em 1914 e duraria até 1918. Esse episódio histórico foi devastador para Freud e o movimento psicanalítico, esvaziando as fileiras dos pacientes que procuravam a psicanálise e as dos próprios psicanalistas. Importantes discípulos freudianos, como Karl Abraham e Sándor Ferenczi, foram convocados para o front, e a atividade clínica de Freud foi praticamente paralisada, o que gerou dissabores extremos à sua família devido à falta de recursos financeiros. Foi nesse período que Freud escreveu alguns dos textos mais importantes do que se costuma chamar a primeira fase da psicanálise (1895-1914). Esses trabalhos foram por ele intitulados de "textos sobre a metapsicologia", ou textos sobre a teoria psicanalítica.

Tais artigos, inicialmente previstos para perfazerem um conjunto de doze, eram parte de um projeto que deveria sintetizar as principais posições teóricas da ciência psicanalítica até então. Em apenas seis semanas, Freud escreveu os cinco artigos que hoje conhecemos como uma espécie de apanhado denso, inovador e consistente de metapsicologia. São eles: "Pulsões e destinos da pulsão", "O inconsciente", "O recalque", "Luto e melancolia" e "Complemento metapsicológico à doutrina dos sonhos". O artigo "Para introduzir o narcisismo", escrito em 1914, junta-se também a esse grupo de textos. Dos doze artigos previstos, cinco não foram publicados, apesar de Freud tê-los concluído: ao que tudo indica, ele os destruiu. (Em 1983, a psicanalista e pesquisadora Ilse Grubrich-Simitis encontrou um manuscrito de Freud, com um bilhete anexado ao discípulo e amigo Sándor Ferenczi, em que identificava "Visão geral das neuroses de transferência" como o 12º ensaio da série sobre metapsicologia. O artigo foi publicado em 1985 e é o sétimo e último texto de Freud sobre metapsicologia que chegou até nós.)

Após o final da Primeira Guerra e alguns anos depois de ter se esmerado em reapresentar a psicanálise em seus fundamentos, Freud publica, em 1920, um artigo avassalador intitulado *Além do princípio de prazer*. Texto revolucionário, admirável e ao mesmo tempo mal aceito e mal digerido até hoje por muitos psicanalistas, desconfortáveis com a proposição de uma pulsão (ou impulso, conforme se preferiu na presente tradução) de morte autônoma e independente das pulsões de vida. Nesse artigo, Freud refaz os alicerces da teoria psicanalítica ao propor novos fundamentos para a teoria das pulsões. A primeira teoria das pulsões apresentava duas energias psíquicas como sendo a base da dinâmica do psiquismo: as pulsões do eu e as pulsões de objeto. As pulsões do eu ocupam-se em dar ao eu proteção, guarida e satisfação das necessidades elementares (fome, sede, sobrevivência, proteção contra intempéries etc.), e as pulsões de objeto buscam a associação erótica e sexual com outrem.

Já em *Além do princípio de prazer*, Freud avança no estudo dos movimentos psíquicos das pulsões. Mobilizado pelo tratamento dos neuróticos de guerra que povoavam as cidades europeias e por alguns de seus discípulos que, convocados, atenderam psicanaliticamente nas frentes de batalha, Freud reencontrou o estímulo para repensar a própria natureza da repetição do sintoma neurótico em sua articulação com o trauma. Surge o conceito de pulsão de morte: uma energia que ataca o psiquismo e pode paralisar o trabalho do eu, mobilizando-o em direção ao desejo de não mais desejar, que resultaria na morte psíquica. É provavelmente a primeira vez em que se postula no psiquismo uma tendência e uma força capazes de provocar a paralisia, a dor e a destruição.

Uma das principais consequências dessa reviravolta é a segunda teoria pulsional, que pode ser reencontrada na nova teoria do aparelho psíquico, conhecida como segunda tópica, ou segunda teoria do aparelho psíquico (que se dividiria em ego, id e superego, ou eu, isso e supereu), apresentada no texto *O eu e o id*, publicado em 1923. Freud propõe uma instância psíquica denominada supereu. Essa instância, ao mesmo tempo em que possibilita uma aliança psíquica com a cultura, a civilização, os pactos sociais, as leis e as regras, é também responsável pela culpa, pelas frustrações e pelas exigências que o sujeito impõe a si mesmo, muitas delas inalcançáveis. Daí o mal-estar que acompanha todo sujeito e que não pode ser inteiramente superado.

Em 1938, foi redigido o texto *Compêndio da psicanálise*, que seria publicado postumamente em 1940. Freud pretendia escrever uma grande síntese de sua doutrina, mas faleceu no exílio londrino em setembro de 1939, após a deflagração da Segunda Guerra Mundial, antes de terminá--la. O *Compêndio* permanece, então, conforme o próprio nome sugere, como uma espécie de inacabado testamento teórico freudiano, indicando a incompletude da própria teoria psicanalítica que, desde então, segue se modificando, se refazendo e se aprofundando.

É curioso que o último grande texto de Freud, publicado em 1939, tenha sido *O homem Moisés e a religião monoteísta*, trabalho potente e fundador que reexamina teses historiográficas basilares da cultura judaica e da religião monoteísta a partir do arsenal psicanalítico. Essa obra mereceu comentários de grandes pensadores contemporâneos como Yosef Yerushalmi, Edward Said e Jacques Derrida, que continuaram a enriquecê-la, desvelando não só a herança judaica muito particular de Freud, por ele afirmada e ao mesmo tempo combatida, mas também o alcance da psicanálise no debate sobre os fundamentos da historiografia do judaísmo, determinante da constituição identitária de pessoas, povos e nações.

Esta breve anotação introdutória é certamente insuficiente, pois muito ainda se poderia falar de Freud. Contudo, esperamos haver, ao menos, despertado a curiosidade no leitor, que passará a ter em mãos, com esta coleção, uma nova e instigante série de textos de Freud, com tradução direta do alemão e revisão técnica de destacados psicanalistas e estudiosos da psicanálise no Brasil.

Ao leitor, só nos resta desejar boa e transformadora viagem.

PREFÁCIO

Totem e tabu e a psicanálise além de suas próprias fronteiras

Paulo Endo

Em 1913 Freud publica o livro de ensaios *Totem e tabu: Algumas correspondências entre a vida psíquica dos selvagens e a dos neuróticos*. O tema do trabalho não soava familiar diante do que, até então, vinha ocupando Freud e os primeiros psicanalistas: os sonhos, as psiconeuroses (histeria e neurose obsessiva) e os mecanismos de defesa psíquicos, problemas fundamentais da clínica psicanalítica.

Com exceção do caso do "Homem dos lobos", os grandes casos clínicos clássicos de Freud – incluindo "Estudos sobre a histeria" (1895), "O caso Dora" (1905), "O pequeno Hans" (1909), "O Homem dos ratos" (1909),"O caso Schreber" (1911) – haviam sido publicados entre 1895 e 1911, portanto antes de *Totem e tabu*. A Associação Psicanalítica Internacional, que fora criada para unificar os grupos de psicanálise que surgiram na Europa e nos Estados Unidos em torno de Freud e dos freudianos, havia sido fundada alguns anos antes, em 1910, e as primeiras grandes cisões do movimento psicanalítico estavam em curso, sobretudo aquela que foi protagonizada por Sigmund Freud e seu discípulo dileto, Carl Gustav Jung, a partir de 1911.

Em meio a esse crescimento indiscutível da psicanálise, do movimento psicanalítico e do número de adeptos e interessados em psicanálise em vários países europeus e nos Estados Unidos, havia uma nova empreitada que ocupava Freud: o alargamento do horizonte da reflexão psicanalítica extramuros. Ou seja, Freud preparava-se para enfrentar problemas que se situavam para além da clínica, porém apoiando-se em tudo o que a prática psicanalítica já havia produzido em termos conceituais e teóricos.

Em 1912 Freud cria a revista *Imago*, por ele dirigida, juntamente com seus discípulos Hanns Sachs e Otto Rank. Em sua missão editorial constava a seguinte definição: "Revista para a aplicação da psicanálise às ciências do espírito". Um veículo formal de divulgação científica da psicanálise fora criado, com a clara intenção de levá-la aos umbrais onde outros saberes se exercem. Na *Imago* foram publicados pela primeira vez os quatro capítulos de *Totem e tabu*, entre 1912 e 1913.

Esse interesse – a expansão da psicanálise na direção de outras áreas do saber – não foi nem sazonal, nem marginal no pensamento freudiano. Freud se interessara por assuntos como a arqueologia e a pré-história desde muito cedo, e as primeiras aparições desse interesse podem ser encontradas em suas correspondências com Wilhelm Fliess[1] que ocorreram entre 1887 e 1904.

Em 1897, no "Rascunho N"[2] dirigido a Fliess, anexo à correspondência datada de 31 de maio do mesmo ano, Freud discorre brevemente sobre o "horror ao incesto" e a relação tensa entre a sufocação das pulsões (ou impulsos) e o desenvolvimento da cultura. O assunto seria retomado em "A moral sexual cultural e a nervosidade moderna",

---

1. Médico especializado em otorrinolaringologia que residia em Berlim. Conheceu Freud em 1887 durante uma estada em Viena. O que uniu os dois jovens médicos foi o interesse comum pela sexualidade. Desse interesse derivou uma amizade profunda documentada na correspondência trocada entre ambos, e da qual se tem apenas as cartas enviadas por Freud. Esse conjunto de cartas representa hoje um dos documentos mais importantes da história da psicanálise.

2. Freud anexava esporadicamente às suas cartas endereçadas a Wilhem Fliess alguns manuscritos em que apresentava esboços teóricos para a apreciação e comentário do amigo. Foram nomeados de rascunhos ou manuscritos que vão da letra A à letra N.

texto de 1908, e mais tarde em *O mal-estar na cultura*, publicado em 1930, que se consagrou como um dos textos mais bem recebidos e reconhecidos de Freud em suas incursões sobre os fenômenos da sociedade e da cultura. Esse trabalho teve e tem ainda grande impacto sobre as disciplinas de humanidades em geral.

Totem e tabu, entretanto, não foi agraciado por estudiosos de outras áreas com a mesma receptividade interessada de *O mal-estar na cultura*, o que não deixa de evidenciar uma contradição, já que, para Freud, as hipóteses centrais de *Totem e tabu* seriam inteiramente retomadas e constituiriam o cerne do argumento que atravessa *O mal-estar na cultura*.

Freud iniciou suas pesquisas em torno de *Totem e tabu* a partir de 1910, no contexto de suas preocupações em evidenciar as possibilidades interpretativas da psicanálise em outros campos e outras áreas de saber. Essa ambição freudiana reconhecia que as descobertas sobre o inconsciente, as defesas psíquicas, os mecanismos psíquicos de formação da neurose e sobre a constituição do sujeito não podiam ficar restritos à clínica psicanalítica, mas podiam – e deviam – ambicionar voos maiores, esclarecendo, criticando e aprofundando afirmações e temas já consolidados em outras áreas do conhecimento.

O ponto de partida de Freud para *Totem e tabu* foi a origem das proibições (os tabus). Os tabus são definidos como obediência transmitida diante de certas proibições mantidas pela tribo, clã, grupo ou sociedade. Porém Freud montava seu problema a partir da investigação sobre a suposição de sua origem: o totem.

Para Freud, a fonte visível, dotada de força e autoridade sagrada e sobrenatural inquestionável, à qual todos os membros do mesmo clã deveriam temor, obediência e respeito é o totem. O totem constitui a forma figurada, em geral representada por um animal, que condensa essas fantasias no seio de cada um dos clãs. Nesse mesmo sistema operam os tabus, prescrições e proibições dotadas de imensa força que determinam comportamentos sociais entre os que pertencem ao mesmo clã e que, obrigatoriamente, têm de professar as mesmas crenças e valores, vigiados pelos membros de seu próprio clã e, acima deles, pelo totem que os rege. Os tabus são proibições sem genealogia, isto é, eles determinam a obediência a seus preceitos sem que seja necessário, de modo algum, uma explicação sobre sua origem e força (sobrenatural).

Freud viu nesses dois fenômenos, presentes, atuantes e interdependentes na cultura dos povos primitivos, dois elementos discutidos e trabalhados em profundidade na teoria e na clínica psicanalítica: a representação psíquica ambivalente do pai (totem) e o tabu do incesto como obediência e dívida inultrapassáveis a esse mesmo pai primevo.

O sujeito da psicanálise, o sujeito do inconsciente está nas antípodas do indivíduo atomizado e autossuficiente e, segundo a psicanálise, o psiquismo jamais pode ser compreendido como estrutura interiorizada e autorregulada, independente dos laços e ligações que mantém com o mundo e com os objetos. Foi o que Géza Róheim, antropólogo e psicanalista discípulo de Freud, e um dos responsáveis por manter viva uma antropologia psicanalítica a partir dos preceitos de Freud, sugeriu ao dizer, em 1936: "o que nós chamamos de 'neurose', no sentido clínico, também pode ser chamada de 'civilização individual', assim como a civilização é uma 'neurose grupal'".

Róheim indicava as soluções imperfeitas, parciais e tensas que resultam do atravessamento da cultura no sujeito e do sujeito na cultura, intrinsecamente determinados e irreparavelmente em conflito. Para Freud ficava claro, desde o princípio, que sujeito é cultura, e cultura constitui sujeitos.

Em *Totem e tabu* a aproximação entre os ritos dos povos primitivos, os procedimentos culturais que os mantêm e a neurose obsessiva insistem sobre problemas fundamentais que inquietavam Freud; entre eles aqueles que permitem ir além de semelhanças ocasionais e reconhecer, na cultura dos povos, formas muito parecidas com aquelas que operam nos mecanismos psíquicos e na produção de sintomas psíquicos do homem moderno.

Nesse sentido a posição freudiana se aproxima da antropologia moderna de Marcel Mauss e Bronislaw Malinovski, que não atribuem às culturas primitivas um estágio cultural piorado ou menos desenvolvido da história do homem.

Essa semelhança indica que algo foi transmitido e encontrou abrigo tanto nas formações neuróticas quanto nas formações culturais. Porém, a transmissão desses padrões assumidos pela cultura revela a preservação de mecanismos de esquecimento (repressão e recalque) que, por sua vez, induzem e produzem cultura. Dito de outro modo, a reprodução obediente aos tabus revela uma insistência que determina e marca as produções culturais de um povo que, por sua vez, se apoiam sobre a necessidade do esquecimento daquilo que produziu a proibição-tabu: o assassinato do pai. Nesse sentido Freud dará como o exemplo de herdeiro da dinâmica imposta pelos tabus o sistema penal, o conjunto de leis que regulam e determinam as condenações e punições nas sociedades e nos estados. Porém e do mesmo modo, há nas leis, como nos tabus, a possibilidade do esquecimento de sua origem, ou da razão de sua promulgação; o que impede não só divergir da lei às quais todos estão submetidos como produz, não raro, uma obediência cega a essas leis sem que se discuta por que ela foi promulgada e por que devemos respeitá-la. Essa cegueira já é o resultado de um recalque e tem como efeito, por sua vez, a mera obediência.

Freud explicará isso construindo, após longo e laborioso trabalho de pesquisa em antropologia e etnografia, a hipótese do assassinato de um pai primevo e a hipótese de uma horda patriarcal originária, comandada pelo pai tirano e mantenedor dos próprios privilégios, entre eles a posse exclusiva das mulheres. Esse sistema de organização clânica, proposto por Freud, se fundamentava nas hipóteses já apresentadas por Charles Darwin em seu livro *A descendência do homem*, no qual se faz menção a uma suposta horda selvagem e primitiva.

O que colapsa o sistema de exercício de poder patriarcal e tirânico é o momento em que, na hipótese freudiana, os irmãos revoltosos se insurgem contra o pai, matando-o e devorando-o. A herança dos filhos assassinos será, doravante, a ambivalência e a culpa exemplarmente reproduzidas nos tabus e, muito particularmente, no tabu do incesto.

A psicodinâmica desse processo revela que o assassinato do pai-tirano por seus filhos escravos foi acompanhado pela necessária organização entre esses filhos, organização que dependeu da aptidão no uso da linguagem, da experiência de desamparo e culpa que sucede o assassinato do pai ditador e provedor e por uma organização mínima, que deve incluir as regras de permissão e proibição sobre tudo aquilo que antes pertencia ao pai tirano e que, agora, está acessível a todos os irmãos assassinos. Portanto, o assassinato do pai tirano põe fim às crueldades e restrições por ele impostas, mas também ao seu papel protetor, provedor e líder, características do pai que os filhos veneravam e das quais dependiam.

Entre essas restrições impostas pelo pai, ganha destaque a posse exclusiva das mulheres que, doravante, após seu assassinato, passará a ser regulada pelo tabu do incesto. Não havendo mais o pai que determina e vigia a posse das mulheres, faz-se necessária uma regulação à qual todos deverão se submeter, tal como faziam com o pai tirano. Esse tabu projeta para fora do clã as alianças matrimoniais e proíbe o acesso dos homens às mulheres do mesmo clã, fundando a exogamia. Vê-se aí uma função social idêntica àquela observada e descrita pela psicanálise em relação ao complexo familiar e batizado por Freud de complexo de Édipo, ponto nodal na estrutura dinâmica e psíquica do sujeito e da família no qual o desejo dos filhos pelos pais e dos pais pelos filhos são igualmente regulados pela proibição do incesto.

Por ocasião do surgimento do texto, essa hipótese foi vigorosamente combatida por antropólogos e psicólogos sociais que não viram nela senão um produto da imaginação de Freud, como sugeriu o psicólogo social inglês William Mcdougall; ou um produto de uma "imaginação confusamente fértil" conforme escreveu o conhecido antropólogo americano, estudioso de tribos indígenas nos Estados Unidos, Alfred Kroeber, em 1920, após a tradução de *Totem e tabu* para a língua inglesa, em 1918.

Freud previra os ataques que o texto sofreria e vaticinara, numa correspondência com seu discípulo Karl Abraham: "Estou preparado para ataques inamistosos que, naturalmente, não me perturbarão".

Com esta obra, Freud inaugura dois movimentos complementares, até então inéditos no seio do movimento e da reflexão psicanalítica e fora deles: o ingresso da psicanálise no debate sobre temas que diziam respeito às humanidades em geral, e que até então permaneciam adstritos a feudos disciplinares determinados; e a incorporação do pensamento psicanalítico como uma teoria que dialoga e se inscreve em campos disciplinares diversos para os quais as análises das formações, dos mecanismos e das dinâmicas inconscientes são consideradas fundamentais.

É preciso destacar que, do mesmo modo, *Totem e tabu* inaugura também um novo procedimento no que diz respeito aos estudos psicanalíticos até então: apresentar as descobertas psicanalíticas como elementos heurísticos importantes na compreensão de determinado fenômeno social, político ou cultural e, ao mesmo tempo, promover e provocar um diálogo crítico com pesquisas e pensadores advindos de outras áreas, nas quais o tema em questão já tenha uma tradição adiantada de estudos. Procedimento assim também pode ser encontrado em três textos de Freud: *A interpretação dos sonhos* (1900), *Psicologia das massas e análise do eu* (1921) e *O homem Moisés e a religião monoteísta* (1938).

Os fenômenos totêmicos reportados às culturas primitivas interessavam a Freud porque ali poderiam ser encontrados, exemplarmente, os princípios de ordenamento daquelas que seriam as primeiras formas de organização comunal entre seres humanos. Freud estava interessado em compreender como e por que o homem produz cultura. Assim os esforços que os povos primitivos construíam para ordenar, identificar e transmitir sua herança, valores e tradições no interior dos respectivos clãs e linhagens, passaram a interessar especialmente a Freud e a alguns de seus discípulos. Nesse sentido *Totem e tabu* é um dos textos psicanalíticos mais fundamentais sobre transmissão psíquica, mas também sobre as origens da transmissão eficaz dos elementos que constituem os modos de saber, fazer e sentir nas comunidades humanas: a cultura.

Estava lançada uma nova empreitada freudiana. Um passo a mais – ousado, arriscado – que conduzia a psicanálise, mais uma vez, para longe de sua zona de prestígio e conforto. Veremos nisso um traço característico de Freud: jamais permitir que a psicanálise repousasse em sua fama e fortuna, jamais deixar que as conquistas e descobertas psicanalíticas permanecessem apenas lá onde ela gozava de prestígio e reconhecimento. Para Freud as possibilidades abertas pelo conhecimento psicanalítico não tinham fronteiras claras e nem limites estanques.

Em função disso, as suspeitas que recaíram sobre *Totem e tabu* eram, podemos dizer, prévias à sua publicação e diziam respeito também ao domínio de um campo comandado por antropólogos, etnógrafos e psicólogos sociais infensos a permitir que a "nova ciência" psicanalítica penetrasse em seara alheia.

Dessa forma, antes mesmo que o texto fosse escrito, era preciso que Freud se colocasse as seguintes questões: sobre o que pretende discorrer um psicanalista diante de um tema consagrado aos etnógrafos e antropólogos? Qual o seu objetivo ao introduzir tema aparentemente tão estrangeiro à psicanálise, num momento em que a psicanálise se consolidava, se disseminava e era reconhecida por sua teoria e prática clínicas em diversos países do mundo? E como a psicanálise poderia esclarecer o que quer que fosse sobre os fenômenos totêmicos e as prescrições-tabu, aparentemente alheios a tudo o que a prática e a teoria psicanalíticas haviam produzido até então? Perguntas que ainda ressoam, em grande parte, devido à longa depuração que esse texto de Freud exigiu e ainda exige e às novas leituras e críticas sobre ele que foram escritas após Freud.

Foi o psicanalista e filósofo Jean-Bertrand Pontalis quem melhor destacou essa característica inerente ao ofício e à reflexão psicanalítica ao observar que na psicanálise não se trataria de definir limites e fronteiras, mas confins, e que a psicanálise só sobrevive diante de algo que resiste a ela. A psicanálise é esse exercício do não saber sobre o que se sabe e a oferta do estranho, do estrangeiro como lugar de onde um saber inédito pode advir.

Ou seja, uma das características mais fundamentais da psicanálise é sua extraordinária capacidade de ir além dela mesma, de flertar com seu próprio desaparecimento.

Na verdade o trabalho de Freud em *Totem e tabu* fica mais aquém e vai mais além da mera aplicação de conceitos e esquemas psicanalíticos a outros campos. Fica aquém na medida em que Freud se obriga a um trabalho de frequentação longa e investigação dedicada em outras áreas do conhecimento, com o objetivo de apoiar e fundamentar suas hipóteses psicanalíticas. Nessa construção argumentativa fica demonstrado o respeito de Freud a uma tradição de construção de saber intelectual que se apoia sobre saberes, argumentos e discussões precedentes como condição para debater, sem leviandade, temas consagrados em outros saberes e disciplinas. Portanto, nesse caso, Freud está longe de uma mera aplicação a priori de conceitos psicanalíticos sobre fenômenos já estudados por outras áreas antes da psicanálise e, paradoxalmente, distante da psicanálise aplicada (título dado por Freud à ambição de emprestar conceitos advindos da prática e da teoria psicanalítica a outros campos, que logo se mostraria inadequada não só por sugerir uma espécie de colonização da psicanálise sobre outros campos do saber, quanto por consistir, metodologicamente, numa aplicação pura e simples dos conceitos e descobertas da psicanálise sobre outras áreas).

Embora a ambição colonizadora e corretiva também estivesse presente em alguns dos textos de Freud, podemos afirmar que o título de psicanálise aplicada não é adequado para nomear vários dos textos freudianos publicados com esse timbre, incluindo *Totem e tabu*, nem para nomear o campo transdisciplinar que se abriu com essa iniciativa e essa inspiração de Freud e que contribuiu para que a psicanálise fosse reconhecida, nos dias de hoje, como um conhecimento que atravessa, interfere, dialoga e perturba diferentes campos do saber.

Podemos dizer ainda que *Totem e tabu* é o texto que põe fim à psicanálise aplicada entendida como aplicação direta, sem mediações, de conceitos oriundos da psicanálise a outras áreas; aplicação que ignora tudo o que fora acumulado, pesquisado e debatido sobre o tema em questão. Isso porque em *Totem e tabu* Freud debate extensamente com autores e obras importantes da antropologia e da etnografia de sua época e os estuda com profundo compromisso e envolvimento intelectual, para só a partir daí apresentar as críticas e contribuição psicanalíticas propriamente ditas.

Seria no mínimo paradoxal que Freud, justamente num artigo sobre a transmissão e as origens da cultura, ignorasse o que fora produzido, escrito e pesquisado sobre as culturas totêmicas e as prescrições-tabu até então.

Porém, Freud vai além, precisamente quando consegue demonstrar que desse diálogo consistente, trabalhoso e profundo se originam inflexões teóricas e conceituais capazes de iluminar os debates ulteriores por mais de um século. Não é sem motivo que nas últimas décadas diversos pensadores da teoria política contemporânea têm recorrido a *Totem e tabu* como um texto referencial e seminal sobre os fundamentos da política. Como assinala Hans Magnus Enzensberger em 1991: "É a Sigmund Freud que devemos a hipótese clássica do 'primeiro crime'(...). É somente pela culpa enquanto limite que o direito pode ser definido, pode ser reconhecido enquanto tal".

Giorgio Agamben, em 1995, destaca em sua já clássica obra *Homo Sacer I*, ao se referir a *Totem e tabu*: "Todavia é somente com esse livro que uma genuína teoria geral da ambivalência vem à luz, sobre bases não apenas antropológicas e psicológicas, mas também linguísticas".

Portanto, não foi sem motivo que Freud destacou *Totem e tabu* como um de seus textos mais importantes, ao lado de *A interpretação dos sonhos*. Como vimos, não se trata de um texto qualquer entre tantos outros do autor. Ele resguarda uma potência que lentamente se destila. Representa o melhor da tradição freudiana no que ela tem de ousadia, erudição, competência clínica e fundação teórica.

Ler *Totem e tabu* é retomar a linha mestra que revelou um campo inédito de reflexão, que seria aprofundado de modo evidente em *O futuro de uma ilusão*, *O mal-estar na cultura*, *Psicologia das massas e análise do eu* e *O homem Moisés e a religião monoteísta*, mas que se mantém presente até hoje em todos os grandes textos psicanalíticos e freudianos e em todos os trabalhos psicanalíticos pós-Freud que souberam e ousaram, como ele, levar a psicanálise lá onde ela ainda é estranha, desconhecida e suspeita.

Totem e tabu

Prólogo

Os quatro ensaios seguintes, publicados sob o subtítulo deste livro nos dois primeiros volumes da revista *Imago*, por mim editada, correspondem à minha primeira tentativa de aplicar pontos de vista e resultados da psicanálise a problemas não esclarecidos da etnopsicologia.[1] Eles contêm, portanto, uma oposição metodológica, por um lado, à vasta obra de Wundt, que coloca as hipóteses e os modos de trabalho da psicologia não analítica a serviço do mesmo propósito, e, por outro lado, aos trabalhos da escola psicanalítica de Zurique, que, ao contrário, procuram resolver problemas da psicologia individual recorrendo a material etnopsicológico.[2] Reconheço de boa vontade que foi desses dois autores que recebi o primeiro estímulo para meus próprios trabalhos.

Conheço muito bem as deficiências destes últimos. Não quero tocar naquelas que dependem do caráter embrionário destas investigações. Outras, porém, exigem algumas palavras introdutórias. Os quatro ensaios aqui reunidos reivindicam o interesse de um círculo mais amplo de pessoas instruídas, mas na verdade só podem ser compreendidos e julgados por aquelas poucas que não sejam mais alheias à peculiaridade da psicanálise. Eles pretendem

---

1. Por opção do tradutor decidiu-se, na presente edição, traduzir o termo em alemão *Völkerpsychologie* por "etnopsicologia" e suas variações. Entretanto, é importante observar que, de maneira geral, nos estudos brasileiros sobre a *Völkerpsychologie* de Wilhelm Wundt, que é citada criticamente por Freud ao longo de todo o texto, o termo é traduzido por "psicologia dos povos", o que permite discriminar a proposição de Wundt de outras proposições que a sucederam, como "psicologia cultural", "etnopsicologia", "psicologia social" etc. (N.R.)

2. Jung (1912 e 1913).

promover a mediação entre etnólogos, linguistas, folcloristas etc. de um lado e psicanalistas do outro, mas não podem dar a ambos os grupos o que lhes falta: ao primeiro, uma introdução satisfatória à nova técnica psicológica; ao último, um domínio suficiente do material que espera por elaboração. Assim, estes ensaios deverão se contentar em chamar a atenção dos dois grupos e despertar a expectativa de que um encontro mais frequente entre ambos não seja improdutivo para a pesquisa.

Os dois temas principais que dão nome a este pequeno livro, o totem e o tabu, não são tratados de igual modo. A análise do tabu aparece como uma tentativa de solução absolutamente segura, que esgota o problema. A investigação sobre o totemismo se contenta em declarar: "Eis o que a observação psicanalítica pode apresentar por enquanto para esclarecer o problema totêmico". Essa diferença está relacionada ao fato de o tabu, no fundo, ainda persistir em nosso meio; embora formulado negativamente e dirigido a outros conteúdos, segundo sua natureza psicológica ele não é outra coisa senão o "imperativo categórico" de Kant, que pretende atuar compulsoriamente e rejeita toda motivação consciente. O totemismo, ao contrário, é uma instituição sociorreligiosa alheia à nossa sensibilidade atual, na realidade abandonada há muito tempo e substituída por novas formas, instituição que deixou apenas marcas insignificantes na religião, nos usos e nos costumes da vida dos povos civilizados atuais, e que mesmo naqueles povos que ainda hoje o adotam foi obrigada a experimentar grandes transformações. O progresso social e técnico da história humana afetou muito menos o tabu do que o totem. Neste livro se ousou a tentativa de decifrar o sentido original do totemismo a partir de suas marcas infantis, das alusões em que reaparece no desenvolvimento de nossos próprios filhos. A estreita relação entre totem e tabu indica o caminho a ser seguido pela hipótese aqui defendida, e, se esta por fim resultou bastante improvável, tal caráter sequer oferece uma objeção à possibilidade de que ela possa ter chegado mais ou menos perto de uma realidade difícil de reconstruir.

Roma, setembro de 1913

Prefácio à edição hebraica

Nenhum dos leitores deste livro poderá se colocar tão facilmente na situação emocional[1] do autor que não compreende a língua sagrada, está completamente alheio à religião paterna – como a qualquer outra –, não pode tomar parte em ideais nacionalistas, mas que nunca negou o pertencimento a seu povo, sente que sua peculiaridade é judaica e não deseja mudá-la. Se lhe perguntassem: "Mas o que ainda há de judeu em ti se renunciaste a todas essas características em comum com teus compatriotas?", ele responderia: "Muita coisa ainda, provavelmente o principal". Mas, no momento, ele não poderia formular essa característica essencial com palavras claras. Mais tarde certamente haverá uma ocasião em que ela será acessível à compreensão científica.

Assim, constitui para tal autor uma experiência de tipo bem singular que seu livro seja traduzido na língua hebraica e colocado nas mãos de leitores para os quais esse idioma histórico é uma "língua" viva.[2] Um livro, além disso, que trata da origem da religião e da moralidade, mas que não conhece nenhum ponto de vista judaico, não faz nenhuma

---

1. No original, *Gefühlslage*. Na presente edição optou-se por traduzir *Gefühl* por "sentimento", "de sentimento", ou "emoção", "emocional" nos casos em que "de sentimento" soa estranho em português. ("Vida afetiva" e "vida psíquica" foram reservadas para a tradução de *Affektleben* e *Seelenleben*, respectivamente.) Deve ser destacado, porém, que a presença da dicotomia razão/emoção é bastante mitigada na obra de Freud, que a ultrapassa. (N.R.)

2. Freud grafa essa palavra entre aspas provavelmente por usar *Zunge* (mais usualmente, língua no sentido anatômico), menos comum do que *Sprache* para designar um sistema linguístico (como na expressão *hebräische Sprache*, que ocorre pouco antes). (N.T.)

restrição a favor do judaísmo. Mas o autor espera coincidir com seus leitores na convicção de que a ciência sem preconceitos não pode permanecer estranha ao espírito do novo judaísmo.

Viena, dezembro de 1930

I

O HORROR AO INCESTO

Conhecemos os estágios evolutivos percorridos pelo homem pré-histórico por meio dos monumentos e utensílios inanimados que nos deixou, por meio das notícias de sua arte, sua religião e sua concepção da vida que recebemos diretamente ou pela via da tradição em lendas, mitos e contos de fadas, e por meio dos restos de suas maneiras de pensar existentes em nossos próprios usos e costumes. Mas, além disso, ele em certo sentido ainda é nosso contemporâneo; existem seres humanos que acreditamos estarem ainda muito próximos dos primitivos, muito mais do que nós, e nos quais, por isso, vemos os descendentes e representantes diretos dos homens de épocas anteriores. Esse é o nosso juízo sobre os povos denominados selvagens e semisselvagens, cuja vida psíquica adquire um interesse especial para nós se for lícito reconhecer nela um estágio prévio bem conservado de nossa própria evolução.

Se essa hipótese for correta, uma comparação entre a "psicologia dos povos naturais", tal como ensinada pela etnologia, e a psicologia do neurótico, tal como se tornou conhecida por meio da psicanálise, deverá indicar inúmeras correspondências e nos permitirá, tanto num campo quanto noutro, ver sob uma nova luz fatos já conhecidos.

Por razões extrínsecas e intrínsecas escolho para essa comparação aquelas tribos que foram descritas pelos etnógrafos como os selvagens mais atrasados e mais miseráveis, os aborígines do continente mais jovem, a Austrália, que também em sua fauna conservou para nós tantas coisas arcaicas, extintas em outros lugares.

Os aborígines da Austrália são considerados uma raça especial, que não mostra parentesco físico nem linguístico com seus vizinhos mais próximos, os povos melanésios, polinésios e malaios. Não constroem casas nem cabanas fixas, não cultivam o solo, não têm outros animais domésticos além do cão, não conhecem sequer a arte da cerâmica. Alimentam-se exclusivamente da carne de todos os tipos possíveis de animais que abatem e de raízes que escavam. Desconhecem reis ou chefes; a assembleia dos homens adultos decide sobre os assuntos da comunidade. É extremamente duvidoso que possamos lhes atribuir vestígios de religião sob a forma da veneração de seres superiores. As tribos do interior do continente, que devido à falta de água precisam lutar com as mais duras condições de vida, parecem ser, sob todos os aspectos, mais primitivas do que aquelas que habitam próximas à costa.

Por certo não esperaremos que esses canibais pobres e desnudos sejam morais em nosso sentido quanto à vida sexual, que tenham imposto um alto grau de restrição aos seus impulsos[1] sexuais. E, no entanto, tomamos conhecimento de que colocaram a si mesmos, com o mais esmerado cuidado e o mais escrupuloso rigor, a meta de evitar relações sexuais incestuosas. Toda a sua organização social parece servir a esse propósito ou estar relacionada com seu atingimento.

No lugar de todas as instituições sociais e religiosas faltantes, encontramos nos australianos o sistema do *totemismo*. As tribos australianas se dividem em estirpes menores ou clãs, cada um dos quais denominado de acordo com seu *totem*. Bem, mas o que é o totem? Geralmente um animal, que pode ser comestível e inofensivo ou perigoso e temido,

---

1. Em alemão, *Triebe*. Salvo indicação em contrário, "impulso" corresponde sempre a *Trieb*. Para mais detalhes sobre essa escolha, ver o apêndice a *O futuro de uma ilusão* (L&PM, 2010), também reproduzido em *O mal-estar na cultura* (L&PM, 2010). (N.T.)

I – O horror ao incesto

mais raramente uma planta ou uma força da natureza (chuva, água), e que se encontra numa relação especial com toda a estirpe. O totem é em primeiro lugar o antepassado da estirpe, mas também seu espírito protetor e seu ajudante que lhe envia oráculos, e, no caso de ser perigoso, conhece seus filhos e os poupa. Em compensação, os membros do clã totêmico se encontram sob a obrigação sagrada, suscetível de punição automática, de não matar (destruir) seu totem e de se abster de sua carne (ou de qualquer outro usufruto que ele ofereça). O caráter totêmico não adere a um animal ou ser específico, mas a todos os indivíduos da espécie. De tempos em tempos se celebram festas em que os membros do clã totêmico representam ou imitam os movimentos e as particularidades de seu totem em danças cerimoniais.

O totem pode ser herdado pela linha materna ou paterna; o primeiro modo de herança provavelmente é o modo original em toda parte, e apenas mais tarde foi substituído pelo último. O pertencimento ao totem é a base de todas as obrigações sociais do australiano; por um lado, coloca-se acima do pertencimento à determinada tribo e, por outro, relega a consanguinidade a segundo plano.[2]

O totem não está vinculado a um solo e a um lugar; os membros do clã totêmico moram separados uns dos outros e convivem de modo pacífico com os membros de outros totens.[3]

---

2. Frazer (1910, vol. 1, p. 53): "*The totem bond is stronger than the bond of blood or family in the modern sense*". ["O laço totêmico é mais forte do que o laço de sangue ou de família no sentido moderno." (N.T.)]

3. Esse extrato resumidíssimo do sistema totêmico não pode prescindir de explicações e restrições: o nome "totem", sob a forma *totam*, foi tomado em 1791 dos peles-vermelhas da América do Norte pelo inglês J. Long. Quanto ao objeto, encontrou pouco a pouco grande interesse na ciência e produziu uma literatura abundante, da qual destaco como obras principais o livro em quatro volumes de J.G. Frazer, *Totemismo e exogamia*, de 1910, e os livros e artigos de Andrew Lang (*O segredo do totem*, 1905). O mérito de ter reconhecido a importância do totemismo para a pré-história da humanidade cabe ao escocês (continua)

E agora, enfim, precisamos nos recordar daquela peculiaridade do sistema totêmico em razão da qual também o interesse do psicanalista se volta para ele. Em quase todo lugar em que o totem é vigente, também existe a lei de que *membros do mesmo totem não podem manter relações sexuais entre si, ou seja, de que também não podem se casar uns com os outros*. Trata-se da *exogamia* vinculada ao totem.

(cont.) J. Ferguson McLennan ("A adoração de animais e plantas", 1869-1870). Instituições totêmicas foram observadas, ou são observadas ainda hoje, não apenas entre os australianos, mas também entre os índios da América do Norte; além disso, entre os povos das ilhas da Oceania, nas Índias Orientais e numa grande parte da África. Porém, muitos vestígios e restos, que de outra maneira seriam difíceis de interpretar, permitem concluir que o totemismo também existiu no passado entre os povos primitivos arianos e semitas da Europa e da Ásia, de modo que muitos pesquisadores tendem a reconhecer nele uma fase necessária, percorrida em todos os lugares, da evolução humana.

Mas como foi que os homens pré-históricos chegaram a se atribuir um totem, isto é, como foi que transformaram o fato de descender deste ou daquele animal em fundamento de suas obrigações sociais e, como veremos, também de suas restrições sexuais? Há inúmeras teorias sobre isso, cujo resumo o leitor alemão pode encontrar na *Etnopsicologia* de Wundt (1906), mas nenhuma concordância. Prometo que em breve tratarei do problema do totemismo num estudo especial, em que se tentará solucioná-lo pela aplicação do modo psicanalítico de pensar. (Ver o quarto ensaio deste volume.)

Mas não é só a teoria do totemismo que é controversa; também seus fatos mal podem ser expressos em teses gerais como se tentou acima. É difícil haver uma afirmação à qual não se teria de acrescentar exceções ou discordâncias. Mas não se pode esquecer que também os povos mais primitivos e mais conservadores são povos antigos em certo sentido e têm atrás de si um longo período em que aquilo que neles havia de original experimentou muitas evoluções e distorções. Sendo assim, hoje encontramos o totemismo, nos povos que ainda o apresentam, nos mais variados estágios de dissolução, de desintegração, de transição para outras instituições sociais e religiosas, ou então em configurações estacionárias que podem ter se afastado bastante de sua essência original. A dificuldade, assim, está no fato de não ser nada fácil decidir que elementos das condições atuais podem ser compreendidos como imagem fiel de um passado dotado de sentido e quais podem ser compreendidos como uma distorção secundária desse passado.

I – O horror ao incesto

Essa proibição, aplicada com severidade, é muito notável. Ela não é anunciada por nada do que ficamos sabendo até aqui sobre o conceito ou sobre as qualidades do totem; não se compreende, assim, de que forma ela entrou no sistema do totemismo. Por isso não nos admira que muitos pesquisadores cheguem a supor que originalmente – no princípio dos tempos e de acordo com seu sentido – a exogamia nada tinha a ver com o totemismo, mas que em alguma ocasião, quando restrições matrimoniais se mostraram necessárias, ela lhe foi acrescentada sem que houvesse relação mais profunda. Seja como for, a associação entre totemismo e exogamia existe e mostra-se bastante sólida.

Esclareçamos o significado dessa proibição por meio de explicações adicionais.

a) A desobediência a essa proibição não é deixada a uma punição por assim dizer automática dos culpados, como no caso de outras proibições totêmicas (por exemplo, matar o animal totêmico), mas é punida da maneira mais enérgica por toda a tribo, como se se tratasse de afastar um perigo que ameaçasse toda a comunidade ou uma culpa que a oprimisse. Algumas frases do livro de Frazer podem mostrar com que seriedade tais delitos são tratados por esses selvagens, de outro modo bastante imorais segundo os nossos critérios.

"*In Australia the regular penalty for sexual intercourse with a person of a forbidden clan is death. It matters not whether the woman be of the same local group or has been captured in war from another tribe; a man of the wrong clan who uses her as his wife is hunted down and killed by his clansmen, and so is the woman; though in some cases, if they succeed in eluding capture for a certain time, the offence may be condoned. In the Ta-ta-thi tribe, New South Wales, in the rare cases which occur, the man is killed but the woman is only beaten or speared, or both, till she is nearly dead; the reason given for not actually killing her being that she was probably coerced. Even in casual amours the clan prohibitions are strictly observed, any violations of these prohibitions 'are regarded with the utmost abhorrence and are punished by death'.*"[4]

b) Visto que a mesma punição severa também é aplicada a relações amorosas eventuais, que não levaram à geração de filhos, outros motivos para a proibição – de ordem prática, por exemplo – se tornam improváveis.

c) Visto que o totem é hereditário e não se modifica pelo casamento, é fácil ver as consequências da proibição no caso da hereditariedade materna. Se o homem, por exemplo, pertence a um clã cujo totem é o canguru e se casa com uma mulher do totem emu, os filhos, tanto meninos quanto meninas, são todos emu. Pela regra totêmica, portanto, torna-se impossível a um filho desse casamento manter relações incestuosas com sua mãe e com suas irmãs, emu como ele.[5]

---

4. "Na Austrália, a punição normal para a relação sexual com uma pessoa de um clã proibido é a morte. Não importa se a mulher é do mesmo grupo local ou se foi capturada de outra tribo durante a guerra; um homem do clã inadequado que se sirva dela como sua esposa é perseguido e morto pelos seus companheiros de clã, o mesmo acontecendo com a mulher; embora em alguns casos, se eles conseguem escapar à captura por certo tempo, a transgressão possa ser perdoada. Na tribo Ta-ta-thi, de Nova Gales do Sul, nos raros casos em que isso ocorre, o homem é morto, mas a mulher é apenas espancada ou ferida com lanças, ou ambos, até que esteja quase morta; a razão dada para não matá-la é que provavelmente ela foi coagida. Mesmo quando se trata de relações amorosas eventuais, as proibições do clã são observadas estritamente e qualquer violação dessas proibições 'é vista com a mais extrema repulsa e punida com a morte'." (N.T.) Frazer (1910, vol. 1, p. 54).

5. Mas ao pai, que é canguru, se permite – pelo menos segundo essa proibição – o incesto com suas filhas, que são emu. No caso da herança paterna do totem, o pai seria canguru e os filhos também; o incesto com as filhas seria então proibido ao pai e o incesto com a mãe seria permitido ao filho. Esses resultados da proibição totêmica fornecem uma indicação de que a herança materna é mais antiga do que a paterna, pois há razão para supor que as proibições totêmicas se dirigem sobretudo contra os desejos incestuosos do filho.

d) Mas basta apenas uma advertência para reconhecer que a exogamia vinculada ao totem cumpre mais – ou seja, pretende mais – do que evitar o incesto com a mãe e as irmãs. Ela também impossibilita ao homem a união sexual com todas as mulheres de sua própria estirpe, ou seja, impede essa união com certo número de pessoas do sexo feminino que não são suas parentes consanguíneas ao tratar todas essas mulheres como se o fossem. A justificação psicológica para essa restrição impressionante, que ultrapassa tudo a que se possa compará-la em povos civilizados, não é clara de início. Acreditamos compreender apenas que o papel do totem (do animal) como antepassado é levado muito a sério. Todos que descendem do mesmo totem são parentes consanguíneos, são uma família, e nessa família os graus mais remotos de parentesco são reconhecidos como obstáculo absoluto para a união sexual.

Assim, pois, esses selvagens nos mostram um grau insolitamente alto de horror, ou de sensibilidade, ao incesto, vinculado à peculiaridade, que não compreendemos muito bem, de que substituem o parentesco de sangue efetivo pelo parentesco totêmico. Entretanto, não podemos exagerar por demais essa oposição, e queremos lembrar que as proibições totêmicas incluem o incesto real como caso especial.

De que modo se chegou a substituir a família efetiva pela estirpe totêmica é um enigma cuja solução talvez coincida com a explicação do próprio totem. Deveríamos considerar, contudo, que, dada certa liberdade sexual que ultrapasse os limites do casamento, a consanguinidade, e com ela a prevenção do incesto, se torna tão incerta que não se poderá prescindir de outro fundamento para a proibição. Por isso, não é supérfluo observar que os costumes dos australianos admitem condições sociais e ocasiões festivas em que se viola o direito matrimonial exclusivo de um homem sobre uma mulher.

O uso linguístico dessas tribos australianas[6] mostra uma peculiaridade que sem dúvida cabe nesse contexto. É que as designações de parentesco de que se servem não têm em vista a relação entre dois indivíduos, mas entre um indivíduo e um grupo; elas pertencem, conforme a expressão de L.H. Morgan, ao sistema *classificatório*. Isso quer dizer que um homem chama de "pai" não apenas seu genitor, mas também qualquer outro homem que, segundo as normas da tribo, poderia ter se casado com sua mãe e assim ter se tornado seu pai; ele chama de "mãe", além daquela que o deu à luz, qualquer outra mulher que, sem transgredir as leis da tribo, poderia ter se tornado sua mãe; ele chama de "irmãos" e "irmãs" não apenas os filhos de seus pais reais, mas também os filhos de todas as pessoas mencionadas que se encontram na relação parental grupal com ele etc. Portanto, as denominações de parentesco que dois australianos dão um ao outro não indicam necessariamente uma consanguinidade entre eles, tal como deveria ser segundo nosso uso linguístico; elas indicam antes relações sociais do que físicas. Uma aproximação desse sistema classificatório pode ser encontrada entre nós na educação das crianças, que são levadas a cumprimentar todos os amigos e amigas dos pais com as palavras "tio" e "tia", ou, em sentido figurado, quando falamos de "irmãos em Apolo" e de "irmãs em Cristo".

Esse uso linguístico tão estranho para nós pode ser explicado facilmente quando o compreendemos como resto e indício daquela instituição matrimonial que o reverendo L. Fison chamou de *casamento grupal*, e cuja essência consiste no fato de certo número de homens exercer direitos conjugais sobre certo número de mulheres. Os filhos desse casamento grupal estarão certos em se considerarem uns aos outros como irmãos, embora não tenham nascido todos

---

6. Assim como da maioria dos povos totêmicos.

da mesma mãe e considerem todos os homens do grupo como seus pais.

Embora alguns autores, como por exemplo Westermarck em sua *História do casamento humano* (1902), se oponham às conclusões que outros tiraram da existência das denominações grupais de parentesco, justamente os melhores conhecedores dos selvagens australianos concordam que as denominações classificatórias de parentesco devem ser consideradas como um resto das épocas do casamento grupal. Segundo Spencer e Gillen (1899), é possível constatar ainda hoje certa forma de casamento grupal nas tribos dos urabuna e dos dieri. Assim, o casamento grupal teria precedido nesses povos o casamento individual e não teria desaparecido sem deixar marcas nítidas na linguagem e nos costumes.

Se substituirmos o casamento individual pelo casamento grupal, torna-se compreensível o aparente excesso na prevenção do incesto que encontramos nesses mesmos povos. A exogamia totêmica – a proibição de relações sexuais entre membros do mesmo clã – mostra ser o meio adequado para evitar o incesto grupal, meio que então foi fixado e sobreviveu ao seu motivo por longas eras.

Se dessa forma acreditamos ter compreendido o motivo das restrições matrimoniais dos selvagens da Austrália, ainda precisamos tomar conhecimento de que a situação real mostra uma complexidade muito maior, desconcertante à primeira vista. É que existem apenas poucas tribos na Austrália que não apresentam outra proibição além da restrição totêmica. A maioria é organizada de tal forma que se divide inicialmente em duas categorias que foram chamadas de classes matrimoniais (em inglês: *phratries*). Cada uma dessas classes matrimoniais é exógama e inclui várias estirpes totêmicas. Geralmente, cada classe matrimonial ainda se divide em duas subclasses (*sub-phratries*), e a tribo inteira, portanto, em quatro; assim, as subclasses se encontram entre as fratrias e as estirpes totêmicas.

O esquema típico da organização de uma tribo australiana, de ocorrência real bastante frequente, tem portanto o seguinte aspecto:

Fratrias

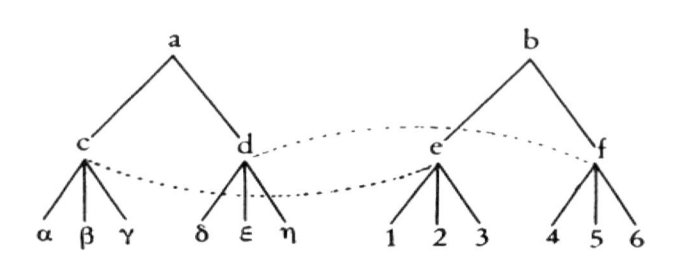

```
        a                    b
       / \                  / \
      c   d                e   f
     /|\ /|\              /|\ /|\
     α β γ δ ε η          1 2 3 4 5 6
```

As doze estirpes totêmicas estão acomodadas em quatro subclasses e duas classes. Todas as divisões são exógamas.[7] A subclasse c forma uma unidade exógama com e; a subclasse d, com f. O resultado, ou seja, a tendência dessas disposições, não deixa dúvidas: por esse caminho se produz uma restrição adicional da escolha matrimonial e da liberdade sexual. Se existissem apenas as doze estirpes totêmicas, cada membro de uma estirpe – supondo que houvesse o mesmo número de pessoas em cada uma delas – teria 11/12 de todas as mulheres da tribo à sua disposição para escolha. A existência das duas fratrias restringe esse número a 6/12 = 1/2; um homem do totem α pode se casar apenas com uma mulher das estirpes 1 a 6. Pela introdução das duas subclasses, a escolha se reduz a 3/12 = 1/4; um homem do totem α precisa restringir sua escolha matrimonial às mulheres dos totens 4, 5 e 6.

---

7. O número de totens foi escolhido arbitrariamente.

I – O horror ao incesto

As relações históricas entre as classes matrimoniais – que em algumas tribos chegam a oito – e as estirpes totêmicas são inteiramente obscuras. Vemos apenas que essas disposições pretendem alcançar o mesmo que a exogamia totêmica e se esforçam por obter ainda mais. Porém, enquanto a exogamia totêmica dá a impressão de ser uma norma sagrada que surgiu não se sabe como – ou seja, um costume –, as complicadas instituições das classes matrimoniais, suas subdivisões e as condições ligadas a elas parecem provir de uma legislação mais resoluta, que talvez tenha retomado a tarefa de evitar o incesto porque a influência do totem estava diminuindo. E enquanto o sistema totêmico, como sabemos, é o fundamento de todas as demais obrigações sociais e restrições morais da tribo, a importância das fratrias se esgota em geral na regulamentação da escolha matrimonial, almejada por meio delas.

No desenvolvimento posterior do sistema de classes matrimoniais se revela um esforço de ultrapassar a prevenção do incesto natural e grupal e proibir casamentos entre parentes grupais mais distantes, de maneira semelhante ao que fez a Igreja Católica quando estendeu a proibição de casamento entre irmãos, vigente desde sempre, aos casamentos entre primos, somando a isso a invenção dos graus espirituais de parentesco (Lang, 1910-1911).

Seria pouco proveitoso aos nossos interesses se quiséssemos penetrar mais a fundo nas discussões extraordinariamente complicadas e obscuras sobre a origem e o significado das classes matrimoniais, bem como sobre sua relação com o totem. Para nossos fins, basta indicar o grande cuidado que os australianos, assim como outros povos selvagens, empregam na prevenção do incesto.[8] Precisamos dizer que esses selvagens são inclusive mais

---

8. Faz pouco, Storfer chamou enfaticamente a atenção para esse ponto em seu estudo *Sobre a posição especial do parricídio* (1911).

sensíveis ao incesto do que nós. Provavelmente a tentação seja mais evidente para eles, de modo que necessitam de uma proteção maior contra ela.

Mas o horror desses povos ao incesto não se contenta com o estabelecimento das instituições descritas, que nos parecem dirigidas principalmente contra o incesto grupal. Precisamos acrescentar uma série de "costumes" que resguardam as relações individuais entre parentes próximos no sentido em que entendemos esse parentesco, costumes que são respeitados com um rigor que se poderia dizer religioso e cujo propósito dificilmente pode nos parecer duvidoso. Pode-se chamar esses costumes ou proibições morais de "evitações" (*avoidances*). Sua difusão vai muito além dos povos totêmicos australianos. Também aqui preciso pedir aos leitores que se contentem com uma amostra fragmentária de um material abundante.

Na Melanésia, tais proibições restritivas se referem às relações do menino com a mãe e as irmãs. Assim, por exemplo, na Ilha dos Leprosos, uma das Novas Hébridas, o menino deixa a casa materna a partir de certa idade e se muda para o "clube", onde passa a dormir e fazer suas refeições. É verdade que ele ainda tem permissão para visitar sua casa a fim de pedir comida; porém, se sua irmã estiver em casa, ele deve ir embora sem ter comido; se não houver nenhuma irmã presente, ele pode se sentar próximo à porta para comer. Se irmão e irmã se encontrarem casualmente ao ar livre, ela deve sair correndo ou se esconder nas proximidades. Se o menino reconhece que certas pegadas na areia são de sua irmã, ele não as seguirá, como tampouco ela seguirá as dele. Ele não pronunciará sequer o nome dela e se resguardará de usar uma palavra corrente se ela estiver contida nesse nome. Essa evitação, que começa com a cerimônia da puberdade, é observada durante toda a vida. A reserva entre uma mãe e seu filho aumenta com os anos; aliás, é preponderante do lado da mãe. Quando ela lhe traz algo para comer, não faz isso diretamente, mas coloca a comida à sua frente; ela também não lhe dirige a palavra com familiaridade, não lhe diz – conforme nosso uso linguístico – "tu", mas "senhor".[9] Usos semelhantes ocorrem na Nova Caledônia. Se irmão e irmã se encontram, ela se refugia nos arbustos e ele passa sem voltar a cabeça para ela.

Na Península das Gazelas, na Nova Bretanha, uma irmã não pode mais falar com o irmão depois de se casar; ela também não pronuncia mais o nome dele, mas o designa por um circunlóquio.[10]

Em Nova Mecklenburgo, tais restrições atingem primo e prima (embora não de todos os graus), assim como irmão e irmã. Eles não podem se aproximar um do outro, dar-se a mão ou se presentear, mas podem falar um com o outro à distância de alguns passos. A punição para o incesto com a irmã é a morte por enforcamento.[11]

Nas Ilhas Fiji essas regras de evitação são especialmente severas; atingem não apenas as irmãs consanguíneas, mas inclusive as irmãs do grupo. Isso se torna ainda mais estranho para nós quando ficamos sabendo que esses selvagens conhecem orgias sagradas em que justamente esses graus proibidos de parentesco buscam a união sexual – caso não prefiramos utilizar essa oposição para explicar a proibição em vez de nos espantarmos com ela.[12]

Entre os battas de Sumatra as leis de evitação atingem todas as relações próximas de parentesco. "Seria extremamente indecoroso para um batta, por exemplo, acompanhar

---

9. Frazer (1910, vol. 2, p. 77 e segs.), citando R.H. Codrington (1891).
10. Frazer (1910, vol. 2, p. 124).
11. Frazer (1910, vol. 2, p. 130-131), citando P.G. Peckel (1908).
12. Frazer (1910, vol. 2, p. 146 e segs.), citando o reverendo L. Fison.

sua própria irmã a uma festa noturna. Um irmão batta se sentirá desconfortável na companhia de sua irmã, mesmo se outras pessoas estiverem presentes. Se um deles entra em casa, o outro prefere sair. Um pai também não ficará sozinho em casa com sua filha, como tampouco uma mãe com seu filho (...). O missionário holandês que relatou esses costumes acrescenta que infelizmente precisa considerá-los muito bem fundamentados." Esse povo supõe facilmente que o fato de um homem estar sozinho com uma mulher levará a intimidades impróprias, e, visto que esperam todas as punições e consequências nefastas possíveis da relação entre parentes consanguíneos próximos, fazem bem em evitar todas as tentações por meio de tais proibições.[13]

Entre os barongos da baía de Delagoa, na África, as precauções mais severas se referem, curiosamente, à cunhada, à mulher do irmão da própria mulher. Se o homem encontra essa mulher perigosa para ele em algum lugar, trata de evitá-la com cuidado. Ele não ousa comer do mesmo prato com ela, dirige-lhe a palavra apenas com hesitação, não se atreve a entrar na sua cabana e a cumprimenta apenas com voz trêmula.[14]

Entre os akambas (ou wakambas), da África oriental inglesa, vige uma lei de evitação que teríamos esperado encontrar com mais frequência. No período entre sua puberdade e seu casamento, a jovem deve evitar cuidadosamente o próprio pai. Ela se esconde quando o encontra no caminho, jamais tenta se sentar ao seu lado e se comporta assim até o momento do noivado. A partir do casamento, não há mais qualquer obstáculo que impeça sua relação com o pai.[15]

---

13. Frazer (1910, vol. 2, p. 189).
14. Frazer (1910, vol. 2, p. 388), citando Junod.
15. Frazer (1910, vol. 2, p. 424).

I – O horror ao incesto

A evitação que é de longe a mais difundida, a mais severa e também a mais interessante para povos civilizados é a que limita as relações entre um homem e sua sogra. Ela é bem comum na Austrália, mas também está em vigor entre os melanésios, os polinésios e os povos negros da África até onde alcançam os vestígios do totemismo e do parentesco grupal, e provavelmente ainda vá além. Em alguns desses povos existem proibições análogas relativas ao trato inocente de uma mulher com seu sogro, mas não são nem de longe tão constantes e tão sérias. Em casos isolados, ambos os sogros se tornam objeto da evitação.

Visto que nos interessamos menos pela distribuição etnográfica do que pelo conteúdo e pelo propósito da evitação da sogra, também aqui me limitarei a reproduzir alguns poucos exemplos.

Nas Ilhas Banks, "essas normas são muito severas e escrupulosamente precisas. Um homem evitará a proximidade de sua sogra, assim como ela a dele. Se por acaso se encontrarem numa trilha, a mulher se afasta para o lado e lhe dá as costas até que ele tenha passado, ou ele faz o mesmo". "Em Vanua Lava (Port Patteson), um homem sequer seguirá sua sogra pela praia até que a maré alta tenha apagado suas pegadas na areia. De certa distância, porém, podem falar um com o outro. Está totalmente fora de questão que ele alguma vez pronuncie o nome de sua sogra ou que ela pronuncie o nome de seu genro."[16]

Nas Ilhas Salomão, um homem não pode ver sua sogra nem falar com ela depois do casamento. Se a encontra, não age como se a conhecesse, mas sai correndo, tão rápido quanto pode, a fim de se esconder.[17]

Entre os cafres zulus, "o costume exige que um homem tenha vergonha de sua sogra e faça de tudo para evitar sua

---

16. Frazer (1910, vol. 2, p. 76).
17. Frazer (1910, vol. 2, p. 117), citando C. Ribbe (1903).

companhia. Ele não entra na cabana em que ela está, e quando se encontram, um dos dois se afasta; ela se esconde atrás de uma moita, por exemplo, enquanto ele segura seu escudo diante do rosto. Quando eles não podem se evitar e a mulher não tem outra coisa com que se cobrir, ela pelo menos amarra um tufo de capim em torno da cabeça para satisfazer o cerimonial. Ou as relações entre eles têm de ser mediadas por uma terceira pessoa, ou podem gritar um para o outro de alguma distância se tiverem entre si alguma barreira, por exemplo, a cerca do *kraal* [aldeia]. Nenhum dos dois pode pronunciar o nome do outro" (Frazer, 1910, vol. 2, p. 385).

Entre os basogas, uma tribo negra da região das fontes do Nilo, um homem apenas pode falar com sua sogra se ela se encontrar em outro cômodo da casa e não for vista por ele. Aliás, esse povo abomina de tal modo o incesto que mesmo no caso de animais domésticos não o deixa impune (Frazer, 1910, vol. 2, p. 461).

Enquanto não há dúvidas sobre o propósito e o significado das outras evitações entre parentes próximos, de maneira que são compreendidas por todos os observadores como medidas preventivas contra o incesto, as proibições referentes às relações com a sogra receberam outra interpretação de alguns autores. Pareceu incompreensível, com razão, que todos esses povos devessem mostrar um medo tão grande da tentação que se aproxima do homem sob a forma de uma mulher mais velha que poderia ser sua mãe sem sê-lo de fato (ver Crawley, 1902, p. 405).

Essa objeção também foi levantada contra a concepção de Fison, que chamou a atenção para o fato de certos sistemas de classes matrimoniais apresentarem uma lacuna por não impossibilitarem teoricamente o casamento entre um homem e sua sogra; por isso, teria sido necessária uma proteção especial contra essa possibilidade.

I – O horror ao incesto

Em sua obra *A origem da civilização*, Sir J. Lubbock atribui o comportamento da sogra em relação ao genro ao antigo casamento por rapto (*marriage by capture*). "Enquanto o rapto de mulheres realmente existiu, a indignação dos pais também deve ter sido bastante séria. Quando restaram apenas símbolos dessa forma de casamento, a indignação dos pais também foi simbolizada, e esse costume ainda perdura depois que sua origem foi esquecida." É fácil para Crawley mostrar quão pouco essa tentativa de explicação dá conta dos detalhes da observação factual.

E.B. Tylor opina que o tratamento que o genro recebe da sogra não é outra coisa senão uma forma de "não reconhecimento" (*cutting*) pela família da mulher. O homem é considerado estranho, e isso até que nasça o primeiro filho. Porém, sem considerar os casos em que essa condição não elimina o interdito, essa explicação está sujeita às objeções de não esclarecer a orientação do costume à relação entre genro e sogra – ou seja, de ignorar o fator sexual – e de não levar em conta o fator que quase poderíamos chamar de "horror sagrado" que se expressa nas leis de evitação (Crawley, 1902, p. 407).

Uma mulher zulu que foi interrogada sobre o fundamento da proibição deu a seguinte resposta cheia de tato: "Não está certo que ele veja os seios que amamentaram sua mulher".[18]

É sabido que também nos povos civilizados a relação entre genro e sogra se encontra entre os aspectos espinhosos da organização familiar. É verdade que na sociedade dos povos brancos da Europa e da América não existem mais leis de evitação para ambos, porém muitas vezes se evitariam inúmeras disputas e desgostos se tais evitações ainda existissem sob a forma de costume e não precisassem ser estabelecidas novamente pelos indivíduos. Parecerá um

---

18. Crawley (1902, p. 401), citando Leslie (1875).

ato de grande sabedoria a muitos europeus que os povos selvagens tenham excluído de antemão mediante suas leis de evitação o estabelecimento de um acordo entre essas duas pessoas que se tornaram parentes tão próximas. Dificilmente se duvidará que na situação psicológica de sogra e genro exista algo que promova a hostilidade entre eles e dificulte sua convivência. O fato de justamente o tema da sogra ser um dos objetos prediletos das piadas dos povos civilizados me parece indicar que as relações emocionais entre ambos apresentam, além disso, componentes que se encontram numa drástica oposição. Penso que essa relação é no fundo "ambivalente", composta de sentimentos conflitantes, ternos e hostis.

Certa parcela desses sentimentos é bem evidente: do lado da sogra, a aversão a renunciar à posse da filha, a desconfiança em relação ao estranho a quem esta foi entregue, a tendência a manter uma posição dominante à qual se acostumou em sua própria casa. Do lado do homem, a determinação de não mais se subordinar a qualquer vontade alheia, o ciúme em relação a todas as pessoas que antes dele possuíram a ternura de sua mulher e – *last not least* – a aversão a deixar que seja perturbada sua ilusão da supervalorização sexual. Semelhante perturbação geralmente tem origem na pessoa da sogra, que devido a tantos traços comuns o faz lembrar a filha, e que no entanto carece de todos os encantos da juventude, da beleza e do frescor psíquico que tornam sua mulher valiosa para ele.

O conhecimento das paixões ocultas proporcionado pela investigação psicanalítica de indivíduos nos permite acrescentar a esses ainda outros motivos. Quando as necessidades psicossexuais da mulher devem ser satisfeitas no casamento e na vida familiar, ela sempre está ameaçada pelo perigo de insatisfação devido ao término prematuro da relação conjugal e devido à rotina de sua vida emocional.

I – O HORROR AO INCESTO

A mãe que envelhece se protege disso pela empatia com seus filhos, pela identificação com eles, fazendo suas as experiências emocionais deles. Diz-se que os pais permanecem jovens com seus filhos; esse é, de fato, um dos ganhos psíquicos mais valiosos que os pais extraem deles. Assim, se não tiverem filhos, perde-se uma das melhores possibilidades de suportar a resignação exigida pelo próprio casamento. No caso da mãe, é fácil que essa empatia com a filha vá tão longe que ela... também se apaixone pelo homem que a filha ama, o que em casos extremos, como consequência da enérgica oposição psíquica a essa disposição emocional, leva a formas graves de adoecimento neurótico. De qualquer maneira, uma tendência a tal apaixonamento é muito frequente na sogra, e, quer ele próprio, quer a tendência que o contraria, se associa ao tumulto das forças em luta na sua psique. Muitas vezes, precisamente o componente não terno, sádico, da excitação amorosa é dirigido ao genro a fim de reprimir com mais segurança o componente proibido, terno.

Para o homem, a relação com a sogra se complica devido a sentimentos parecidos, mas que provêm de outras fontes. O caminho da escolha de objeto geralmente o levou ao seu objeto amoroso passando pela imagem de sua mãe, talvez ainda de sua irmã; devido à barreira do incesto, sua predileção deslizou das duas pessoas caras de sua infância para chegar num objeto estranho, à imagem delas. Agora ele vê a sogra tomar o lugar da própria mãe e da mãe de sua irmã; desenvolve-se uma tendência a recair na escolha pré-histórica, mas tudo nele resiste a isso. Seu horror ao incesto exige que ele não seja lembrado da genealogia de sua escolha amorosa; a atualidade da sogra, que ele não conheceu desde sempre como no caso da mãe, de modo que sua imagem pudesse ter sido conservada sem modificações no inconsciente, torna-lhe fácil a recusa. Um ingrediente especial de irritabilidade e de ódio na mistura de sentimentos nos permite supor que a sogra de fato represente uma tentação incestuosa para o genro, assim como, por outro lado, não é raro que um homem de início se apaixone manifestamente pela sua futura sogra antes que suas inclinações passem à filha dela.

Não vejo qualquer obstáculo à hipótese de que é justamente esse fator da relação, o fator incestuoso, que motiva a evitação entre genro e sogra nos selvagens. Assim, na explicação das "evitações" aplicadas com tanto rigor por esses povos primitivos, daríamos preferência à opinião originalmente manifestada por Fison, que vê nessas prescrições apenas uma proteção contra o incesto possível. O mesmo valeria para todas as demais evitações entre parentes de sangue ou por casamento. Apenas haveria a diferença de que no primeiro caso o incesto é direto e o propósito preventivo poderia ser consciente; no outro caso, que inclui a relação com a sogra, o incesto seria uma tentação da fantasia, algo mediado por elos intermediários inconscientes.

Na exposição precedente tivemos pouca ocasião de mostrar que os fatos da etnopsicologia podem ser vistos de uma maneira nova pela aplicação da investigação psicanalítica, pois o horror dos selvagens ao incesto foi reconhecido como tal há muito tempo e não necessita de qualquer interpretação adicional. O que podemos acrescentar para sua apreciação é o enunciado de que ele é um traço eminentemente infantil e uma correspondência chamativa com a vida psíquica do neurótico. A psicanálise nos ensinou que a primeira escolha de objeto sexual do menino é incestuosa e diz respeito a objetos proibidos, a mãe e a irmã, como também nos mostrou os caminhos pelos quais o adolescente se liberta da atração do incesto.

I – O horror ao incesto

Mas o neurótico geralmente representa para nós uma peça de infantilismo psíquico; ou ele não conseguiu se livrar das condições infantis da psicossexualidade ou retrocedeu a elas. (Inibição do desenvolvimento e regressão.) Por isso, as fixações incestuosas da libido ainda representam ou representam novamente um papel principal em sua vida psíquica inconsciente. Chegamos a declarar que a relação com os pais, dominada por desejos incestuosos, é o *complexo nuclear* da neurose. A descoberta desse significado do incesto para a neurose naturalmente se choca com a incredulidade mais geral dos adultos e das pessoas normais; a mesma recusa também se oporá, por exemplo, aos trabalhos de Otto Rank, que demonstram em extensão sempre maior o quanto o tema do incesto se encontra no centro do interesse poético e fornece material à poesia em inúmeras variações e distorções. Somos obrigados a acreditar que tal recusa seja sobretudo um produto da profunda aversão do homem aos seus antigos desejos incestuosos, desde então submetidos ao recalcamento. Por isso, não é sem importância para nós poder mostrar que os povos selvagens ainda sentem os desejos incestuosos do homem, destinados a um posterior estado de inconsciência, como uma ameaça e que consideram adequadas as medidas defensivas mais extremas.

II

O TABU E A AMBIVALÊNCIA DOS SENTIMENTOS

1

Tabu é uma palavra polinésia cuja tradução nos causa dificuldades porque não temos mais o conceito designado por ela. Esse conceito ainda era corrente entre os antigos romanos; seu *sacer* era o mesmo que o tabu dos polinésios. Também o ἄγος dos gregos e o *kodausch* dos hebreus devem ter significado o mesmo que os polinésios exprimem pelo seu tabu e muitos povos da América, da África (Madagascar), da Ásia Setentrional e da Ásia Central por meio de designações análogas.

Para nós, o significado do tabu se diferencia em duas direções opostas. Por um lado, significa "sagrado", "consagrado"; por outro, "sinistro", "perigoso", "proibido", "impuro". Em polinésio, o antônimo de tabu é *noa* = "costumeiro", "acessível a todos". Sendo assim, adere ao tabu algo como o conceito de uma reserva; o tabu também se expressa essencialmente em proibições e restrições. Nossa expressão "horror sagrado" corresponderia muitas vezes ao sentido do tabu.

As restrições do tabu são algo diferente das proibições religiosas ou morais. Elas não são atribuídas ao mandamento de um deus, mas no fundo são evidentes por si mesmas; o que as distingue das proibições morais é o fato de não estarem incluídas num sistema que declare de um modo bem geral a necessidade de renúncias e que também fundamente essa necessidade. As proibições do tabu carecem

II – O TABU E A AMBIVALÊNCIA DOS SENTIMENTOS

de qualquer fundamentação; são de origem desconhecida; incompreensíveis para nós, parecem naturais para aqueles que se encontram sob seu domínio.

Wundt (1906, p. 308) designa o tabu como o mais antigo código não escrito da humanidade. É de aceitação geral que o tabu é mais antigo que os deuses e remonta a épocas que antecedem qualquer religião.

Visto que necessitamos de uma exposição imparcial do tabu a fim de submetê-lo à investigação psicanalítica, cito a seguir um extrato do artigo "Taboo", da *Encyclopaedia Britannica*[1], cujo autor é o antropólogo Northcote W. Thomas.

"Em sentido estrito, o tabu abrange apenas *a)* o caráter sagrado (ou impuro) de pessoas ou coisas, *b)* o tipo de restrição que resulta desse caráter e *c)* a sacralidade (ou impureza) que resulta da violação dessa proibição. O contrário de tabu é chamado na Polinésia de *noa*, o que significa 'habitual' ou 'comum' (...).

"Num sentido mais amplo, podemos distinguir diversos tipos de tabu: 1) um tabu *natural* ou direto, que é o resultado de uma força misteriosa (*mana*) que adere a uma pessoa ou a uma coisa; 2) um tabu *comunicado* ou indireto, que também parte daquela força, mas ou *a)* é adquirido ou *b)* transmitido por um sacerdote, um chefe ou outra pessoa; por fim, 3) um tabu que ocupa um lugar intermediário entre os outros dois, isto é, quando os dois fatores entram em consideração, como por exemplo na apropriação de uma mulher por um homem (...)." O termo "tabu" também é aplicado a outras restrições rituais, mas não deveríamos incluir no tabu tudo aquilo que seria melhor chamar de "proibição religiosa".

---

1. 11. ed., 1910-1911. Esse artigo também traz as referências bibliográficas mais importantes.

"Os objetivos do tabu são múltiplos: tabus diretos visam *a)* a proteção de pessoas importantes como chefes e sacerdotes, bem como de objetos e afins contra possíveis danos; *b)* a proteção dos fracos – mulheres, crianças e pessoas comuns em geral – contra o poderoso mana (a força mágica) de sacerdotes e chefes; *c)* a proteção contra perigos vinculados ao contato com cadáveres, ao consumo de certos alimentos etc.; *d)* o resguardo contra a perturbação de atos vitais importantes como o nascimento, a iniciação masculina, o casamento, as atividades sexuais; *e)* a proteção de seres humanos contra o poder ou a cólera de deuses e demônios[2]; *f)* a proteção de crianças não nascidas ou pequenas contra os vários perigos que as ameaçam devido à sua dependência simpática especial de seus pais quando estes, por exemplo, fazem certas coisas ou ingerem alimentos cujo consumo poderia transmitir qualidades especiais às crianças. Outra aplicação do tabu é proteger a propriedade de uma pessoa, suas ferramentas, seu campo etc. contra ladrões (...)."

Originalmente, é provável que o castigo pela violação de um tabu fosse deixado a uma disposição interna, de efeito automático. O tabu violado vingava a si mesmo. Quando entram em cena as ideias de deuses e demônios, com as quais o tabu entra em relação, espera-se do poder da divindade uma punição automática. Em outros casos, provavelmente devido a um desenvolvimento posterior do conceito, a sociedade assume a punição do temerário cujo proceder colocou seus companheiros em perigo. Assim, também os primeiros sistemas penais da humanidade se ligam ao tabu.

"Quem transgrediu um tabu se tornou ele próprio tabu por isso (...)." Certos perigos que surgem da violação de um

---

2. Essa aplicação do tabu pode ser deixada de lado neste contexto por não ser original.

II – O TABU E A AMBIVALÊNCIA DOS SENTIMENTOS

tabu podem ser conjurados por meio de ritos expiatórios e de cerimônias de purificação.

Considera-se que a fonte do tabu seja uma força mágica peculiar que adere a pessoas e espíritos e que pode ser transmitida por meio de objetos inanimados. "Pessoas ou coisas que são tabu podem ser comparadas a objetos eletricamente carregados; são a sede de uma força terrível que se comunica por contato e é liberada com efeitos funestos se o organismo que provoca a descarga for muito fraco para lhe resistir. Portanto, o resultado de uma violação do tabu não depende apenas da intensidade da força mágica que adere ao objeto tabu, mas também da intensidade do mana que no transgressor se opõe a essa força. Assim, por exemplo, reis e sacerdotes são possuidores de uma força imensa, e significaria a morte para seus súditos entrar em contato direto com eles, mas um ministro ou outra pessoa dotada de mana acima do comum pode se relacionar com eles sem perigo, e essas pessoas intermediárias, por sua vez, podem permitir que seus subalternos se aproximem delas sem colocá-los em perigo (...). A importância de tabus comunicados também depende do mana da pessoa de quem procedem; quando um rei ou um sacerdote impõe um tabu, este é mais eficaz do que se proviesse de um homem comum (...)."

A transmissibilidade de um tabu é provavelmente a característica que deu ocasião a que se tentasse eliminá-lo por meio de cerimônias expiatórias.

Há tabus permanentes e temporários. Sacerdotes e chefes se incluem no primeiro caso; do mesmo modo, pessoas mortas e tudo o que lhes pertenceu. Tabus temporários se associam a certos estados, como a menstruação e o puerpério, à situação do guerreiro antes e depois da expedição, às atividades de pesca, caça e afins. Um tabu geral, assim como o interdito eclesiástico, também pode ser imposto sobre uma grande região e perdurar por muitos anos.

Se é que sei avaliar corretamente as impressões de meus leitores, ouso afirmar agora que depois de todas essas comunicações sobre o tabu eles sabem ainda menos acerca do que devem entender por ele e acerca do lugar em que podem acomodá-lo em seu pensamento. Isso certamente é a consequência da informação insuficiente que receberam de mim e da ausência de todas as discussões sobre a relação do tabu com a superstição, a crença em almas e a religião. Mas, por outro lado, temo que uma descrição mais detalhada do que se sabe sobre o tabu teria tido um efeito ainda mais desconcertante, e posso assegurar que o estado de coisas é realmente muito obscuro. Trata-se, portanto, de uma série de restrições às quais esses povos primitivos se submetem; isto e aquilo são proibidos, eles não sabem por que e também não lhes ocorre perguntar a respeito, mas se submetem a elas como se fossem algo natural e estão convencidos de que uma transgressão será punida automaticamente da maneira mais dura. Há relatos confiáveis de que a transgressão de uma dessas proibições, cometida sem sabê-lo, de fato foi punida de forma automática. O malfeitor inocente que, por exemplo, comeu de um animal proibido se deprime profundamente, espera sua morte e então morre de fato. As proibições se referem em sua maioria à faculdade da alimentação, à liberdade de movimento e de se relacionar; parecem fazer sentido em muitos casos e significam abstenções e renúncias de maneira evidente; em outros casos, seu conteúdo é inteiramente incompreensível, se referem a ninharias sem valor e parecem pertencer inteiramente a uma espécie de cerimonial. Na base de todas essas proibições parece existir algo como uma teoria, como se elas fossem necessárias porque certas pessoas e coisas têm uma força perigosa que se transmite mediante contato com o objeto carregado, quase como uma infecção. A quantidade dessa qualidade perigosa também entra em consideração. Uma pessoa ou coisa tem mais dela do que outra, e até se poderia dizer que o perigo é proporcional à diferença das cargas. O mais estranho nisso provavelmente é que a pessoa que conseguiu transgredir semelhante proibição adquire ela mesma o caráter do proibido, como se tomasse toda a carga perigosa sobre si. Essa força adere a todas as pessoas que são algo especial, como reis, sacerdotes e recém-nascidos; a todos os estados excepcionais, como os estados físicos da menstruação, da puberdade e do nascimento; a todos os fatos sinistros, como a doença e a morte, e àquilo que estiver relacionado com eles devido à capacidade de contágio ou propagação.

É chamado de "tabu" tudo aquilo – não só pessoas, como também lugares, objetos e estados passageiros – que for portador ou fonte dessa qualidade misteriosa. Também é chamada de tabu a proibição derivada dessa qualidade e, finalmente, segundo seu sentido literal, algo que é ao mesmo tempo sagrado, elevando-se acima do habitual, e também perigoso, impuro e sinistro.

Nessa palavra e no sistema que ela designa se expressa um fragmento da vida psíquica de cuja compreensão realmente não parecemos ter nos aproximado. Poderíamos pensar, sobretudo, que não podemos nos aproximar dessa compreensão sem nos aprofundarmos na crença em espíritos e demônios, característica de culturas que se encontram num nível tão baixo.

Mas por que, afinal, devemos voltar nosso interesse ao enigma do tabu? Penso que não só porque qualquer problema psicológico em si mereça uma tentativa de solução, mas também por outras razões. É lícito presumirmos que o tabu dos selvagens da Polinésia não se encontra assim tão longe de nós como queríamos acreditar de início, que as proibições do costume e da moral a que nós próprios obedecemos possam ter em sua essência um parentesco com esse tabu primitivo e que a explicação do tabu possa lançar uma luz sobre a origem obscura de nosso próprio "imperativo categórico".

Sendo assim, aguçaremos nossos ouvidos numa tensão especialmente cheia de expectativa quando um pesquisador como W. Wundt nos comunica sua concepção do tabu, sobretudo porque promete "recuar até as últimas raízes das noções de tabu" (1906, p. 301).

Sobre o conceito de tabu, Wundt afirma que ele "abrange todos os usos em que se exprime o horror a determinados objetos relacionados com as ideias cultuais ou aos ritos que se referem a esses objetos" (*ibid.*, p. 237).

Em outro trecho: "Se compreendermos por esse conceito (o de tabu), tal como corresponde ao sentido geral da palavra, toda proibição, sedimentada em usos e costumes ou em leis expressamente formuladas, de tocar um objeto, tomá-lo para seu uso ou de empregar certas palavras malvistas (...)", então não haveria absolutamente nenhum povo e nenhum nível cultural que tivesse escapado aos danos causados pelo tabu.

Depois Wundt explica por que lhe parece mais apropriado estudar a natureza do tabu nas condições primitivas dos selvagens australianos do que na cultura mais elevada dos povos polinésios. Entre os australianos, ele organiza as proibições do tabu em três classes, conforme se refiram a animais, pessoas ou outros objetos. O tabu dos animais, que consiste essencialmente na proibição de matá-los e consumi-los, constitui o núcleo do *totemismo*.[3] O tabu do segundo tipo, que tem pessoas por objeto, é de caráter

---

3. Ver a propósito o primeiro e o último ensaios deste livro.

II – O TABU E A AMBIVALÊNCIA DOS SENTIMENTOS

essencialmente diferente. Ele é limitado de antemão a condições que causam uma situação de vida incomum para a pessoa tabu. Assim, os jovens são tabu por ocasião da festa da iniciação masculina; as mulheres, durante a menstruação e imediatamente após o parto; além disso, crianças recém-nascidas, pessoas doentes e sobretudo os mortos. Sobre os pertences que uma pessoa utiliza continuamente paira um tabu permanente para qualquer outra pessoa; é o caso de suas roupas, ferramentas e armas. Na Austrália, também se inclui entre os pertences mais pessoais o novo nome que um menino recebe em sua iniciação; ele é tabu e deve ser mantido em segredo. Os tabus de terceiro tipo, que repousam sobre árvores, plantas, casas e lugares, são variáveis e parecem apenas obedecer à regra de que é submetido ao tabu aquilo que por alguma razão desperta horror ou é sinistro.

Quanto às modificações que o tabu experimenta na cultura mais rica dos polinésios e do arquipélago malaio, o próprio Wundt é obrigado a declarar que não são muito profundas. A diferenciação social mais acentuada desses povos se faz valer no fato de que chefes, reis e sacerdotes exercem um tabu especialmente eficaz e de que sejam eles próprios expostos à coação mais enérgica do tabu.

Mas as verdadeiras fontes do tabu são mais profundas do que os interesses das classes privilegiadas; "elas nascem ali onde os impulsos humanos mais primitivos e ao mesmo tempo mais duradouros têm sua origem, *no medo do efeito das forças demoníacas*" (*ibid.*, p. 307). "Originalmente nada mais do que o medo objetivado da força demoníaca que se imaginava escondida no objeto tabuizado, o tabu proíbe açular essa força e ordena, quando ela for ofendida com intenção ou sem, afastar a vingança do demônio."

Aos poucos, então, o tabu se transforma numa força fundamentada em si mesma, separada do demonismo. Ele se transforma na coação do costume e da tradição, e, por fim, da lei. "Mas o mandamento que se encontra implícito por trás das proibições do tabu, tão variáveis segundo o lugar e a época, é originalmente apenas *um:* 'Resguarda-te da cólera dos demônios'."

Wundt nos ensina, portanto, que o tabu é uma expressão e um produto da crença dos povos primitivos em forças demoníacas. Posteriormente, o tabu teria se emancipado dessa raiz e continuou sendo uma força simplesmente pelo fato de já sê-la, em consequência de uma espécie de inércia psíquica; assim ele se tornou a raiz de nossos mandamentos morais e de nossas leis. Por menos que a primeira dessas teses possa causar protestos, acredito, no entanto, colocar em palavras a impressão de muitos leitores se defino a explicação de Wundt como decepcionante. Isso por certo não significa descer às fontes das ideias de tabu ou mostrar suas últimas raízes. Nem o medo nem os demônios podem ser considerados na psicologia como coisas últimas que resistem a qualquer explicação adicional. Seria diferente se os demônios realmente existissem; mas sabemos que, assim como os deuses, eles são criações das forças psíquicas do homem; eles foram criados por algo e de algo.

Sobre o duplo significado do tabu, Wundt expressa opiniões eloquentes, mas cuja compreensão não é das mais claras. Segundo ele, nos começos primitivos do tabu ainda não existia uma separação entre *sagrado* e *impuro*. Precisamente por isso, nessa época tais conceitos ainda não existem de forma alguma com o significado que só puderam assumir quando entraram em oposição mútua. O animal, o homem ou o lugar sobre o qual repousa um tabu são demoníacos, não são sagrados e por isso também ainda não são impuros no sentido posterior. A expressão "tabu" por certo é adequada precisamente para esse sentido, ainda situado de maneira indiferente numa posição intermediária, do demoníaco que não é lícito tocar, visto que ela ressalta uma característica que, afinal, permanece comum tanto ao sagrado quanto ao impuro em todas as épocas: o horror ao seu contato. Porém, nessa característica comum importante e duradoura, há ao mesmo tempo uma indicação de que existe uma correspondência original entre os dois âmbitos, que apenas em consequência de condições posteriores deu lugar a uma diferenciação por meio da qual ambos finalmente se transformaram em opostos.

A crença, própria do tabu originário, numa força demoníaca escondida no objeto e que vinga o contato com este ou o seu uso ilícito por meio do enfeitiçamento do infrator ainda é inteira e exclusivamente o medo objetivado. Este ainda não se separou nas duas formas que assume num estágio desenvolvido: a *veneração* e a *repulsa*.

Mas como surge essa separação? Segundo Wundt, pelo transplante dos mandamentos do tabu, que são extraídos do âmbito dos demônios e introduzidos no âmbito das ideias sobre os deuses. A oposição entre sagrado e impuro coincide com a sucessão de dois estágios mitológicos, dos quais o mais antigo não desaparece inteiramente quando o seguinte é atingido, mas continua existindo sob a forma de uma apreciação inferior e que aos poucos vai se associando ao desprezo. Na mitologia, tem validade universal a lei de que um estágio prévio, justamente porque foi superado e empurrado para segundo plano pelo estágio superior, continua existindo ao lado deste numa forma rebaixada, de modo que seus objetos de veneração se transformam em objetos de aversão (*ibid.*, p. 313).

As demais explicações de Wundt se referem à relação das ideias de tabu com a purificação e o sacrifício.

2

Quem se aproximar do problema do tabu pela perspectiva da psicanálise, isto é, pela investigação da parte inconsciente da vida psíquica individual, dirá após breve reflexão que esses fenômenos não lhe são estranhos. Ele conhece pessoas que criaram individualmente tais tabus e obedecem a eles com o mesmo rigor com que os selvagens obedecem aos tabus comuns à sua tribo ou à sua sociedade. Se não estivesse acostumado a designar essas pessoas isoladas como *doentes obsessivos*, deveria achar o nome *doença do tabu* apropriado para seu estado. Porém, ele ficou sabendo tantas coisas sobre essa doença obsessiva por meio da investigação psicanalítica – a etiologia clínica e o essencial do mecanismo psíquico – que não pode se privar de aplicar o que aprendeu para esclarecer o fenômeno etnopsicológico correspondente.

Ao fazer essa tentativa, cabe dar ouvidos a uma advertência. A semelhança do tabu com a doença obsessiva pode ser puramente externa, ser válida para a forma externa de ambos e não se estender mais longe até sua essência. A natureza gosta de aplicar as mesmas formas nos mais diferentes contextos biológicos; por exemplo, tanto nos corais quanto nas plantas, e, indo além, em certos cristais ou na formação de determinados sedimentos químicos. Seria evidentemente precipitado e pouco promissor fundamentar conclusões nessas concordâncias que têm sua origem no caráter comum de condições mecânicas, conclusões que se referem a uma afinidade interna. Não esqueceremos essa advertência, mas não precisamos deixar de fazer a comparação a que nos propomos por causa dessa possibilidade.

A primeira e mais chamativa correspondência entre as proibições obsessivas (no caso de neuróticos) e o tabu

II – O TABU E A AMBIVALÊNCIA DOS SENTIMENTOS

consiste em que essas proibições são igualmente injustificadas e de origem enigmática. Elas apareceram em dado momento e agora precisam ser obedecidas em consequência de uma angústia invencível. Uma ameaça externa de punição é supérflua, pois há uma certeza interna (uma consciência moral) de que a transgressão levará a uma desgraça intolerável. O máximo que os doentes obsessivos conseguem comunicar é o pressentimento vago de que certa pessoa de seu meio será prejudicada pela transgressão. Não se distingue que prejuízo será esse, além de obtermos essa informação escassa preferencialmente a propósito dos atos expiatórios e defensivos, a serem discutidos mais adiante, do que a propósito das proibições mesmas.

Como no caso do tabu, a proibição principal e nuclear da neurose é a de contato, daí o nome "fobia de contato", *délire de toucher*. A proibição não se estende apenas ao contato direto com o corpo, mas assume o alcance da expressão figurada "entrar em contato". Tudo aquilo que dirige os pensamentos ao que é proibido, ou que produz um contato de pensamento, é tão proibido quanto o contato corporal direto; o mesmo alcance é encontrado no tabu.

Uma parte das proibições é facilmente compreensível quanto ao seu propósito; outra, em compensação, nos parece incompreensível, ridícula, sem sentido. Chamamos a tais preceitos de "cerimonial" e descobrimos que os usos do tabu mostram a mesma diferenciação.

É característica das proibições obsessivas uma imensa deslocabilidade; elas se estendem de um objeto a outro por quaisquer vias de conexão e tornam também esse novo objeto "impossível", como disse com acerto uma de minhas pacientes. Por fim, a impossibilidade tomou conta do mundo inteiro. Os doentes obsessivos se comportam como se as pessoas e coisas "impossíveis" fossem portadoras de uma perigosa infecção que está pronta a se transmitir por contato a tudo que se encontra nas proximidades. Destacamos essas mesmas características de contagiosidade e de transferibilidade no início deste ensaio, quando descrevemos as proibições do tabu. Também sabemos que alguém que transgrediu um tabu pelo contato com alguma coisa que é tabu se torna ele mesmo tabu, e ninguém tem permissão de entrar em contato com ele.

Comparo dois exemplos de transferência (ou melhor, deslocamento) da proibição; um deles extraído da vida dos maoris e o outro de minha observação de uma mulher obsessiva.

"Um chefe maori não atiçará o fogo com seu sopro, pois seu fôlego santificado comunicaria sua força ao fogo; este, à panela que está no fogo; a panela, ao alimento que nela é cozinhado; o alimento, à pessoa que o come, e assim teria de morrer a pessoa que comeu do alimento que foi cozinhado na panela que estava no fogo que foi atiçado pelo chefe com seu sopro sagrado e perigoso."[4]

A paciente exige que um utensílio comprado pelo marido seja jogado fora, caso contrário lhe tornaria impossível o lugar em que mora. Pois ela ficou sabendo que esse objeto foi comprado numa loja que fica, digamos, na Hirschengasse. Só que Hirsch é o nome atual de uma amiga que mora numa cidade distante e que ela conheceu em sua juventude pelo seu nome de solteira. Hoje essa amiga é "impossível" para ela, é tabu, e o objeto comprado aqui em Viena é tão tabu quanto a amiga com quem ela não quer entrar em contato.

As proibições obsessivas implicam uma grande renúncia e restrições da vida tal como as proibições do tabu, mas uma parte delas pode ser cancelada pela execução de certos atos imprescindíveis que têm caráter compulsório – atos compulsivos – e sobre cuja natureza de penitência,

---

4. Frazer (1911 *b*, p. 136).

II – O tabu e a ambivalência dos sentimentos

expiação, medida defensiva e purificação não cabem dúvidas. O mais usual desses atos obsessivos é lavar-se com água (compulsão de lavar-se). Uma parte das proibições do tabu também pode ser substituída dessa maneira – ou antes, reparada a transgressão deste – por semelhante "cerimonial", e a lustração com água também é a preferida neste caso.

Resumamos agora os pontos em que a correspondência entre os usos do tabu e os sintomas da neurose obsessiva se mostra mais claramente: 1) na ausência de motivo para as normas, 2) em sua consolidação mediante uma coação interna, 3) em sua deslocabilidade e no risco de contágio pelo proibido, 4) na criação de atos cerimoniais, de normas, que emanam das proibições.

No entanto, por meio da psicanálise tomamos conhecimento tanto da história clínica quanto do mecanismo psíquico dos casos de doença obsessiva. A história clínica de um caso típico de fobia de contato é a seguinte: bem no início, no período mais precoce da infância, se manifestou um intenso *desejo* de tocar, cuja meta era muito mais especializada do que estaríamos inclinados a esperar. A esse desejo logo se opôs, vinda *de fora*, uma proibição de executar precisamente esse toque.[5] A proibição foi aceita, pois pôde se apoiar em poderosas forças internas[6]; ela se mostrou mais forte do que o impulso que quis se manifestar no toque. Mas, em consequência da constituição psíquica primitiva da criança, a proibição não conseguiu abolir o impulso. O resultado da proibição foi apenas o de recalcar o impulso – o desejo de tocar – e bani-lo para o inconsciente. Ambos, a proibição e o impulso, se conservaram:

---

5. Ambos, desejo e proibição, se referiam ao contato com os próprios genitais.
6. Na relação com as pessoas amadas que promulgaram a proibição.

o impulso, porque foi apenas recalcado, e não abolido; a proibição, porque com seu cessar o impulso teria penetrado na consciência e alcançado realização. Criou-se uma situação não resolvida, uma fixação psíquica, e todo o resto se deriva do conflito permanente entre proibição e impulso.

A principal característica da constelação psicológica que assim se fixou reside no que se poderia chamar de comportamento *ambivalente* do indivíduo em relação a um objeto, ou, antes, em relação a uma ação efetuada sobre esse objeto.[7] O indivíduo quer executar essa ação – o toque – repetidamente, vê nela o gozo supremo, mas não tem permissão para executá-la, e também a detesta. A oposição entre essas duas correntes não é facilmente conciliável, pois elas – digamos assim – estão localizadas de tal modo na vida psíquica que não podem se encontrar. A proibição se torna ruidosamente consciente, e o contínuo desejo de tocar é inconsciente; a pessoa nada sabe dele. Se não existisse esse fator psicológico, uma ambivalência não poderia se conservar por tanto tempo nem poderia levar a tais consequências.

Na história clínica do caso, destacamos que o decisivo é a introdução da proibição numa época tão precoce da infância; quanto à configuração subsequente, esse papel proibidor cabe ao mecanismo de recalcamento próprio dessa idade. Em consequência do recalcamento ocorrido, e que está ligado a um esquecimento – amnésia –, o motivo da proibição tornada consciente permanece desconhecido, e todas as tentativas de decompô-lo intelectualmente têm de fracassar, visto que não encontram um ponto de ataque. A proibição deve sua força – seu caráter obsessivo – precisamente à relação com seu adversário inconsciente, o desejo não sufocado que persiste em regiões ocultas, ou seja, a uma necessidade interna inacessível à compreensão

---

7. Segundo uma feliz expressão de Bleuler.

consciente. A transferibilidade e a capacidade de propagação da proibição refletem um processo que ocorre com o desejo inconsciente e que é especialmente facilitado sob as condições psicológicas do inconsciente. O desejo impulsional se desloca sem cessar a fim de escapar do bloqueio em que se encontra e procura obter substitutos – objetos e atos substitutivos – para o proibido. Por isso a proibição também se desloca e se estende às novas metas da moção malvista. A cada nova investida da libido recalcada, a proibição responde com uma nova intensificação. A inibição recíproca das duas forças em luta gera uma necessidade de descarga, de redução da tensão dominante, necessidade na qual é lícito reconhecer o motivo dos atos obsessivos. Na neurose, esses atos são claramente ações de compromisso: por um lado, testemunhos de arrependimento, esforços expiatórios etc., mas por outro, ao mesmo tempo, atos substitutivos que compensam o impulso por aquilo que foi proibido. É uma lei da doença neurótica que essas ações obsessivas entrem sempre mais a serviço do impulso e se aproximem cada vez mais da ação originalmente proibida.

Façamos agora a tentativa de tratar o tabu como se fosse da mesma natureza de uma proibição obsessiva dos nossos doentes. Deve ficar claro desde o princípio que muitas das proibições do tabu a serem examinadas são de tipo secundário, deslocado e distorcido, e que devemos ficar satisfeitos por lançar alguma luz sobre as mais originárias e mais significativas dessas proibições. Além disso, também deve ficar claro que as diferenças entre a situação do selvagem e a do neurótico podem ser importantes o suficiente para excluir uma correspondência completa e impedir uma transferência de um a outro que equivalha a uma cópia idêntica em todos os pontos.

Em primeiro lugar, diríamos então que não tem sentido perguntar aos selvagens pelo motivo real de suas proibições, pela gênese do tabu. Segundo nosso pressuposto, eles devem ser incapazes de comunicar algo a respeito, pois esse motivo seria "inconsciente" para eles. No entanto, de acordo com o modelo das proibições obsessivas, construímos a história do tabu da maneira que segue. Os tabus seriam proibições antiquíssimas, um dia impostas de fora a uma geração de homens primitivos, o que significa, portanto, que elas provavelmente lhes foram inculcadas de maneira violenta pela geração mais antiga. Essas proibições afetaram atividades para as quais existia uma forte inclinação. As proibições se conservaram de geração a geração, talvez apenas em consequência da tradição baseada na autoridade parental e social. Mas talvez, nas organizações posteriores, elas já tenham se "organizado" como uma parcela de patrimônio psíquico herdado. As questões de saber se existem tais "ideias inatas" e se elas produziram a fixação do tabu sozinhas ou em cooperação com a educação – quem poderia respondê-las justamente a propósito do caso em discussão? Porém, da conservação do tabu se conclui que o desejo original de praticar aqueles atos proibidos ainda continua existindo entre os povos que o adotam. Estes têm, portanto, uma *atitude ambivalente* em relação às proibições do tabu; no inconsciente, não há nada que gostariam mais do que transgredi-las, mas eles também as temem; eles as temem justamente porque gostariam de transgredi-las, e o medo é mais forte do que o desejo. Mas esse desejo é inconsciente em cada indivíduo do povo tal como no caso do neurótico.

As mais antigas e mais importantes proibições do tabu são as duas leis fundamentais do *totemismo:* não matar o animal totêmico e evitar relações sexuais com os membros do sexo oposto pertencentes ao mesmo totem.

II – O TABU E A AMBIVALÊNCIA DOS SENTIMENTOS

Esses seriam, portanto, os mais antigos e mais fortes desejos do ser humano. Não poderemos compreender isso e, consequentemente, não poderemos testar nossa hipótese nesses exemplos enquanto o sentido e a origem do sistema totêmico continuarem tão completamente desconhecidos para nós. Mas quem conhece os resultados da investigação psicanalítica do indivíduo será lembrado, pelo teor desses dois tabus e pelo fato de estarem associados, de algo bem determinado que os psicanalistas declaram ser o ponto nodal dos desejos infantis e o núcleo da neurose.[8]

A diversidade dos fenômenos do tabu, que levou às tentativas de classificação anteriormente comunicadas, se funde para nós numa unidade, e da seguinte maneira: o fundamento do tabu é um ato proibido para o qual existe uma forte inclinação no inconsciente.

Sabemos, sem compreendê-lo, que a pessoa que faz algo proibido, que transgride o tabu, se torna ela própria tabu. Mas como conciliamos esse fato com o fato de o tabu não aderir apenas a pessoas que fizeram algo proibido, mas também a pessoas que se encontram em estados especiais, a esses estados mesmos e a coisas impessoais? Que qualidade perigosa será essa que permanece sempre a mesma sob todas essas diferentes condições? Apenas esta: a aptidão para incitar a ambivalência do ser humano e levá-lo à *tentação* de transgredir o interdito.

A pessoa que transgrediu um tabu se torna ela própria tabu porque tem a perigosa aptidão de tentar outras pessoas a seguir seu exemplo. Ela desperta inveja; por que lhe deveria ser permitido o que às outras é proibido? Ela é, portanto, realmente *contagiosa*, na medida em que todo exemplo estimula a imitação, e, por isso, ela própria deve ser evitada.

---

8. Ver meu estudo sobre o totemismo, já várias vezes anunciado nestes ensaios (quarto ensaio deste livro).

Porém, uma pessoa não precisa ter transgredido um tabu e ainda assim pode ser tabu permanente ou temporariamente por se encontrar num estado que tem a aptidão de estimular os desejos proibidos das outras pessoas, de despertar nelas o conflito de ambivalência. A maioria das posições e dos estados excepcionais é desse tipo e tem essa força perigosa. O rei ou o chefe desperta a inveja em relação a seus privilégios; talvez todos quisessem ser reis. O falecido, o recém-nascido e a mulher em seus estados de sofrimento despertam desejos devido ao seu especial desamparo; o indivíduo que acabou de amadurecer sexualmente, devido ao novo gozo que promete. Por isso, todas essas pessoas e todos esses estados são tabu, pois não é permitido ceder à tentação.

Agora também compreendemos por que as forças do mana de diversas pessoas podem se subtrair umas das outras e por que podem se abolir parcialmente. O tabu de um rei é forte demais para seu súdito porque a diferença social entre eles é muito grande. Mas um ministro, por exemplo, pode fazer o papel de mediador inofensivo entre eles. Traduzindo da língua do tabu para a língua da psicologia normal isso significa o seguinte: o súdito que teme a imensa tentação que lhe causa o contato com o rei pode tolerar as relações com o funcionário, a quem não precisa invejar tanto e cuja posição talvez até lhe pareça atingível. Quanto ao ministro, pode moderar sua inveja em relação ao rei considerando o poder que a ele próprio foi concedido. Assim, diferenças menores na força mágica que induz à tentação são menos temíveis do que diferenças especialmente grandes.

É igualmente claro por que a violação de certas proibições do tabu significa um perigo social que deve ser punido ou expiado por todos os membros da sociedade para que não prejudique a todos. Esse perigo realmente existe se substituirmos as moções conscientes pelos desejos inconscientes.

II – O TABU E A AMBIVALÊNCIA DOS SENTIMENTOS

Ele consiste na possibilidade da imitação, em consequência da qual a sociedade logo se dissolveria. Se os outros não punissem a violação, necessariamente se dariam conta de que querem fazer o mesmo que o transgressor.

Não podemos nos admirar de que na proibição do tabu o toque desempenhe um papel análogo àquele que representa no *délire de toucher*, embora seja impossível que o sentido oculto da proibição possa ser tão especializado no tabu quanto na neurose. O toque é o começo de toda apropriação, de toda tentativa de se servir de uma pessoa ou de uma coisa.

Traduzimos a força contagiosa inerente ao tabu pela aptidão de induzir à tentação, de estimular a imitação. O fato de a capacidade contagiosa do tabu se manifestar sobretudo na transferência a objetos, que assim se tornam eles próprios portadores do tabu, não parece se harmonizar com isso.

Essa transferibilidade do tabu reflete a tendência do impulso inconsciente, demonstrada na neurose, de se deslocar continuamente a novos objetos por vias associativas. O que chama nossa atenção, assim, para o fato de que à perigosa força mágica do "mana" correspondem duas capacidades mais reais: a aptidão de lembrar o ser humano de seus desejos proibidos e a aptidão, aparentemente mais significativa, de induzi-lo a transgredir a proibição para servir a esses desejos. Mas essas duas faculdades se reúnem outra vez numa só se supormos que numa vida psíquica primitiva o despertar da lembrança de atos proibidos também esteja ligado ao despertar da tendência a praticá-los. Lembrança e tentação voltam a coincidir. Também é preciso admitir que, se o exemplo de uma pessoa que transgrediu uma proibição seduziu outra a cometer o mesmo ato, a desobediência à proibição se disseminou como uma infecção, tal como o tabu se transfere de uma pessoa a um objeto e deste a outro.

Se a violação de um tabu pode ser reparada por meio de uma expiação ou de uma penitência, que, afinal, significam uma *renúncia* a um bem qualquer ou a uma liberdade, então isso prova que a obediência à prescrição do tabu era ela própria uma renúncia a algo que se teria desejado fazer. A omissão de uma renúncia é substituída por uma renúncia em outro ponto. No que respeita ao cerimonial do tabu, concluiríamos disso que a penitência é algo mais primordial do que a purificação.

Resumamos agora o que compreendemos sobre o tabu a partir da comparação com a proibição obsessiva do neurótico: o tabu é uma proibição antiquíssima, imposta de fora (por uma autoridade) e dirigida aos desejos mais fortes do ser humano. O desejo de transgredi-lo persiste em seu inconsciente; as pessoas que obedecem ao tabu têm uma atitude ambivalente em relação àquilo que ele atinge. A força mágica atribuída ao tabu se deriva da capacidade de tentar as pessoas; essa força se comporta como uma infecção, porque o exemplo é contagioso e porque o desejo proibido se desloca a outra coisa no inconsciente. O ato de expiar a violação do tabu por meio de uma renúncia demonstra que há uma renúncia na base da obediência ao tabu.

3

Agora queremos saber que valor podem exigir nossa comparação do tabu com a neurose obsessiva e a concepção do tabu baseada nessa comparação. Evidentemente, tal valor só existirá se nossa concepção oferecer uma vantagem de outro modo inexistente, se ela permitir uma melhor compreensão do tabu do que de outro modo nos seria possível. Talvez estejamos inclinados a afirmar que já apresentamos acima essa comprovação de utilidade; no entanto, precisaremos tentar reforçá-la dando prosseguimento à explicação detalhada das proibições e dos usos do tabu.

Mas também podemos escolher outro caminho. Podemos investigar se uma parte das hipóteses que transferimos da neurose para o tabu, ou então uma parte das conclusões a que chegamos ao fazê-lo, não é diretamente demonstrável nos fenômenos do tabu. Só precisamos decidir o que queremos buscar. A hipótese sobre a gênese do tabu, ou seja, de que ele se origina de uma proibição antiquíssima que um dia foi imposta de fora, naturalmente escapa à comprovação. Assim, buscaremos antes confirmar as condições psicológicas do tabu, das quais tomamos conhecimento na neurose obsessiva. Como chegamos ao conhecimento desses fatores psicológicos na neurose? Por meio do estudo analítico dos sintomas, sobretudo das ações obsessivas, das medidas de defesa e dos imperativos obsessivos. Nesses sintomas descobrimos fortes indícios de que eles se originam de moções ou tendências *ambivalentes*, sendo que podem corresponder, ao mesmo tempo, tanto ao desejo quanto ao contradesejo, ou se encontrar predominantemente a serviço de uma das duas tendências contrárias. Se agora também conseguíssemos indicar nas prescrições do tabu a ambivalência, o domínio de tendências opostas, ou encontrar entre essas prescrições algumas que, à maneira das ações obsessivas, expressassem as duas correntes ao mesmo tempo, então a correspondência psicológica entre o tabu e a neurose obsessiva estaria assegurada em quase todas as partes mais importantes.

Como já foi mencionado, as duas proibições fundamentais do tabu são inacessíveis à nossa análise por pertencerem ao totemismo; outra parte das normas do tabu é de origem secundária e não é utilizável para os nossos propósitos. Pois, nos respectivos povos, o tabu se tornou a forma universal de legislação e entrou a serviço de tendências sociais que certamente são mais recentes do que o próprio tabu, como, por exemplo, os tabus que são impostos por chefes e sacerdotes a fim de garantir posses e privilégios para si. No entanto, nos resta um grande grupo de prescrições que podemos investigar; destas, destaco os tabus relacionados *a)* aos *inimigos*, *b)* aos *chefes* e *c)* aos *mortos*, e tomarei o material a ser tratado da magnífica coleção que J.G. Frazer nos apresenta em sua grande obra *O ramo dourado*.[9]

a) O tratamento dispensado aos inimigos

Se estávamos inclinados a atribuir aos povos selvagens e semisselvagens uma crueldade irrefreada e impenitente em relação a seus inimigos, ficaremos sabendo com grande interesse que também entre eles o assassinato de uma pessoa obriga à obediência de uma série de prescrições que são incluídas nos usos do tabu. Essas prescrições podem ser classificadas facilmente em quatro grupos; elas exigem 1) apaziguamento do inimigo morto, 2) restrições e 3) atos expiatórios e purificações para o assassino, e 4) certos procedimentos cerimoniais. O quanto tais usos do tabu são universais ou isolados nesses povos é algo que, por um lado, não pode ser determinado com segurança a partir de nossas informações incompletas e, por outro, é indiferente para nosso interesse por essas ocorrências. Em todo caso, é lícito supor que se trate de usos amplamente difundidos e não de peculiaridades isoladas.

Os rituais de *apaziguamento* na ilha Timor, observados depois que um grupo vitorioso de guerreiros retorna com as cabeças cortadas dos inimigos derrotados, são especialmente

---

9. Terceira edição, parte II, *O tabu e os perigos da alma* (1911 *b*).

significativos porque, além de tudo, o chefe da expedição é afetado por severas restrições (ver abaixo). Por ocasião do retorno solene dos vitoriosos se oferecem sacrifícios para apaziguar a alma dos inimigos; "caso contrário, os vitoriosos seriam atingidos pela desgraça. Executa-se uma dança que é acompanhada de uma canção na qual se lamenta o inimigo abatido e se implora o seu perdão: 'Não fiques furioso conosco porque temos a tua cabeça aqui; se a sorte não tivesse estado do nosso lado, talvez as nossas cabeças estivessem agora penduradas na tua aldeia. Trouxemos um sacrifício para te acalmar. Agora teu espírito pode ficar tranquilo e nos deixar em paz. Por que foste nosso inimigo? Não teria sido melhor se tivéssemos continuado amigos? Então teu sangue não teria sido derramado e tua cabeça não teria sido cortada'."[10]

Algo semelhante encontramos entre os palus, nas ilhas Célebes; os gallas oferecem um sacrifício aos espíritos de seus inimigos mortos antes de entrar na aldeia natal.[11]

Outros povos encontraram um meio para transformar seus antigos inimigos, depois de mortos, em amigos, guardiães e protetores. Ele consiste no tratamento terno dispensado às cabeças cortadas, do qual algumas tribos selvagens de Bornéu se vangloriam. Quando os dayaks do mar, de Sarawak, retornam de uma expedição militar trazendo uma cabeça para casa, ela é tratada por meses a fio com a mais extrema amabilidade e adulada com os nomes mais carinhosos de que sua língua dispõe. Os melhores bocados de suas refeições são colocados na sua boca, assim como guloseimas e charutos. Pede-se repetidamente a ela para que odeie seus antigos amigos e ofereça seu amor a seus novos anfitriões, visto que agora é um deles. Cometeríamos

---

10. Frazer (1911 *b*, p. 166).

11. Frazer, *loc. cit.*, citando Paulitschke (1893-1896).

um grande engano se víssemos algum escárnio nesse tratamento que nos parece horrendo.[12]

Em várias tribos selvagens da América do Norte o luto pelo inimigo morto e escalpelado chamou a atenção dos observadores. Se um choctaw matou um inimigo, começa para ele um luto que dura meses, durante o qual se submete a severas restrições. Esse mesmo luto é observado pelos índios dacotas. Depois de lamentar seus próprios mortos, observa uma fonte, os osages ficam de luto pelo inimigo como se ele tivesse sido um amigo.[13]

Antes de passarmos às outras classes de usos do tabu no tratamento dos inimigos, precisamos tomar posição quanto a uma objeção evidente. Com Frazer e outros, haverá quem discorde de nós afirmando que o motivo dessas prescrições de apaziguamento é bastante simples e nada tem a ver com uma "ambivalência". Esses povos são dominados pelo medo supersticioso dos espíritos dos assassinados, um medo que tampouco era estranho à Antiguidade clássica e que o grande dramaturgo britânico levou ao palco nas alucinações de Macbeth e de Ricardo III. Dessas superstições se derivariam de maneira consequente todas as prescrições de apaziguamento, como também as restrições e as penitências a serem discutidas adiante; ainda falam a favor dessa concepção as cerimônias reunidas no quarto grupo, que não admitiriam outra interpretação a não ser a de que são esforços para afugentar os espíritos dos assassinados que perseguem o assassino.[14] Além disso, os selvagens admitem francamente seu medo dos espíritos dos

---

12. Frazer, (1914, vol. 1, p. 295), citando Low (1848).
13. Frazer (1911 *b*, p. 181), citando Dorsey.
14. Frazer (1911 *b*, p. 169-174). Essas cerimônias consistem em golpes com os escudos, gritos, berros e produção de barulho com a ajuda de instrumentos etc.

inimigos mortos, e eles próprios atribuem a esse medo os usos do tabu que discutimos.

Essa objeção é de fato óbvia, e se ela fosse igualmente suficiente poderíamos muito bem nos poupar o esforço de nossa tentativa de explicação. Vamos nos ocupar dessa objeção mais adiante, opondo-lhe por enquanto apenas a concepção que se deriva das hipóteses das discussões anteriores sobre o tabu. De todas essas prescrições, concluímos que no comportamento em relação aos inimigos também se expressam outras moções além das meramente hostis. Nessas prescrições, vemos manifestações de arrependimento, de valorização do inimigo, de consciência pesada por tê-lo matado. Quer nos parecer que o mandamento "Não matarás", que não pode ser desobedecido impunemente, também está vivo nesses selvagens muito antes de toda legislação que será recebida das mãos de um deus.

Voltemos agora às outras classes de prescrições do tabu. As *restrições* impostas ao assassino vitorioso são incomumente frequentes e, na maioria das vezes, severas. No Timor (ver os rituais de apaziguamento, acima), o chefe da expedição não pode simplesmente voltar para sua casa. Constrói-se para ele uma cabana especial onde passa dois meses obedecendo a diversas prescrições de purificação. Nesse período ele não pode ver sua mulher e também não pode se alimentar por conta própria; outra pessoa precisa colocar a comida na sua boca.[15] – Em algumas tribos dayaks, os homens que retornam de uma expedição guerreira bem-sucedida devem passar alguns dias isolados e se abster de certos alimentos; também não podem tocar na comida e ficam longe de suas mulheres. – Em Logea, uma ilha próxima a Nova Guiné, os homens que mataram inimigos ou que tomaram parte nas mortes se trancam por

---

15. Frazer (1911 *b*, p. 166), citando Müller (1857).

uma semana em suas casas. Eles evitam todo contato com suas mulheres e com seus amigos, não tocam os alimentos com as mãos e se alimentam apenas de plantas que são preparadas para eles em recipientes especiais. Como motivo para essa última restrição se alega que eles não podem sentir o cheiro do sangue dos mortos; caso contrário, ficariam doentes e morreriam. – Na tribo toaripi ou motumotu, de Nova Guiné, um homem que matou outro não pode se aproximar de sua mulher nem tocar o alimento com seus dedos. Ele é alimentado por outras pessoas com alimentos especiais. Isso perdura até a lua nova seguinte.

Não citarei todos os casos comunicados por Frazer de restrições impostas ao assassino vitorioso, e só destaco ainda aqueles exemplos nos quais o caráter de tabu é especialmente chamativo ou nos quais a restrição aparece associada à expiação, à purificação e a cerimoniais.

"Entre os monumbos da Nova Guiné Alemã, todo aquele que matou um inimigo em combate se torna 'impuro'", sendo que nesse caso se usa a mesma palavra aplicada às mulheres durante a menstruação ou durante o puerpério. Ele "não pode abandonar o clube dos homens por longo tempo, enquanto os habitantes de sua aldeia se reúnem em volta dele e festejam sua vitória com canções e danças. Ele não pode tocar ninguém, nem sequer sua própria mulher e seus filhos; se o fizesse, eles seriam acometidos por abscessos. Ele se purifica por meio de lavagens" e de outros cerimoniais.

"Entre os natchez da América do Norte, os guerreiros jovens que tinham conseguido o primeiro escalpo eram obrigados a observar certas abstenções durante seis meses. Não podiam dormir com suas mulheres nem comer carne, recebendo para comer apenas peixe e pudim de milho (...). Se um choctaw tivesse matado e escalpelado um inimigo, começava para ele um período de luto de um mês durante o qual não podia pentear seu cabelo. Se sentisse coceira na cabeça, não podia se coçar com a mão, mas se servia para isso de um pauzinho (...)."

"Se um índio pima tivesse matado um apache, tinha de se submeter a severas cerimônias de purificação e de expiação. Durante um jejum de dezesseis dias, não podia tocar carne nem sal, olhar para o fogo crepitante ou falar com quem quer que fosse. Ele vivia sozinho no mato, servido por uma mulher velha que lhe trazia uma alimentação frugal, tomava banho muitas vezes no rio mais próximo e carregava – como sinal de luto – um montinho de barro sobre a cabeça. Então, no décimo sétimo dia, ocorria a cerimônia pública de purificação solene do homem e de suas armas. Visto que os índios pimas levavam o tabu do assassino muito mais a sério do que seus inimigos e, diferentemente destes, não costumavam adiar a expiação e a purificação até depois do término da campanha, sua combatividade sofreu bastante devido ao seu rigor moral ou à sua devoção, caso se queira usar outra palavra. Apesar de sua extraordinária valentia, mostraram ser aliados insatisfatórios dos americanos nas lutas que estes travavam com os apaches."

Por mais interessantes que os detalhes e as variações das cerimônias de expiação e de purificação após o assassinato de um inimigo possam ser para um exame mais profundo, não comunicarei outros porque não podem nos trazer novos pontos de vista. Talvez eu ainda possa mencionar que o isolamento temporário ou permanente do carrasco profissional, mantido até os tempos modernos, entra nesse contexto. A posição do "carnífice" na sociedade medieval proporciona de fato uma boa ideia do "tabu" dos selvagens.[16]

---

16. A propósito desses exemplos, ver Frazer (1911 *b*, p. 165-190), "Homicidas tabu".

Na explicação corrente de todas essas prescrições de apaziguamento, restrição, expiação e purificação se combinam dois princípios: o princípio de que o tabu se estende da pessoa morta a tudo que entrou em contato com ela e o princípio do medo do espírito do assassinado. Não é dito, e de fato não é fácil indicar, de que modo cabe combinar esses dois fatores para explicar o cerimonial, se devem ser considerados equivalentes, se um deles é primário e o outro é secundário, e qual deles. Diante disso, acentuamos a unicidade de nossa concepção quando derivamos todas essas prescrições da ambivalência de sentimentos em relação ao inimigo.

b) O tabu dos soberanos

O comportamento dos povos primitivos em relação a seus chefes, reis e sacerdotes é regido por dois princípios que parecem antes se complementar do que se contradizer. É preciso se proteger deles e é preciso protegê-los.[17] Ambas as coisas acontecem por meio de um sem-número de prescrições do tabu. Já ficamos sabendo por que é preciso se proteger dos soberanos: porque são os portadores daquela misteriosa e perigosa força mágica que se comunica como uma carga elétrica por meio do contato e que traz a morte e a ruína àquele que não é ele próprio protegido por uma carga semelhante. Evita-se, portanto, qualquer contato direto ou indireto com a santidade perigosa, e, para as ocasiões em que este não pode ser evitado, se inventou um cerimonial a fim de impedir as temidas consequências. Os nubas da África oriental, por exemplo, acreditam "que morrerão se entrarem na casa de seu rei-sacerdote, mas que escaparão desse perigo se desnudarem o ombro esquerdo ao entrar

---

17. Frazer (1911 *b*, p. 132). "*He must not only be guarded, he must also be guarded against.*"

II – O TABU E A AMBIVALÊNCIA DOS SENTIMENTOS

e levarem o rei a tocá-lo com sua mão". Assim acontece algo curioso: o contato do rei se transforma em remédio e prevenção para os perigos que resultam do contato do rei, mas neste caso certamente se trata da força curativa do contato intencional, por iniciativa do rei, em oposição ao perigo de se tocá-lo; trata-se da oposição entre passividade e atividade frente ao rei.

Quando se trata do efeito curativo do contato real, não precisamos buscar exemplos entre os selvagens. Em tempos não tão remotos, os reis da Inglaterra exercitaram essa força sobre a escrofulose, que por isso levava o nome de *The King's Evil* [o mal do rei]. A rainha Elisabeth exerceu essa parcela de sua prerrogativa real tanto quanto qualquer um de seus sucessores. Em 1633, Charles I teria curado cem doentes de uma só vez. Sob o reinado de seu desregrado filho, Charles II, e depois de superada a grande revolução inglesa, as curas reais de escrófula celebraram seu máximo florescimento.

No decorrer de seu reinado, esse rei teria tocado cerca de cem mil escrofulosos. A aglomeração de pessoas em busca de cura costumava ser tão grande que, certa vez, seis ou sete delas encontraram a morte por esmagamento em vez da cura. O cético Guilherme III, príncipe de Orange que se tornou rei da Inglaterra depois da expulsão dos Stuart, se recusou à magia; a única vez em que consentiu esse contato, ele o fez com estas palavras: "Que Deus vos dê uma saúde melhor e mais entendimento".[18]

O seguinte relato pode dar testemunho do terrível efeito do contato *ativo*, ainda que sem intenção, com o rei ou com aquilo que lhe pertence. "Na Nova Zelândia, um chefe de alta categoria e de grande santidade deixou certa vez os restos de sua refeição à beira do caminho. Veio um escravo, um sujeito jovem, robusto e faminto, viu o que havia sido deixado e se pôs a comê-lo. Mal terminara, um

---

18. Frazer (1911 *a*, vol. 1, p. 368-370).

espectador horrorizado lhe comunicou que a refeição que violara havia sido do chefe." Esse escravo era um guerreiro forte e corajoso, mas logo que recebeu essa informação caiu por terra, foi acometido por convulsões apavorantes e morreu por volta do crepúsculo do dia seguinte.[19] "Uma mulher maori comeu certas frutas e depois ficou sabendo que elas provinham de um lugar protegido por um tabu. Aos gritos, ela disse que o espírito do chefe que assim ofendera certamente a mataria. Isso aconteceu de tarde, e no dia seguinte ao meio-dia ela estava morta."[20] "A pedra de fogo de um chefe maori certa vez tirou a vida de várias pessoas. O chefe a perdeu, outras pessoas a encontraram e se serviram dela para acender seus cachimbos. Quando ficaram sabendo de quem era a pedra, morreram de susto."[21]

Não é de admirar que se fizesse sentir a necessidade de isolar pessoas tão perigosas quanto chefes e sacerdotes das demais, de construir em torno delas um muro por trás do qual fossem inacessíveis às demais. Pode ser que comecemos a compreender que esse muro originalmente composto pelas prescrições do tabu existe ainda hoje sob a forma de cerimonial da corte.

Mas aquela que talvez seja a maior parte desse tabu dos soberanos não se deixa explicar pela necessidade de se proteger *deles*. O outro ponto de vista no tratamento das pessoas privilegiadas – a necessidade de protegê-las dos perigos que as ameaçam – teve a participação mais destacada na criação do tabu e, assim, no surgimento da etiqueta da corte.

A necessidade de proteger o rei de todos os perigos imagináveis resulta de sua imensa importância para o destino de seus súditos. Estritamente falando, é sua pessoa

---

19. Frazer (1911 *b*, p. 134-135), citando Pakeha Maori (1884).
20. Frazer (*loc. cit.*), citando Brown (1845).
21. Frazer (*loc. cit.*).

II – O TABU E A AMBIVALÊNCIA DOS SENTIMENTOS

que regula o curso do mundo; "seu povo não tem de lhe agradecer apenas pela chuva e pela luz do sol que fazem medrar os frutos da terra, mas também pelo vento que leva os navios até a costa e pela terra firme sobre a qual apoia seus pés" (Frazer, 1911 *b*, p. 7).

Esses reis dos selvagens são dotados de uma plenitude de poderes e de uma capacidade de fazer feliz que são próprias apenas dos deuses, e nas quais, em estágios posteriores da civilização, apenas os mais servis de seus cortesãos fingirão acreditar.

Parece uma contradição evidente que pessoas dotadas de semelhante plenitude de poderes necessitem elas próprias ser protegidas com o maior cuidado dos perigos que as ameaçam, mas essa não é a única contradição que se revela no tratamento dispensado às pessoas reais entre os selvagens. Esses povos também julgam necessário vigiar seus reis para que empreguem suas forças no sentido correto; de modo algum estão seguros de suas boas intenções ou de sua retidão. Um quê de desconfiança se mescla na motivação das prescrições do tabu destinadas ao rei. "A ideia de que a monarquia dos tempos primitivos era um despotismo", afirma Frazer (*ibid.*, p. 7-8), "e que, consequentemente, o povo existia apenas para seu soberano, não é de forma alguma aplicável às monarquias que temos aqui em vista. Ao contrário, nestas o soberano vive apenas para seus súditos; sua vida apenas tem valor enquanto ele cumpre as obrigações de sua posição, enquanto regula o curso da natureza em benefício de seu povo. Tão logo fracasse ou se torne negligente, o cuidado, a dedicação e a veneração religiosa de que até então era objeto na mais abundante medida se transformam em ódio e desprezo. Ele é expulso vergonhosamente e pode se considerar feliz se escapar com vida. Hoje ainda venerado como um deus, pode lhe acontecer que amanhã seja morto como um criminoso. Mas não temos qualquer direito de condenar como inconstância ou contradição essa mudança no comportamento de seu povo; o povo permanece, isso sim, completamente consequente. Se seu rei é seu deus, pensam eles, então ele também deve provar que é seu protetor; e se não quiser protegê-los, então deve dar lugar a outro que seja mais solícito. Porém, enquanto ele corresponde a suas expectativas, o cuidado que lhe dispensam não conhece limites, e eles o obrigam a tratar a si próprio com o mesmo cuidado. Um rei desses vive como que emparedado por trás de um sistema de cerimonial e de etiqueta, envolvido por uma rede de usos e de proibições cuja intenção de forma alguma consiste em elevar sua dignidade, muito menos aumentar seu bem-estar, mas que visam única e exclusivamente impedi-lo de dar passos que poderiam perturbar a harmonia da natureza e, assim, destruir ao mesmo tempo sua pessoa, seu povo e todo o universo. Essas prescrições, muito longe de servir a seu bem-estar, se mesclam a cada uma de suas ações, eliminam sua liberdade e fazem de sua vida, que supostamente pretendem garantir, um fardo e um tormento."

Um dos exemplos mais vivos de semelhante acorrentamento e paralisia de um soberano sagrado por meio do cerimonial do tabu parece ter sido alcançado em séculos anteriores no modo de vida do micado do Japão. Eis uma descrição, que agora já tem mais de dois séculos: "O micado acredita não ser adequado à sua dignidade e à sua santidade tocar o solo com os pés; assim, quando quer ir a algum lugar, deve ser carregado sobre os ombros de outras pessoas. Porém, é ainda menos admissível que ele exponha a sua sagrada pessoa ao ar livre, e não se concede ao sol a honra de iluminar sua cabeça. Atribui-se uma santidade tão elevada a todas as partes de seu corpo que seus cabelos, sua barba e suas unhas não podem ser cortados. Porém, para que

II – O TABU E A AMBIVALÊNCIA DOS SENTIMENTOS

não fique muito desleixado, eles o lavam durante a noite, enquanto dorme: dizem que aquilo que se tira de seu corpo nesse estado apenas pode ser considerado como um roubo, e semelhante roubo não causaria nenhum prejuízo à sua dignidade e à sua santidade. Em tempos ainda mais antigos, ele tinha de passar a cada manhã sentado por algumas horas no trono com a coroa de imperador sobre a cabeça, e tinha de fazê-lo como uma estátua, sem mover as mãos, os pés, a cabeça ou os olhos; apenas assim, se pensava, ele poderia conservar a tranquilidade e a paz no império. Se, desgraçadamente, se voltasse para um ou outro lado, ou, por algum tempo, dirigisse o olhar apenas a uma parte de seu império, sobreviriam a guerra, a fome, o fogo, a peste ou alguma outra grande calamidade para devastar o país".[22]

Alguns dos tabus a que estão submetidos os reis bárbaros lembram vivamente as restrições impostas aos assassinos. Em Shark Point, perto de cabo Padron, na Baixa Guiné (África ocidental), "vive um rei-sacerdote, Kukulu, sozinho num bosque. Ele não pode tocar mulheres, não pode deixar sua casa e nem sequer se levantar de sua cadeira, na qual tem de dormir sentado. Caso se deitasse, o vento cessaria e a navegação seria prejudicada. Sua função é conter as tempestades e, em geral, zelar por um estado constantemente bom da atmosfera".[23] Quanto mais poderoso for um rei de Loango, afirma Bastian, tanto mais tabus ele terá de observar. O sucessor ao trono também é obrigado a observá-los desde a infância, e eles se acumulam ao seu redor enquanto cresce; no momento de ascender ao trono, está sufocado por eles.

Nosso espaço não permite e nosso interesse não exige que prossigamos na descrição dos tabus que aderem à dignidade real ou sacerdotal. Mencionemos ainda que restrições

---

22. Kaempfer (1727), citado por Frazer (1911 *b*, p. 3-4).
23. Frazer (1911 *b*, p. 5), citando Bastian (1874-1875).

da dieta e da liberdade de ir e vir representam o papel principal nesses tabus. E a partir de dois exemplos de cerimonial do tabu que tomamos de povos civilizados, ou seja, de estágios culturais muito mais elevados, talvez possamos concluir o quanto o nexo com essas pessoas privilegiadas atua de maneira conservadora sobre os usos antigos.

O Flamen Dialis, o sumo sacerdote de Júpiter na Roma antiga, tinha de observar um número extraordinariamente grande de normas do tabu. Ele "não podia cavalgar, não podia ver cavalos nem homens armados, não podia usar anéis que não estivessem quebrados, não podia ter nós em seus trajes; (...) não podia tocar farinha de trigo nem fermento e sequer podia chamar uma cabra, um cão, a carne crua, o feijão ou a hera pelo nome; (...) seu cabelo só podia ser cortado por um homem livre com uma faca de bronze, e seus cabelos e os pedaços de suas unhas tinham de ser enterrados debaixo de uma árvore que trouxesse sorte; (...) ele não podia tocar pessoas mortas; (...) não podia ficar parado a céu aberto com a cabeça desprotegida" etc. Sua mulher, a flamínica, tinha, além disso, suas próprias proibições: não podia subir mais de três degraus de certo tipo de escada e nem pentear seu cabelo em certos dias festivos; o couro de seus sapatos não podia ser tirado de um animal que tivesse sofrido morte natural, mas apenas de um animal abatido ou sacrificado; se ouvisse trovões, permanecia impura até que tivesse oferecido um sacrifício expiatório (Frazer, 1911 *b*, p. 13-14).

Os antigos reis da Irlanda estavam submetidos a uma série de restrições extremamente singulares, de cuja observância se esperava todas as bênçãos para o país, e da transgressão, todas as desgraças. A lista completa desses tabus se encontra no *Book of Rights*, cujos exemplares manuscritos mais antigos datam de 1390 e de 1418. As proibições são extremamente detalhadas e se referem a certas atividades em lugares e momentos determinados; o rei não pode ficar nesta cidade em certo dia da semana, não pode atravessar aquele rio a certa hora nem acampar durante nove dias inteiros em certa planície etc. (Frazer, 1911 *b*, p. 11-12).

Em muitos povos selvagens, o rigor das restrições do tabu para os reis-sacerdotes teve uma consequência que é historicamente significativa e especialmente interessante para nossos pontos de vista. A dignidade de rei-sacerdote deixou de ser algo desejável; quem estivesse na iminência de assumi-la, muitas vezes empregava todos os meios para se esquivar dela. Assim, no Camboja, onde há um rei do fogo e outro da água, muitas vezes é necessário obrigar os sucessores a aceitar o título à força. Em Niue, ou Ilha Selvagem, uma ilha de coral no oceano Pacífico, a monarquia realmente acabou porque não se encontrou mais ninguém que estivesse disposto a assumir a responsável e perigosa tarefa. "Em algumas partes da África ocidental, um conselho secreto se reúne após a morte do rei para determinar o sucessor. O escolhido é capturado, amarrado e mantido sob custódia na casa dos fetiches até que tenha se declarado disposto a aceitar a coroa. Ocasionalmente, o provável sucessor ao trono encontra maneiras de se esquivar da honra que lhe foi destinada; assim, conta-se de um chefe que costumava andar armado dia e noite para resistir com violência a qualquer tentativa de sentá-lo no trono."[24] Entre os negros de Serra Leoa, a resistência à aceitação da dignidade real era tão grande que a maioria das tribos era forçada a transformar estrangeiros em reis.

Frazer atribui a essas circunstâncias o fato de na evolução da história finalmente ocorrer uma divisão da monarquia sacerdotal original em dois poderes, um espiritual e outro secular. Os reis oprimidos pelo fardo da santidade se

---

24. (Frazer, 1911 *b*, p. 17-18), citando Bastian (1874-1875).

tornaram incapazes de exercer o poder quando se tratava de coisas efetivas, e tiveram de deixá-lo a homens inferiores, mas de ação, que estavam dispostos a renunciar às honras da dignidade real. Destes se originaram então os soberanos seculares, enquanto a supremacia espiritual, agora desprovida de importância prática, ficou para os antigos reis tabus. É sabido até que ponto essa hipótese se comprova na história do Japão antigo.

Se agora temos uma visão geral do quadro das relações dos homens primitivos com seus soberanos, surge em nós a expectativa de que não será difícil avançar da descrição desse quadro até sua compreensão psicanalítica. Essas relações são de natureza bastante complicada e não isentas de contradições. Concede-se aos soberanos grandes privilégios, que correspondem inteiramente às proibições do tabu impostas às demais pessoas. Tais soberanos são pessoas privilegiadas; estão autorizadas a fazer ou a desfrutar precisamente aquelas coisas vedadas às demais pelo tabu. Porém, em contraste com essa liberdade, eles são limitados por outros tabus que não pesam sobre os indivíduos comuns. Eis aqui, portanto, um primeiro contraste, quase uma contradição, entre maiores liberdades e maiores restrições para as mesmas pessoas. Atribui-se a elas forças mágicas extraordinárias e, por isso, se teme o contato com suas pessoas ou com suas posses, enquanto, por outro lado, se espera o mais benéfico efeito desses contatos. Essa parece ser uma segunda e especialmente gritante contradição; no entanto, já ficamos sabendo que ela é apenas aparente. Curativo e protetor é o contato que parte do próprio rei com propósitos benevolentes; só é perigoso o contato com o rei e as coisas reais praticado pelo homem comum, provavelmente porque pode lembrar tendências agressivas. Outra contradição, não tão fácil de resolver, se manifesta

II – O TABU E A AMBIVALÊNCIA DOS SENTIMENTOS

no fato de que as pessoas atribuem ao soberano um poder imenso sobre os processos da natureza e, no entanto, se consideram obrigadas a protegê-lo com um cuidado todo especial dos perigos que o ameaçam, como se seu próprio poder, capaz de tantas coisas, também não fosse capaz desta. A situação se torna ainda mais complicada quando se nega ao soberano a confiança de que ele empregará seu imenso poder da maneira correta, tanto em benefício dos súditos quanto também para sua própria proteção; as pessoas desconfiam dele, portanto, e se julgam autorizadas a vigiá-lo. A etiqueta do tabu, à qual a vida do rei se encontra submetida, serve simultaneamente aos propósitos de tutelar o rei, protegê-lo de perigos e proteger os súditos do perigo que ele lhes oferece.

É fácil imaginar a seguinte explicação para a complicada e contraditória relação dos primitivos com seus soberanos: por motivos supersticiosos e por outras razões, se expressam no tratamento dispensado aos reis múltiplas tendências, das quais cada uma se desenvolveu ao extremo, sem consideração pelas demais. Daí surgem então as contradições, com as quais o intelecto dos selvagens, aliás, se escandaliza tão pouco quanto o dos homens altamente civilizados quando se trata de assuntos de religião ou de "lealdade".

Tal explicação até pode ser boa, mas a técnica psicanalítica permitirá penetrar mais fundo nesse contexto e informar mais detalhes sobre a natureza dessas múltiplas tendências. Se submetermos à análise o estado de coisas descrito, como se ele se encontrasse no quadro sintomático de uma neurose, nosso primeiro ponto de partida será o excesso de preocupação ansiosa que é apresentado como fundamento para o cerimonial do tabu. A presença dessa ternura exagerada é muito comum na neurose, em especial na neurose obsessiva, à qual recorreremos em primeiro lugar para nossa comparação. Compreendemos bem a origem dessa ternura. Ela surge sempre que existir, além da ternura dominante, uma corrente oposta, porém inconsciente, de hostilidade, ou seja, sempre que se concretizar o caso típico da disposição ambivalente de sentimentos. Então a hostilidade é encoberta por uma intensificação excessiva da ternura, que se manifesta como angústia e se torna obsessiva porque de outro modo não daria conta de sua tarefa de manter recalcada a contracorrente inconsciente. Todo psicanalista conhece por experiência com que segurança o exagero angustioso de ternura existente nas situações mais improváveis – por exemplo, entre mãe e filho ou entre cônjuges amorosos – admite essa explicação. Aplicada ao tratamento dispensado às pessoas privilegiadas, resultaria a compreensão de que à sua veneração, ao seu endeusamento, se opõe uma intensa corrente hostil no inconsciente, ou seja, de que neste caso, tal como havíamos esperado, se concretizou a situação da disposição ambivalente de sentimentos. A desconfiança, que parece uma contribuição inegável à motivação do tabu do rei, seria outra manifestação, mais direta, da mesma hostilidade inconsciente. E inclusive – em consequência da variedade de resultados desse conflito em diferentes povos – não nos faltariam exemplos em que a demonstração de tal hostilidade nos seria ainda mais fácil. "Os timmes selvagens de Serra Leoa", lemos em Frazer[25], "se reservaram o direito de, na noite que precede a coroação, dar uma sova no rei escolhido, e eles se servem desse privilégio constitucional com tal radicalidade que por vezes o infeliz soberano não sobrevive por muito tempo à sua elevação ao trono; por isso, os figurões do povo criaram a regra de escolher para o cargo de rei os homens contra os quais têm ressentimentos." De qualquer maneira, mesmo em tais casos gritantes, a hostilidade não se confessará como tal, mas se comportará como cerimonial.

---

25. Frazer (1911 *b*, p. 18), citando Zweifel e Moustier (1880).

II – O tabu e a ambivalência dos sentimentos

Outro aspecto do comportamento dos primitivos em relação a seus soberanos lembra um processo que, universalmente difundido na neurose, se revela de maneira aberta no chamado delírio de perseguição. Nesse caso, a importância de determinada pessoa é aumentada de modo extraordinário, e sua plenitude de poderes elevada ao improvável, para que seja tanto mais fácil lhe atribuir a responsabilidade por todas as adversidades que ocorrem ao paciente. No fundo, os selvagens não procedem diferentemente com seus reis quando lhes atribuem o poder sobre a chuva e o sol, o vento e o clima, e então os depõem ou matam porque a natureza frustrou suas expectativas de uma boa caçada ou uma colheita abundante. O modelo que o paranoico restabelece no delírio de perseguição se encontra na relação do filho com o pai. Na imaginação do filho, o pai geralmente é dotado da referida plenitude de poderes, e pode ser verificado que a desconfiança em relação ao pai se encontra intimamente relacionada com a alta estima de que ele é objeto. Quando o paranoico escolhe uma pessoa de suas relações para ser seu "perseguidor", ele a eleva dessa forma à série paterna, colocando-a nas condições que lhe permitem responsabilizá-la por todas as desgraças que o afetam. Assim, essa segunda analogia entre o selvagem e o neurótico pode nos dar uma noção de quantas coisas, na relação do selvagem com seu soberano, provêm da atitude infantil do filho para com o pai.

Porém, o mais forte apoio para nossa perspectiva, que pretende comparar as proibições do tabu com sintomas neuróticos, é encontrado no próprio cerimonial do tabu, cuja importância para a posição da monarquia foi discutida há pouco. Esse cerimonial ostenta de maneira inconfundível seu duplo sentido e sua origem a partir de tendências ambivalentes se supusermos que os efeitos que produz também foram pretendidos desde o início. Ele não só distingue os reis e os eleva acima de todos os comuns mortais, como também faz de suas vidas um tormento e um fardo insuportável, obrigando-os a uma servidão que é muito pior do que a de seus súditos. Assim, ele nos parece a contrapartida exata da ação obsessiva da neurose, na qual o impulso reprimido e aquele que o reprime se encontram para receber uma satisfação simultânea e comum. A ação obsessiva é *supostamente* uma proteção contra a ação proibida; diríamos, porém, que *no fundo* ela é a repetição do proibido. O "supostamente" se dirige aqui à instância consciente da vida psíquica; o "no fundo", à instância inconsciente. Assim, também o cerimonial do tabu dos reis supostamente é a mais alta honra e segurança de que desfrutam; no fundo, é o castigo por sua elevação, a vingança dos súditos. As experiências que, no livro de Cervantes, Sancho Pança faz em sua ilha no papel de governador aparentemente o fizeram reconhecer essa concepção do cerimonial da corte como a única correta. É bem provável que encontraríamos outras confirmações se pudéssemos levar reis e governantes de hoje a se manifestar a respeito.

A questão de saber por que a disposição emocional em relação aos soberanos contém uma cota inconsciente tão considerável de hostilidade é um problema bastante interessante, mas que ultrapassa os limites deste trabalho. Já indicamos o complexo paterno infantil; acrescentemos que a investigação da pré-história da monarquia deveria nos trazer os esclarecimentos decisivos. Segundo as impressionantes explicações de Frazer, mas que, conforme ele próprio admite, não são inteiramente conclusivas, os primeiros reis foram estrangeiros que, após um breve reinado, eram destinados, como representantes da divindade, à morte sacrificial em festas solenes (Frazer, 1911 *a*). Os mitos do cristianismo também teriam sido tocados pelas repercussões dessa história evolutiva dos reis.

c) O tabu dos mortos

Sabemos que os mortos são soberanos poderosos; talvez fiquemos espantados ao saber que são considerados inimigos.

O tabu dos mortos, se for lícito permanecer no solo da comparação com a infecção, mostra uma virulência especial na maioria dos povos primitivos. Ele se manifesta, antes de tudo, nas consequências que o contato com o morto acarreta e no tratamento dispensado às pessoas que o pranteiam. Entre os maoris, todo aquele que tivesse tocado um cadáver ou participado de seu sepultamento era considerado impuro ao extremo e quase privado de todo contato com seus próximos; era, por assim dizer, boicotado. Ele não podia entrar em nenhuma casa nem se aproximar de pessoa ou coisa alguma sem infectá-las com essa mesma propriedade. Ele não podia sequer tocar o alimento com as mãos, que, por estarem impuras, tinham se tornado inúteis, por assim dizer. Sua comida era colocada no chão, e não lhe restava outra alternativa a não ser se apoderar dela com os lábios e os dentes da forma que fosse possível, enquanto mantinha as mãos às costas. Ocasionalmente, era permitido que outra pessoa o alimentasse, e ela o fazia com o braço estendido, tomando cuidado para não tocar o infeliz; só que esse ajudante também era submetido a restrições não muito menos opressivas do que aquelas impostas à pessoa impura. Em cada aldeia havia um indivíduo completamente degradado, excluído da sociedade, que vivia da maneira mais miserável de escassas esmolas. Apenas a essa criatura era permitido se aproximar, à distância de um braço, daquele que tinha cumprido o seu último dever em relação a um falecido. Mas assim que tivesse decorrido o tempo de isolamento e aquele que se tornara impuro devido ao contato com o cadáver pudesse se misturar outra vez com seus companheiros, toda a louça de que se servira durante o período perigoso era quebrada, e toda a roupa com que estivera vestido, jogada fora.

Os usos do tabu observados após o contato físico com pessoas mortas são os mesmos em toda a Polinésia, Melanésia e parte da África; seu elemento mais constante é a proibição de tocar pessoalmente em alimentos, bem como a necessidade, daí resultante, de ser alimentado por outros. É digno de nota que na Polinésia, ou talvez apenas no Havaí, os reis-sacerdotes estejam submetidos às mesmas restrições durante a execução de atos sagrados. No tabu dos mortos de Tonga, se destacam com bastante clareza a gradação e a revogação progressiva das proibições devido à força do tabu própria de determinada pessoa. Quem tivesse tocado o cadáver de um chefe ficava impuro por dez meses; mas se a pessoa era ela mesma um chefe, ficava impura por apenas três, quatro ou cinco meses, de acordo com a categoria do falecido; porém, quando se tratava do cadáver do endeusado chefe supremo, mesmo os maiores chefes se tornavam tabu por dez meses. Os selvagens acreditam firmemente que a pessoa que transgredir tais prescrições do tabu adoecerá gravemente e morrerá sem falta, tão firmemente que, segundo a opinião de um observador, jamais ousaram fazer a tentativa de se convencer do contrário.[26]

Essencialmente iguais, porém mais interessantes para nossos fins, são as restrições do tabu impostas àquelas pessoas cujo contato com os mortos deve ser compreendido no sentido figurado, ou seja, os parentes enlutados, os viúvos e as viúvas. Se nas prescrições mencionadas até aqui vemos apenas a expressão típica da virulência e da capacidade de propagação do tabu, naquelas que agora cabe comunicar transparecem os motivos do tabu, e não só os supostos, mas também aqueles que podemos considerar como profundos e genuínos.

---

26. Frazer (1911 *b*, p. 140), citando Mariner (1818).

II – O TABU E A AMBIVALÊNCIA DOS SENTIMENTOS

"Entre os shuswaps, da Colúmbia Britânica, viúvas e viúvos devem viver à parte durante o período de luto; não podem tocar seus próprios corpos nem suas cabeças com as mãos; nenhuma peça de louça de que se sirvam poderá ser utilizada por outras pessoas. (...) Não há caçador que queira se aproximar da cabana em que moram tais enlutados, pois isso lhe traria azar; se a sombra de um enlutado caísse sobre ele, necessariamente adoeceria. Os enlutados dormem sobre espinheiros (...) e cercam suas camas com eles." Esta última medida é destinada a manter à distância o espírito do falecido, o que é ainda mais claro num costume adotado, segundo relatos, por outras tribos norte-americanas: por algum tempo após a morte do marido, a viúva usa uma peça de vestuário que lembra uma calça, feita de capim seco, com o propósito de se tornar inacessível à aproximação do espírito. Isso nos sugere a ideia de que o contato "em sentido figurado" apenas é compreendido como um contato físico, já que o espírito do falecido não se afasta de seus familiares, não deixa de "pairar em torno" deles durante o período de luto.

"Entre os agutainos, que vivem em Palawan, uma das Filipinas, a viúva não pode deixar sua cabana durante os primeiros sete ou oito dias depois do falecimento, a não ser durante a noite, quando não se espera que encontre outras pessoas. Quem a vê corre o risco de morrer instantaneamente e, por isso, ela mesma previne contra sua aproximação batendo nas árvores com um bastão de madeira a cada passo; essas árvores, porém, secam." Outra observação nos esclarece em que consiste a periculosidade de uma dessas viúvas. "No distrito de Mekeo, na Nova Guiné Britânica, um viúvo perde todos os direitos civis e vive por algum tempo como um excluído. (...) Ele não pode cultivar sua horta, não pode se mostrar publicamente e não pode andar pelas ruas da aldeia. Fica rondando pelo capim alto ou pelas moitas como um animal selvagem, e tem de se esconder no mato fechado quando vê alguma pessoa se aproximar, especialmente se essa pessoa for uma mulher." Esta última alusão nos torna fácil atribuir a periculosidade do viúvo ou da viúva ao perigo da *tentação*. O homem que perdeu sua mulher deve se esquivar do desejo de obter uma substituta; a viúva tem de lutar com um desejo análogo, podendo, além disso, por não ter mais senhor, despertar o desejo de outros homens. Qualquer satisfação substitutiva desse tipo se opõe ao sentido do luto; ela inflamaria a cólera do espírito.[27]

Um dos mais estranhos e também mais instrutivos usos do tabu observados durante o luto pelos primitivos é a proibição de pronunciar o *nome* do falecido. Esse uso é extremamente difundido, experimentou múltiplas versões e teve consequências significativas.

Essa proibição não é encontrada apenas entre australianos e polinésios, que costumam nos mostrar os usos do tabu em seu melhor estado de conservação, mas também "em povos tão afastados e estranhos uns aos outros quanto os samoiedos da Sibéria e os todas do sul da Índia, os mongóis da Tartária e os tuaregues do Saara, os ainos do Japão e os akambas e os nandis da África central, os tinguanas das Filipinas e os habitantes das ilhas Nicobar, de Madagascar e de Bornéu" (Frazer, 1911 *b*, p. 353). Em alguns desses povos, a proibição e as consequências dela derivadas vigem apenas pelo tempo do luto; em outros, são permanentes, embora em todos os casos pareçam enfraquecer à medida que o momento da morte se distancia.

---

27. A mesma paciente cujas "impossibilidades" associei acima (p. 69-70) ao tabu confessou que sempre ficava indignada quando encontrava uma pessoa na rua trajando luto. Deveria ser proibido que essa gente saísse de casa!

II – O TABU E A AMBIVALÊNCIA DOS SENTIMENTOS

A evitação do nome do falecido geralmente é aplicada com um rigor extraordinário. Assim, em algumas tribos sul-americanas se considera ofensa gravíssima aos sobreviventes pronunciar diante deles o nome do parente falecido, e o castigo aplicado nesse caso não é inferior ao estabelecido para um assassinato (*ibid.*, p. 352). De início, não é fácil descobrir por que a menção do nome deveria ser tão detestada, mas os perigos associados a ela produziram toda uma série de expedientes que são interessantes e significativos em diversos sentidos. Assim, os massais, da África, inventaram o subterfúgio de mudar o nome do falecido imediatamente após sua morte; então ele pode ser mencionado sem receio pelo novo nome, enquanto todas as proibições permanecem associadas ao antigo. Parece que nesse caso se pressupõe que o espírito não conhece e não ficará sabendo seu novo nome. As tribos australianas de Adelaide Bay e de Encounter Bay são tão consequentes em sua cautela que após um falecimento todas as pessoas que têm um nome idêntico ou muito parecido ao do morto trocam de nome. Muitas vezes, numa extensão do mesmo raciocínio, se pratica a mudança do nome de todos os familiares do falecido, sem considerar a homofonia entre os nomes, algo que acontece em algumas tribos de Victoria e do noroeste dos Estados Unidos. Entre os guaicurus, do Paraguai, nessas tristes ocasiões o chefe costumava dar novos nomes a todos os membros da tribo, que então passavam a lembrá-los como se tivessem sido seus desde sempre.[28]

Além disso, quando o nome do falecido coincidia com a designação dada a um animal, um objeto etc., parecia necessário a alguns dos povos citados renomear também esses animais e objetos para que as pessoas, ao usar essas palavras, não fossem lembradas do falecido. O resultado dessa prática foi uma mudança incansável do vocabulário,

---

28. Frazer (1911 *b*, p. 357), citando um antigo observador espanhol.

o que produziu muitas dificuldades para os missionários, especialmente quando a proibição do nome era permanente. Nos sete anos em que o missionário Dobrizhoffer passou entre os abipones do Paraguai, o nome do jaguar foi mudado três vezes, destino semelhante ao das palavras "crocodilo", "espinhos" e "abate de animais".[29] Porém, o temor de pronunciar um nome que pertenceu a uma pessoa falecida também se estende no sentido de que se evita mencionar tudo aquilo em que esse falecido desempenhou um papel, e o significativo resultado desse processo de repressão é que esses povos não têm tradição, não têm reminiscências históricas e colocam imensos obstáculos a uma investigação de sua pré-história. Porém, numa série desses povos primitivos também foram introduzidos usos compensadores para reviver os nomes dos falecidos após um longo tempo de luto, pois esses nomes são dados aos filhos, que são considerados como o renascimento de pessoas mortas.

O que há de estranho nesse tabu do nome se atenua quando somos lembrados de que para os selvagens o nome é uma parte essencial e um patrimônio importante da personalidade, de que eles atribuem à palavra um pleno significado de coisa. O mesmo, como apresentei em outros textos, fazem nossos filhos, que jamais se satisfazem com a hipótese de que uma semelhança entre palavras possa ser desprovida de sentido, mas que concluem de maneira consequente que, se duas coisas são denominadas com nomes homófonos, isso deveria indicar uma correspondência profunda entre elas. Mesmo o adulto civilizado ainda pode descobrir em algumas peculiaridades de seu comportamento que não está tão longe quanto acredita de levar a sério e de dar importância aos nomes próprios, e que seu nome está unido à sua pessoa de uma maneira bem especial. Harmoniza-se com isso, então, que a prática psicanalítica

---

29. Frazer (1911 *b*, p. 360).

encontre múltiplas ocasiões de indicar a importância dos nomes na atividade inconsciente de pensamento.[30]

Os neuróticos obsessivos, como era de se esperar, se comportam em relação aos nomes exatamente como os selvagens. Eles mostram a plena "sensibilidade ao complexo" em relação à pronúncia e à audição de determinadas palavras e de determinados nomes (de maneira semelhante à de outros neuróticos), e derivam um bom número de inibições, muitas vezes graves, do tratamento que dispensam ao próprio nome. Uma dessas doentes de tabu que conheci adotara a evitação de escrever seu nome por medo de que ele pudesse cair nas mãos de alguém, que assim se apossaria de uma parte de sua personalidade. Na fidelidade obstinada mediante a qual tinha de se proteger das tentações de sua fantasia, ela criara para si mesma o mandamento de "não dar nada de sua pessoa". Isso incluía, em primeiro lugar, o nome, e, em seguida, as palavras manuscritas, o que por fim a levou a desistir de escrever.

Assim, não achamos mais estranho que os selvagens considerem o nome do falecido como uma parte de sua pessoa e o transformem em objeto do tabu referente a esse falecido. Também a menção do nome do falecido pode ser explicada pelo contato com ele, e é lícito nos voltarmos ao problema mais amplo de saber por que esse contato é afetado por um tabu tão severo.

A explicação mais óbvia indicaria o horror natural despertado pelo cadáver e pelas mudanças que logo são observadas nele. Ao mesmo tempo, deveríamos dar espaço ao luto pelo falecido como sendo o motivo de tudo que se relaciona a esse falecido. Porém, o horror ao cadáver evidentemente não dá conta dos detalhes das prescrições do tabu, e o luto jamais nos esclarecerá por que a menção

---

30. Ver Stekel e Abraham.

do morto é uma grave ofensa aos sobreviventes. O luto prefere, antes, se ocupar do falecido, elaborar sua memória e conservá-la pelo maior tempo possível. Algo diferente do luto deve ser responsabilizado pelas peculiaridades dos usos do tabu, algo que evidentemente persegue outros propósitos. Precisamente os tabus dos nomes nos revelam esse motivo ainda desconhecido, e, se os usos não o dissessem, iríamos descobri-lo a partir das informações dos próprios selvagens enlutados.

Pois eles não escondem que têm *medo* da presença e do retorno do espírito do falecido; eles praticam um grande número de cerimônias para mantê-lo à distância, para afugentá-lo.[31] Pronunciar seu nome lhes parece uma invocação à qual se seguirá de imediato sua presença.[32] Por isso, consequentemente, fazem de tudo para evitar tal invocação e tal despertar. Eles se disfarçam para que o espírito não os reconheça[33], ou distorcem o nome dele ou os seus próprios; se enfurecem contra o estrangeiro sem consideração que, pela menção do nome, atiça o espírito contra a família enlutada. É impossível evitar a conclusão de que, segundo uma expressão de Wundt, eles padecem do medo "de sua alma transformada em demônio".[34]

Com essa compreensão, confirmaríamos a concepção de Wundt, que, como vimos, julga que a essência do tabu é o medo dos demônios.

O pressuposto dessa teoria – que no momento de sua morte o querido membro da família se transforma num demônio do qual os sobreviventes têm a esperar apenas coisas hostis e contra cujos maus desejos eles precisam

---

31. Como exemplo da admissão desse fato, Frazer (1911 *b*, p. 353) cita os tuaregues do Saara.

32. Talvez seja apropriado acrescentar a seguinte condição: desde que algo de seus restos físicos ainda exista. Frazer, *ibid.*, p. 372.

33. Nas ilhas Nicobar. Frazer, *ibid.*

34. Wundt (1906, p. 49).

II – O TABU E A AMBIVALÊNCIA DOS SENTIMENTOS

se proteger por todos os meios – é tão estranho que de início nos recusaremos a acreditar nele. No entanto, quase todos os autores abalizados são unânimes em atribuir essa concepção aos primitivos. Westermarck, que concede, segundo avalio, pouquíssima atenção ao tabu em sua obra *A origem e o desenvolvimento dos conceitos morais*, afirma sem rodeios no capítulo "Comportamento em relação aos mortos": "Meu material factual me permite sobretudo tirar a conclusão de que os mortos são mais frequentemente considerados inimigos do que amigos[35], e que Jevons e Grant Allen estão enganados ao afirmar que outrora se acreditava que a malevolência dos mortos geralmente se dirigia apenas a desconhecidos, enquanto estavam paternalmente preocupados com a vida e com o bem-estar de seus descendentes e companheiros de clã".

Em um livro impressionante, R. Kleinpaul (1898) aproveitou os restos da antiga crença nas almas entre os povos civilizados para demonstrar a relação entre os vivos e os mortos. Também segundo ele, essa relação culmina na convicção de que os mortos, sedentos de sangue, atraem os vivos para si. Os mortos matam; o esqueleto, sob cuja forma se representa a morte *hoje*, mostra que a própria morte não passa de um morto. O vivo não se sentia protegido contra a perseguição do morto até que tivesse colocado uma

---

35. Westermarck (1907-1909, vol. 2, p. 424). Ver na nota e na continuação do texto a profusão de testemunhos comprobatórios, muitas vezes bastante característicos; por exemplo: os maoris acreditavam "que os parentes mais próximos e mais queridos mudavam sua natureza depois da morte e se tornavam mal-intencionados mesmo em relação aos seus antigos favoritos". – Os nativos australianos acreditam que todo falecido seja malévolo por longo tempo; quanto mais estreito o parentesco, tanto maior o medo. Os esquimós centrais são dominados pela ideia de que os mortos encontram o repouso apenas tardiamente, devendo, de início, ser temidos como espíritos maquinadores de desgraças que muitas vezes rondam a aldeia a fim de disseminar a doença, a morte e outras calamidades (conforme Boas).

barreira de água que o separasse dele. Por isso se preferia enterrar os mortos em ilhas ou levá-los à outra margem de um rio; as expressões "aquém" e "além" se derivaram daí. Uma atenuação posterior limitou a malevolência dos mortos àquelas categorias às quais se tinha de conceder um direito especial ao rancor: os assassinados que perseguem seus assassinos sob a forma de maus espíritos e aqueles que morreram em meio a ânsias insaciadas, como é o caso das noivas. Mas originalmente, acredita Kleinpaul, todos os mortos eram vampiros, todos tinham rancor aos vivos e buscavam prejudicá-los, privá-los da vida. Foi o cadáver que ofereceu pela primeira vez o conceito de um espírito mau.

A hipótese de que os mortos mais queridos se transformam em demônios obviamente dá margem a mais questões. O que levava os primitivos a atribuírem a seus caros mortos tal mudança de atitude? Por que os transformavam em demônios? Westermarck acredita poder responder facilmente essas perguntas.[36] "Visto que em geral a morte é considerada a pior das desgraças que podem atingir o homem, se acredita que os finados estejam extremamente insatisfeitos com seu destino. Segundo a concepção dos povos primitivos, só se morre por assassinato, seja ele violento, seja por meio de feitiçarias, e já por isso a alma é encarada como vingativa e irascível; supostamente, ela inveja os vivos e tem saudade da companhia dos antigos parentes – por isso é compreensível que ela procure matá-los por meio de doenças para se reunir a eles (...).

"Uma explicação adicional para a maldade que se atribui às almas se encontra no medo instintivo que se tem delas, medo que, por sua vez, é o resultado do medo da morte."

---

36. Westermarck (1907-1909, vol. 2, p. 426).

II – O TABU E A AMBIVALÊNCIA DOS SENTIMENTOS

O estudo das perturbações psiconeuróticas nos remete a uma explicação mais ampla, que inclui a de Westermarck.

Quando uma mulher perde seu marido devido ao falecimento, ou uma filha perde sua mãe, não é raro acontecer que a sobrevivente seja acometida por escrúpulos penosos, chamados de "censuras obsessivas", que a levam a pensar que ela própria pode ter causado a morte da pessoa amada por imprudência ou negligência. Nenhuma lembrança de quanto cuidado ela dispensou ao doente, nenhuma refutação objetiva da alegada culpa é capaz de dar um fim ao tormento, que talvez seja a expressão patológica de um luto e que se dissipa lentamente com o passar do tempo. A investigação psicanalítica de tais casos nos mostrou a causa secreta do sofrimento. Ficamos sabendo que essas censuras obsessivas são justificadas em certo sentido e que apenas por isso estão protegidas contra refutações e objeções. Não que a enlutada realmente tivesse causado a morte ou realmente tivesse sido negligente, tal como a censura obsessiva sustenta; contudo, existia algo nela, um desejo inconsciente para ela própria, que não ficou insatisfeito com a morte e que a teria provocado se tivesse poder para tanto. É contra esse desejo inconsciente que a censura reage após a morte da pessoa amada. Tal hostilidade, escondida no inconsciente por trás de um amor terno, existe em quase todos os casos de intensa ligação emocional a determinada pessoa; é o caso clássico, o modelo da ambivalência dos sentimentos humanos. Há uma parcela ora maior, ora menor de tal ambivalência na constituição de cada pessoa; normalmente, ela não é tão grande que permita o surgimento das censuras obsessivas descritas. Porém, nos casos em que essa ambivalência for grande, ela se manifestará precisamente na relação com as pessoas mais queridas, ali onde menos a esperaríamos. Acreditamos que a predisposição à neurose obsessiva, patologia à qual recorremos tantas vezes na questão do tabu para fazer comparações, se distinga por uma medida especialmente alta dessa ambivalência original de sentimentos.

Agora conhecemos o fator que pode nos explicar o suposto demonismo das almas recém-falecidas e a necessidade de se proteger contra sua hostilidade por meio das prescrições do tabu. Se supusermos que à vida emocional dos primitivos corresponda um grau de ambivalência tão alto quanto àquele que atribuímos, conforme os resultados da psicanálise, aos doentes obsessivos, então se compreende que após a dolorosa perda se torne necessária uma reação à hostilidade latente no inconsciente, análoga à que se manifestou na neurose por meio das censuras obsessivas. Porém, essa hostilidade, sentida de maneira penosa no inconsciente como satisfação pelo falecimento, tem outro destino no caso dos primitivos; ela é repelida ao ser deslocada para o objeto da hostilidade, para o morto. Chamamos esse processo defensivo, frequente tanto na vida psíquica normal quanto na patológica, de *projeção*. O sobrevivente nega que alguma vez tenha alimentado sentimentos hostis em relação ao amado falecido; mas a alma do falecido nutre tais sentimentos agora e se esforçará por mantê-los ativos durante todo o período do luto. Apesar da defesa bem-sucedida por meio da projeção, o caráter punitivo e arrependido dessa reação emocional se manifestará no fato de que a pessoa sente medo, se impõe renúncias e se submete a restrições que em parte são disfarçadas sob a forma de medidas protetoras contra o demônio hostil. Encontramos mais uma vez, assim, o fato de que o tabu cresceu no solo de uma disposição emocional ambivalente. O tabu dos mortos também provém da oposição entre a dor consciente e a satisfação inconsciente pelo falecimento. Considerando tal origem do rancor dos espíritos, é natural que precisamente os familiares mais próximos e outrora mais amados tenham de temê-lo ao máximo.

II – O tabu e a ambivalência dos sentimentos

Também neste caso as prescrições do tabu se comportam de maneira contraditória, como os sintomas neuróticos. Por um lado, devido ao seu caráter restritivo, expressam o luto, mas, por outro, revelam de maneira bem clara aquilo que pretendem ocultar, a saber, a hostilidade contra o morto, agora motivada por legítima defesa. Aprendemos a compreender certa parte das proibições do tabu como medo de tentações. O morto está indefeso, o que tem de estimular a satisfação de desejos hostis, e cabe opor uma proibição a essa tentação.

Westermarck tem razão, no entanto, ao não aceitar a existência de diferenças entre morte violenta e natural na concepção dos selvagens. Para o pensamento inconsciente, mesmo aquele que faleceu de morte natural é uma vítima de assassinato; os maus desejos o mataram. (Ver o próximo ensaio desta série: "Animismo, magia e onipotência dos pensamentos".) Quem se interessa pela origem e pelo significado dos sonhos com a morte de familiares queridos (pais e irmãos) poderá constatar no sonhador, na criança e no selvagem a plena correspondência no comportamento em relação ao morto, baseada na mesma ambivalência de sentimentos.

Em um trecho anterior, contradissemos uma concepção de Wundt que considera que a essência do tabu é o medo dos demônios, e, no entanto, acabamos de concordar com a explicação que atribui o tabu dos mortos ao medo da alma do falecido transformada em demônio. Isso pareceria uma contradição; no entanto, não será difícil resolvê-la. É verdade que aceitamos os demônios, mas não os admitimos como algo último e inexplicável para a psicologia. Descobrimos os demônios, por assim dizer, quando os reconhecemos como projeções dos sentimentos hostis que os sobreviventes nutrem em relação aos mortos.

Os sentimentos contraditórios – ternos e hostis, segundo nossa bem fundamentada hipótese – em relação aos falecidos querem ambos se impor sob a forma de luto e de satisfação no momento da perda. O conflito entre esses dois opostos é inevitável, e visto que um deles, a hostilidade, é – inteiramente ou em grande parte – inconsciente, o desfecho do conflito não pode consistir em subtrair uma intensidade de outra com intervenção consciente da diferença, mais ou menos como acontece quando se perdoa uma pessoa amada por uma ofensa que nos causou. O processo se consuma, antes, por meio de um mecanismo psíquico especial, que na psicanálise estamos acostumados a chamar de *projeção*. A hostilidade, da qual nada se sabe e também não se quer saber, é lançada da percepção interna para o mundo externo, e, nisso, separada da própria pessoa e atribuída à outra. Não somos nós, os sobreviventes, que agora nos alegramos por estarmos livres do falecido; não, nós o pranteamos, mas ele, estranhamente, se tornou um demônio maligno a quem nossa desgraça causaria satisfação e que procura nos matar. Agora os sobreviventes precisam se defender desse inimigo maligno; eles foram aliviados da opressão interna, mas apenas a trocaram por uma aflição externa.

Não se pode negar que esse processo projetivo que transforma os falecidos em inimigos malévolos encontra um apoio nas hostilidades reais que deles recordamos e que realmente podemos lhes censurar. Ou seja, em seu rigor, despotismo, injustiça e o que mais constituir o fundo inclusive das mais ternas relações entre os seres humanos. Mas as coisas não podem ser tão simples a ponto de esse fator, por si só, tornar compreensível a criação projetiva dos demônios. As faltas dos falecidos certamente contêm uma parte da motivação para a hostilidade dos sobreviventes, mas elas seriam ineficazes se estes últimos não desenvolvessem essa hostilidade por conta própria, e o momento

II – O tabu e a ambivalência dos sentimentos

da morte de familiares certamente seria a ocasião mais inadequada para despertar a lembrança das censuras que se estaria autorizado a lhes fazer. Não podemos prescindir da hostilidade inconsciente como motivo geralmente atuante e propriamente impulsor. Essa corrente hostil contra os familiares mais próximos e mais caros foi capaz de permanecer latente durante toda a vida deles, isto é, não se revelar à consciência nem direta nem indiretamente por meio de alguma formação substitutiva. Com a morte dessas pessoas ao mesmo tempo amadas e odiadas, isso não foi mais possível, e o conflito se agudizou. O luto, que se origina da ternura intensificada, se tornou, por um lado, mais intolerante em relação à hostilidade latente, e, por outro, não podia admitir que desta última agora resultasse um sentimento de satisfação. Assim se chegou ao recalcamento da hostilidade inconsciente pela via da projeção, à criação daquele cerimonial em que se expressa o medo de ser punido pelos demônios, e, com o passar do tempo e a atenuação do luto, o conflito também perde seu rigor, de maneira que o tabu desses mortos pode se enfraquecer ou cair no esquecimento.

4

Se assim iluminamos o solo em que cresceu o tão instrutivo tabu dos mortos, não queremos deixar de acrescentar algumas observações que poderão se tornar muito importantes para a compreensão do tabu em geral.

A projeção da hostilidade inconsciente sobre os demônios, no caso do tabu dos mortos, é apenas um exemplo isolado de uma série de processos aos quais se precisa atribuir a maior influência sobre a configuração da vida psíquica primitiva. No caso considerado, a projeção serve à resolução de um conflito emocional; ela encontra a mesma aplicação num grande número de situações psíquicas que conduzem à neurose. Mas a projeção não foi criada para a defesa; ela também ocorre quando não há conflitos. A projeção de percepções internas para fora é um mecanismo primitivo ao qual, por exemplo, também se submetem nossas percepções sensoriais, e que, portanto, normalmente participa com a maior parcela na configuração de nosso mundo externo. Sob condições ainda não estabelecidas de modo satisfatório, percepções internas de processos emocionais e intelectuais também são projetadas para fora tal como as percepções sensoriais, sendo empregadas para dar forma ao mundo externo quando deveriam permanecer no mundo interior. Isso talvez esteja geneticamente relacionado ao fato de que em suas origens a função da atenção não estava voltada ao mundo interno, e sim aos estímulos que afluíam do mundo externo, recebendo dos processos endopsíquicos apenas as notícias sobre liberações de prazer e de desprazer. Apenas com a formação de uma linguagem abstrata de pensamento, por meio da ligação dos restos sensoriais de representações de palavra com processos internos, é que esses mesmos processos se tornaram gradativamente passíveis de percepção. Até então, os homens primitivos tinham desenvolvido uma imagem do mundo externo por meio da projeção de percepções internas para fora, imagem que nós, com uma percepção consciente reforçada, temos agora de retraduzir em psicologia.

A projeção dos próprios sentimentos maus nos demônios é apenas uma parte de um sistema que se tornou a "visão de mundo" dos primitivos, e que conheceremos no próximo ensaio desta série como sistema "animista". Teremos, então, de estabelecer as características psicológicas de uma tal formação de sistema e encontrar nossos pontos de apoio novamente na análise daquelas formações de sistema que nos são oferecidas pelas neuroses. Por enquanto, apenas queremos revelar que a chamada "elaboração secundária" do conteúdo onírico é o modelo de todas essas formações de sistema. Também não esqueçamos que a partir do estágio da formação de sistema existem duas derivações para cada ato julgado pela consciência, a derivação sistemática e a real, porém inconsciente.[37]

Wundt (1906, p. 129) observa que "entre os efeitos que o mito atribui por toda parte aos demônios, prevalecem de início os *nefastos*, de modo que na crença dos povos os demônios maus são evidentemente mais antigos do que os bons". É bem possível que o conceito genérico de demônio tenha sido obtido da relação tão significativa com os mortos. Então, no decurso posterior do desenvolvimento humano, a ambivalência inerente a essa relação se manifestou no fato de que a partir da mesma raiz ela produziu duas formações psíquicas inteiramente opostas: o medo de demônios e de fantasmas, por um lado, e a veneração dos antepassados, por outro.[38] O fato de os demônios sempre serem compreendidos como espíritos de pessoas *recém*-falecidas testemunha como nenhuma outra coisa a influência do luto sobre o surgimento da crença em demônios. O luto tem uma tarefa psíquica bem determinada a cumprir: ele deve desprender do morto as lembranças e as expectativas dos sobreviventes. Feito esse trabalho, a dor diminui, e com ela o remorso e as censuras, e, por isso, também o medo dos demônios. E os mesmos espíritos que de início foram

---

37. Aproximam-se das criações projetivas dos primitivos as personificações pelas quais o escritor põe para fora, sob a forma de indivíduos separados, as moções de impulso antagônicas que lutam dentro dele.

38. Nas psicanálises de pessoas neuróticas que sofrem de medo de fantasmas, ou que sofreram em sua infância, muitas vezes não é difícil desmascarar esses fantasmas como sendo os pais. Ver também, a propósito, a comunicação de P. Haeberlin intitulada "Fantasmas sexuais" (1912), na qual se trata de outra pessoa de importância erótica, mas num caso em que o pai havia falecido.

temidos como demônios agora vão ao encontro do destino mais benévolo de serem venerados como antepassados e invocados para prestar auxílio.

Um olhar panorâmico sobre a relação dos sobreviventes com os mortos ao longo dos tempos indica de maneira inequívoca que sua ambivalência diminuiu extraordinariamente. Agora é fácil controlar a hostilidade inconsciente, mas ainda demonstrável, contra os mortos, sem que para tanto se necessite de um gasto psíquico especial. Onde no passado o ódio satisfeito e a ternura dolorida lutaram entre si, ali a reverência hoje se destaca como uma cicatriz e exige que *de mortuis nil nisi bene* [dos mortos nada se fale além do bem]. Apenas os neuróticos ainda turvam o luto pela perda de uma pessoa cara com acessos de censuras obsessivas, que revelam na psicanálise que seu segredo é a antiga disposição ambivalente de sentimentos. Não precisamos discutir aqui por que vias se produziu essa mudança, nem em que medida uma mudança constitucional e uma melhora real das relações familiares tomaram parte nisso. Mas por meio desse exemplo se poderia ser levado à hipótese *de que cabe conceder aos sentimentos dos primitivos em geral uma medida de ambivalência mais alta do que a encontrada no homem civilizado que vive hoje. Com a diminuição dessa ambivalência, também desapareceu lentamente o tabu, o sintoma de compromisso do conflito de ambivalência*. Dos neuróticos, que são obrigados a reproduzir essa luta e o tabu dela resultante, diríamos que herdaram uma constituição arcaica sob a forma de resto atávico, cuja compensação a serviço das exigências culturais agora os obriga a um extraordinário gasto psíquico.

Neste ponto nos lembramos da informação de Wundt, desconcertante pela sua falta de clareza, sobre o duplo significado da palavra *tabu*: sagrado e impuro (ver acima).

II – O TABU E A AMBIVALÊNCIA DOS SENTIMENTOS

Originalmente, a palavra *tabu* ainda não significaria sagrado e impuro, mas teria designado o demoníaco, que não pode ser tocado, destacando assim uma característica importante, comum aos dois conceitos extremos; contudo, essa característica comum persistente provaria que entre os âmbitos do sagrado e do impuro existe uma correspondência original que apenas mais tarde deu lugar a uma diferenciação.

Em oposição a isso, derivamos facilmente de nossas discussões que desde o início cabe à palavra *tabu* o mencionado significado duplo, e que ele serve para designar certa ambivalência e tudo aquilo que cresceu no solo dessa ambivalência. A própria palavra *tabu* é ambivalente, e diríamos *a posteriori* que apenas do sentido estabelecido dessa palavra já se poderia ter descoberto o que se apresentou como resultado de uma longa investigação, a saber, que a proibição do tabu deve ser compreendida como o resultado de uma ambivalência de sentimentos. O estudo das línguas mais antigas nos ensinou que no passado havia muitas dessas palavras que abrangiam opostos em si, palavras que em certo sentido – ainda que não inteiramente no mesmo – eram ambivalentes como a palavra *tabu*.[39] Modificações fonéticas mínimas da palavra primitiva de sentido antitético serviram posteriormente para criar uma expressão linguística separada para os dois opostos nela reunidos.

A palavra *tabu* teve outro destino; com a importância decrescente da ambivalência por ela designada, ela própria, ou melhor, as palavras análogas a ela desapareceram do vocabulário. Em contextos posteriores, espero poder tornar verossímil que por trás do destino desse conceito se oculta uma mudança histórica palpável, que de início a palavra aderia a relações humanas bem determinadas, às quais era peculiar uma grande ambivalência de sentimentos, e que a partir de então a palavra foi estendida a outras relações análogas.

---

39. Ver minha resenha (1910 *e*) do livro de Abel, *Sobre o sentido antitético das palavras primitivas*.

Se não estivermos enganados, a compreensão do tabu também lança uma luz sobre a natureza e a origem da *consciência moral* [*Gewissen*]. Sem expandir os conceitos, podemos falar de uma consciência moral do tabu e de uma consciência de culpa [*Schuldbewußtsein*] do tabu após a sua transgressão. A consciência moral do tabu provavelmente é a forma mais antiga sob a qual encontramos o fenômeno da consciência moral.

Pois o que é a "consciência moral"? Segundo o testemunho da linguagem, ela se encontra entre as coisas que se sabe com mais certeza [*am gewissesten*]; em algumas línguas, sua designação mal se distingue da designação dada à consciência [*Bewußtsein*].

A consciência moral é a percepção interior do repúdio a determinadas moções de desejo existentes em nós; a ênfase, porém, está no fato de esse repúdio não precisar recorrer a mais nada, de ele estar seguro [*gewiß*] de si mesmo. Isso se torna ainda mais claro na consciência de culpa, a percepção da condenação interior daqueles atos pelos quais consumamos determinadas moções de desejo. Uma fundamentação parece supérflua aqui; todo aquele que tem uma consciência moral tem de perceber em si a legitimidade da condenação, a censura do ato consumado. Mas o comportamento dos selvagens em relação ao tabu mostra essa mesma característica; o tabu é um mandamento da consciência moral, e sua violação faz surgir um terrível sentimento de culpa, que é tão evidente quanto é desconhecida a sua origem.[40]

Assim, é provável que também a consciência moral surja no solo de uma ambivalência de sentimentos oriunda

---

40. Um paralelo interessante é que a consciência de culpa do tabu não é diminuída em nada quando a transgressão ocorre sem que a pessoa saiba (ver exemplos mais acima), e que ainda no mito grego a culpa de Édipo não seja anulada pelo fato de que foi adquirida sem, e inclusive contra, seu saber e seu querer.

II – O TABU E A AMBIVALÊNCIA DOS SENTIMENTOS

de relações humanas bem determinadas às quais essa ambivalência adere, e sob as condições que se fizeram valer para o tabu e para a neurose obsessiva, a saber, que um dos termos da oposição seja inconsciente e mantido sob recalcamento pelo outro termo que domina de maneira compulsória. Várias coisas que aprendemos da análise das neuroses se harmonizam com essa conclusão. Em primeiro lugar, que no caráter dos neuróticos obsessivos se destaca o traço da conscienciosidade meticulosa como sintoma de reação contra a tentação que espreita no inconsciente, e que com a intensificação da doença eles desenvolvem graus altíssimos de consciência de culpa. Pode-se de fato arriscar a afirmação de que se não pudermos investigar a origem da consciência de culpa nos pacientes obsessivos não teremos absolutamente qualquer perspectiva de tomar conhecimento dessa origem. A solução dessa tarefa é bem-sucedida no caso do indivíduo neurótico isolado; para os povos, ousamos deduzir uma solução análoga.

Em segundo lugar, tem de chamar nossa atenção que a consciência de culpa tem muito da natureza da angústia [*Angst*, também "medo"]; ela pode ser descrita sem hesitar como "medo da consciência moral" [*Gewissensangst* = remorso]. Mas a angústia aponta para fontes inconscientes; aprendemos com a psicologia das neuroses que, quando moções de desejo sucumbem ao recalcamento, sua libido é transformada em angústia. Cabe lembrar que também no caso da consciência de culpa algo é desconhecido e inconsciente, a saber, a motivação do repúdio. A esse elemento desconhecido corresponde o caráter angustiante da consciência de culpa.

Se o tabu se manifesta sobretudo em proibições, então é imaginável um raciocínio que nos diga que é perfeitamente natural, e não necessita de longas demonstrações extraídas da analogia com a neurose, que ele se baseie numa corrente positiva, desejante. Pois o que ninguém deseja fazer não se precisa proibir, e, de qualquer modo, aquilo que é proibido da maneira mais enfática tem, afinal, de ser objeto de um desejo. Se aplicarmos essa tese plausível aos nossos primitivos, teríamos de concluir que entre suas tentações mais fortes se encontram as de matar seus reis e sacerdotes, cometer incesto, maltratar seus mortos etc. Isso é pouco provável; porém, despertamos a mais decidida oposição quando comparamos a mesma tese com aqueles casos em que nós próprios acreditamos ouvir a voz da consciência moral mais claramente. Afirmaríamos, então, com uma segurança que não pode ser excedida, que não sentimos a menor tentação de transgredir um desses mandamentos, por exemplo, o mandamento "Não matarás", e que diante da sua transgressão não sentimos outra coisa a não ser repulsa.

Se atribuirmos a esse enunciado de nossa consciência moral o significado que ele reivindica, então, por um lado, a proibição se torna supérflua – tanto o tabu quanto nossa proibição moral –, e, por outro, o fato da consciência moral permanece sem explicação, e as relações entre consciência moral, tabu e neurose são anuladas; ou seja, se produz aquele estado de nossa compreensão que também subsiste atualmente enquanto não aplicamos pontos de vista psicanalíticos ao problema.

Se, porém, levarmos em conta o fato descoberto pela psicanálise – nos sonhos de pessoas sadias – de que a tentação de matar os outros também em nós é mais forte e mais frequente do que suspeitamos, e que ela mostra efeitos psíquicos também quando não se manifesta à nossa consciência, e se, além disso, reconhecemos nas prescrições obsessivas de certos neuróticos as precauções e as autopunições em relação ao impulso [*Impuls*] intensificado de matar, então voltaremos à tese há pouco estabelecida, "onde existir uma proibição deve haver um desejo por trás", com uma nova avaliação. Suporemos que esse desejo de matar realmente existe no inconsciente e que tanto o tabu quanto a proibição moral de forma alguma são psicologicamente supérfluos, sendo antes explicados e justificados pela disposição ambivalente em relação ao impulso assassino [*Mordimpuls*].[41]

Uma das características dessa relação de ambivalência, tão frequente quanto fundamentalmente destacada, a saber, que a corrente positiva e desejante é inconsciente, abre uma perspectiva para outros nexos e possibilidades de explicação. Os processos psíquicos no inconsciente não são inteiramente idênticos àqueles que conhecemos de nossa vida psíquica consciente, mas gozam de certas liberdades consideráveis das quais os últimos foram privados. Um impulso [*Impuls*] inconsciente não precisa ter surgido ali onde encontramos sua expressão; ele pode provir de um lugar bem diferente, ter se referido originalmente a outras pessoas e relações, e, por meio do mecanismo do *deslocamento*, ter chegado ao ponto onde chama nossa atenção. Além disso, graças à indestrutibilidade e à incorrigibilidade dos processos inconscientes, ele pode provir de períodos bastante remotos, aos quais era adequado, e se conservar em períodos e relações posteriores nos quais suas manifestações têm de parecer estranhas. Tudo isso são apenas indicações, mas uma exposição cuidadosa mostraria o quanto elas podem se tornar importantes para a compreensão do desenvolvimento cultural.

---

41. Enquanto *Trieb* é o substantivo abstrato que designa o ato de impulsionar (derivado do verbo *treiben*, "impelir", "impulsionar"), *Impuls* parece estar mais relacionado a algo súbito, que emerge repentinamente. Como os dois termos admitem a mesma tradução, destacamos o original do termo menos frequente entre colchetes. Em todos os outros casos, "impulso" corresponde a *Trieb*. (N.T.)

Para encerrar essas discussões, não queremos deixar de fazer uma observação preliminar a investigações posteriores. Ainda que insistamos na igualdade essencial entre a proibição do tabu e a proibição moral, não queremos negar que tem de existir uma diferença psicológica entre ambas. Apenas uma modificação nas relações da ambivalência fundamental pode ser a causa de que a proibição não apareça mais na forma do tabu.

Até aqui, no exame analítico dos fenômenos do tabu, nos deixamos guiar pelas correspondências demonstráveis com a neurose obsessiva, mas o tabu não é uma neurose, e sim uma formação social; sendo assim, também nos cabe a tarefa de indicar onde se deve buscar a diferença fundamental entre a neurose e uma criação cultural como o tabu.

Quero mais uma vez tomar um fato isolado como ponto de partida. Da transgressão de um tabu, os primitivos temem um castigo, na maioria das vezes uma doença grave ou a morte. Esse castigo ameaça aquele que cometeu a transgressão. As coisas são diferentes na neurose obsessiva. Se o doente faz algo que lhe é proibido, ele não teme o castigo para si, e sim para outra pessoa, que na maioria das vezes permanece indeterminada, mas que é facilmente reconhecida pela análise como sendo uma das pessoas mais próximas dele e que ele mais ama. O neurótico se comporta nesse caso, portanto, como altruísta, e o primitivo, como egoísta. Apenas quando a transgressão do tabu não se vingou espontaneamente no malfeitor é que desperta nos selvagens um sentimento coletivo de que todos estariam ameaçados pelo delito, e eles se apressam a executar eles próprios a punição não ocorrida. É fácil para nós esclarecer o mecanismo dessa solidariedade. Está em jogo aqui o medo do exemplo contagioso, da tentação à imitação, ou seja, da capacidade de infecção do tabu. Se alguém foi capaz

II – O TABU E A AMBIVALÊNCIA DOS SENTIMENTOS

de satisfazer o desejo recalcado, o mesmo desejo tem de se manifestar em todos os membros da comunidade; para conter essa tentação, aquele que no fundo é objeto de inveja tem de ser privado do fruto de sua ousadia, e não é raro que o castigo dê ocasião aos seus executores para cometer o mesmo ato delituoso sob a justificativa da expiação. Esse é inclusive um dos princípios do ordenamento penal humano, e ele tem como pressuposto, como certamente é correto, a semelhança entre as moções proibidas do criminoso e da comunidade vingadora.

A psicanálise confirma aqui o que os devotos costumam dizer: que todos nós somos grandes pecadores. Bem, mas como devemos explicar a inesperada generosidade da neurose, que não teme nada para si e tudo para uma pessoa amada? A investigação analítica mostra que essa generosidade não é primária. Originalmente, isto é, no início do adoecimento, a ameaça do castigo, tal como entre os selvagens, vale para a própria pessoa; teme-se, em todo caso, pela própria vida; apenas mais tarde o medo da morte foi deslocado para outra pessoa, uma pessoa amada. O processo é um tanto complicado, mas conseguimos abrangê-lo inteiramente com o olhar. Na base da formação do interdito se encontra em geral uma moção malévola – um desejo de morte – em relação a uma pessoa amada. Essa moção é recalcada por meio de uma proibição; a proibição é associada a certa ação que, por meio de deslocamento, substitui a ação hostil contra a pessoa amada; a realização dessa ação é ameaçada com o castigo de morte. Mas o processo continua, e o desejo original de que a pessoa amada morra é então substituído pelo medo de sua morte. Portanto, se a neurose se mostra tão ternamente altruísta, com isso ela apenas *compensa* a disposição oposta de um egoísmo brutal que está em sua base. Se chamarmos de *sociais* os sentimentos determinados pela consideração ao outro e que não o tomam como objeto sexual, então podemos destacar o recuo desses fatores sociais como sendo um traço fundamental da neurose, posteriormente encoberto por uma supercompensação.

Sem nos determos na origem desses sentimentos sociais e na sua relação com os outros impulsos fundamentais do homem, queremos trazer à luz, por meio de outro exemplo, a segunda característica principal da neurose. Em sua manifestação, o tabu tem a maior semelhança com a fobia de contato dos neuróticos, o *délire de toucher*. Nessa neurose, se trata em geral da proibição de contato sexual, e a psicanálise mostrou que, de um modo bem geral, as forças impulsoras que são desviadas e deslocadas na neurose são de origem sexual. No caso do tabu, o contato proibido evidentemente não tem apenas significado sexual, e sim, antes, o significado mais geral de agarrar, de se apoderar, de impor a própria pessoa. Se é proibido tocar o chefe ou algo que esteve em contato com ele, então essa proibição tem o propósito de inibir o mesmo impulso [*Impuls*] que outras vezes se expressa na vigilância desconfiada e nos maus-tratos físicos de que o chefe é objeto antes da coroação (ver acima). *Assim, o predomínio dos componentes impulsionais sexuais sobre os sociais é o fator característico da neurose.* Porém, os próprios impulsos sociais surgiram como unidades especiais por meio da associação de componentes egoístas e eróticos.

No único exemplo da comparação entre o tabu e a neurose obsessiva já se pode adivinhar qual é a relação entre as formas isoladas de neurose e as formações culturais, e por que o estudo da psicologia das neuroses é importante para a compreensão do desenvolvimento cultural.

Por um lado, as neuroses mostram correspondências chamativas e profundas com as grandes produções sociais da arte, da religião e da filosofia; por outro, aparecem como distorções das mesmas. Poderíamos arriscar a afirmação de que uma histeria é a caricatura de uma criação artística, uma neurose obsessiva é a caricatura de uma religião e um delírio paranoico é a caricatura de um sistema filosófico. Essa diferença se deve, em última análise, ao fato de que as neuroses são formações associais; elas buscam produzir com meios privados o que na sociedade foi criado por meio de trabalho coletivo. Na análise dos impulsos das neuroses se descobre que nelas as forças impulsoras de origem sexual exercem a influência determinante, enquanto as formações culturais correspondentes repousam sobre impulsos sociais que surgiram da união de componentes egoístas e eróticos. A necessidade sexual não é capaz de unir os seres humanos do mesmo modo que as exigências de autoconservação; a satisfação sexual é antes de tudo um assunto privado do indivíduo.

Geneticamente, a natureza associal da neurose resulta de sua tendência mais primordial a se refugiar de uma realidade insatisfatória num mundo de fantasia mais prazeroso. Nesse mundo real evitado pelo neurótico imperam a sociedade dos seres humanos e as instituições criadas comunalmente por eles; dar as costas à realidade significa ao mesmo tempo sair da comunidade humana.

III

Animismo, magia e onipotência dos pensamentos

1

Uma deficiência inevitável dos trabalhos que pretendem aplicar pontos de vista da psicanálise a temas das ciências humanas é que eles têm de oferecer muito pouco aos leitores de ambas as áreas. Por isso se limitam ao caráter de estímulos, fazendo propostas ao especialista que ele deve tomar em consideração no seu trabalho. Essa deficiência se fará sentir ao máximo num ensaio que pretende tratar do imenso campo daquilo que se chama de animismo.[1]

Em sentido estrito, é chamada de animismo a doutrina das ideias de alma; em sentido lato, a doutrina dos seres espirituais em geral. Distingue-se ainda o animatismo, que é a doutrina do caráter animado da natureza que nos parece inanimada, e a ele se acrescentam o animalismo e o manismo. O nome "animismo", antes aplicado a determinado sistema filosófico, parece ter recebido seu significado atual de E.B. Tylor.[2]

O que motivou a adoção desse nome foi o conhecimento da singularíssima concepção de natureza e de mundo

---

1. A requerida síntese do material também implica renunciar a referências bibliográficas pormenorizadas. Em seu lugar, fica a referência às conhecidas obras de Herbert Spencer, J.G. Frazer, A. Lang, E.B. Tylor e W. Wundt, das quais foram tiradas todas as afirmações sobre animismo e magia. A autonomia do autor apenas pode se manifestar na escolha que fez dos temas e das opiniões.

2. E.B. Tylor (1891, vol. 1, p. 425), W. Wundt (1906, p. 173).

dos povos primitivos que conhecemos, tanto os históricos quanto aqueles que ainda vivem agora. Estes povoam o mundo com um sem-número de seres espirituais que lhes são benevolentes ou mal-intencionados; eles atribuem a esses espíritos e demônios a causação dos processos naturais e consideram que não só os animais e as plantas, mas também as coisas inanimadas do mundo são animadas por eles. Um terceiro e talvez mais importante elemento dessa primitiva "filosofia da natureza" nos parece muito menos chamativo porque nós próprios ainda não estamos suficientemente afastados dele, enquanto, porém, limitamos bastante a existência dos espíritos e hoje explicamos os processos naturais pela suposição de forças físicas impessoais. Pois os primitivos acreditam numa "animação" semelhante também no caso dos indivíduos humanos. As pessoas contêm almas que podem abandonar suas habitações e imigrar para outros seres humanos; essas almas são as portadoras das atividades espirituais e, até certo grau, são independentes dos "corpos". Originalmente, as almas foram imaginadas como sendo muito semelhantes aos indivíduos, e apenas no decorrer de uma longa evolução se despiram das características do material até alcançar um elevado grau de "espiritualização".[3]

A maioria dos autores se inclina a supor que essas ideias de alma são o núcleo original do sistema animista, que os espíritos apenas correspondem a almas que se tornaram independentes e que também as almas dos animais, das plantas e das coisas foram formadas em analogia com as almas humanas.

Como foi que os homens primitivos chegaram às peculiares intuições fundamentais dualistas sobre as quais se apoia esse sistema animista? Acredita-se que pela observação dos fenômenos do sono (junto com o do sonho)

---

3. Wundt (1906), cap. 4, "As ideias de alma".

e da morte, este tão semelhante ao primeiro, e pelo esforço de explicar esses estados que dizem respeito tão de perto a cada indivíduo. Sobretudo o problema da morte deve ter se tornado o ponto de partida da formação da teoria. Para os primitivos, a continuação da vida – a imortalidade – seria algo evidente. A ideia da morte é algo acolhido tardiamente e apenas com hesitação; mesmo para nós ela ainda é impensável e desprovida de conteúdo. Sobre a parte que podem ter tido na configuração das doutrinas animistas fundamentais outras observações e experiências, como as das imagens oníricas, das sombras, das imagens especulares etc., tem havido discussões bastante vivazes que não chegaram a qualquer conclusão.[4]

Se o primitivo reage aos fenômenos que estimulam sua reflexão formando ideias de alma que então transfere aos objetos do mundo exterior, seu comportamento é julgado inteiramente natural e desprovido de quaisquer outros enigmas. Diante do fato de que as mesmas ideias animistas se mostraram nos mais diferentes povos, sendo idênticas em todos os tempos, Wundt (1906, p. 154) afirma que elas "são o produto psicológico necessário da consciência mitopoética, e o animismo primitivo poderia ser considerado como a expressão intelectual do *estado humano de natureza*, na medida em que este é acessível à nossa observação". A justificativa da animação do inanimado já foi dada por Hume em sua *História natural da religião* ao afirmar: "*There is an universal tendency among mankind to conceive all beings like themselves and to transfer to every object those qualities with which they are familiarly acquainted and of which they are intimately conscious*".[5]

---

4. Ver, além de Wundt e de H. Spencer, os orientadores artigos da *Encyclopaedia Britannica* (1910-1911) ("Animism", "Mythology" etc.).
5. "Há uma tendência universal entre os seres humanos a conceber todos os seres à sua semelhança e a transferir a todos os objetos aquelas qualidades com as quais estão familiarizados e das quais estão intimamente conscientes." (N.T.) Citado por Tylor (1891, vol. 1, p. 477).

III – Animismo, magia e onipotência dos pensamentos

O animismo é um sistema de pensamento; ele não dá apenas a explicação de um fenômeno isolado, mas permite compreender a totalidade do mundo como uma única concatenação, e a partir de um só ponto. De acordo com os autores, a humanidade produziu três desses sistemas de pensamento, três grandes visões de mundo no decorrer das épocas: a animista (mitológica), a religiosa e a científica. Entre estas, a primeira a ser criada, a do animismo, talvez seja a mais consequente e a mais exaustiva, aquela que explica totalmente a essência do mundo. Só que essa primeira visão de mundo da humanidade é uma teoria psicológica. Ultrapassa nossos propósitos mostrar o quanto dela ainda é verificável na vida atual, seja depreciada na forma de superstição ou viva como fundamento de nosso falar, crer e filosofar.

Recorre-se à sucessão das três visões de mundo quando se afirma que o animismo ainda não é uma religião, mas contém as precondições sobre as quais as religiões são construídas posteriormente. Também é evidente que o mito repousa sobre pressupostos animistas; os detalhes da relação entre mito e animismo, porém, parecem obscuros em pontos essenciais.

2

Nosso trabalho psicanalítico começará em outro ponto. – Não podemos supor que os seres humanos se resolveram a criar seu primeiro sistema do mundo por pura curiosidade especulativa. A necessidade prática de se apossar do mundo deve ter sua parte nesse esforço. Por isso não ficamos admirados ao saber que outra coisa anda de mãos dadas com o sistema animista, a saber, instruções sobre como se deve proceder para dominar seres humanos, animais e coisas, ou melhor, seus espíritos. Essas instruções, que são conhecidas sob os nomes de *feitiçaria* e de *magia*, são chamadas por S. Reinach de estratégia do animismo; eu preferiria, com Hubert e Mauss (1904), compará-las à técnica.

É possível separar conceitualmente feitiçaria e magia? Isso é possível se, com alguma arbitrariedade, se quiser desconsiderar as oscilações do uso linguístico. Então feitiçaria é essencialmente a arte de influenciar os espíritos ao tratá-los como se trata os seres humanos nas mesmas condições, ou seja, ao acalmá-los, apaziguá-los, se mostrar simpático, intimidá-los, privá-los de seu poder e submetê-los à sua vontade por meio dos mesmos recursos que se descobriu serem eficientes com pessoas vivas. Mas a magia é algo diferente; no fundo ela desconsidera os espíritos e se serve de recursos especiais, e não da metodologia psicológica banal. Adivinharemos facilmente que a magia é a parte mais original e mais significativa da técnica animista, pois entre os recursos com os quais os espíritos devem ser tratados também se encontram recursos mágicos[6], e a magia também encontra sua aplicação em casos em que a espiritualização da natureza, segundo nos parece, não se realizou.

A magia tem de servir aos propósitos mais variados: submeter os processos naturais à vontade do homem, proteger o indivíduo contra inimigos e perigos, e lhe dar o poder de prejudicar seus inimigos. Porém, o princípio sobre cujo pressuposto repousa o agir mágico – ou antes, o princípio da magia – é tão chamativo que teve de ser reconhecido por todos os autores. Pode-se expressá-lo da maneira mais sucinta, caso se desconsidere o juízo de valor aposto, com as palavras de E.B. Tylor: "*mistaking an ideal connection for a real one*".[7] Queremos explicar essa característica em dois grupos de ações mágicas.

---

6. Quando se afugenta um espírito por meio de barulho e de gritarias, tal ação é puramente da natureza do feitiço; quando se domina o espírito apoderando-se de seu nome, então se usou magia contra ele.

7. "Confundir uma conexão ideal com uma real." (N.T.)

III – Animismo, magia e onipotência dos pensamentos

Um dos procedimentos mágicos mais difundidos para prejudicar um inimigo consiste em fazer uma imagem dele com um material qualquer. A semelhança pouco importa. Também se pode "nomear" um objeto qualquer para ser sua imagem. O que então se faz a essa imagem também acontece ao modelo odiado; na parte do corpo em que se ferir a primeira também adoecerá o último. Também se pode colocar a mesma técnica mágica a serviço da religiosidade em vez de colocá-la a serviço da hostilidade privada, e assim auxiliar os deuses contra os demônios maus. Cito Frazer (1911 a, vol. 1, p. 67): "Toda noite, quando o deus do sol Ra (no antigo Egito) descia à sua morada no poente em brasa, tinha de travar uma dura luta com uma legião de demônios que o atacava sob o comando de seu arqui-inimigo Apepi. Ele lutava com eles a noite inteira, e muitas vezes as forças das trevas eram fortes o bastante para, em pleno dia, enviar nuvens escuras ao céu azul, nuvens que enfraqueciam sua força e retinham sua luz. Para auxiliar o deus, executava-se diariamente em seu templo de Tebas a seguinte cerimônia: fazia-se uma imagem de cera de seu inimigo Apepi na forma de um monstruoso crocodilo ou de uma longa serpente enrodilhada e se escrevia nessa imagem o nome do demônio com tinta verde. Envolvida por um invólucro de papiro, sobre o qual se fizera um desenho semelhante, essa figura era então enrolada com cabelos pretos, recebia cusparadas do sacerdote, era perfurada com uma faca de pedra e jogada no chão. Depois o sacerdote a pisoteava com seu pé esquerdo e por fim a queimava num fogo alimentado com certas plantas. Depois que Apepi era eliminado desse modo, acontecia o mesmo com todos os demônios de seu séquito. Esse serviço religioso, durante o qual certas falas tinham de ser pronunciadas, não era repetido apenas de manhã, ao meio-dia e à noite, mas também sempre que raivava uma tempestade, caía uma chuva forte ou nuvens negras encobriam o disco solar no céu. Os inimigos malvados sentiam o castigo que sucedera a suas imagens como se eles próprios o tivessem sofrido; eles fugiam, e o deus do sol triunfava mais uma vez".[8]

Dentre a abundância interminável de ações mágicas analogamente fundamentadas, quero destacar só mais dois tipos que sempre desempenharam um grande papel entre os povos primitivos e que em parte se conservaram no mito e no culto de estágios evolutivos mais avançados, a saber, os encantamentos para produzir chuva e aqueles para estimular a fertilidade. Produz-se chuva por via mágica ao imitá-la, talvez também ao imitar as nuvens que a provocam ou a tempestade. É como se se quisesse "brincar de chover". Os ainos do Japão, por exemplo, fazem chover do seguinte modo: um grupo espalha água com grandes peneiras, enquanto outro adapta vela e remos a uma grande bacia, como se ela fosse um barco, e a arrasta desse jeito pela aldeia e pelas hortas. Quanto à fertilidade do solo, ela é assegurada magicamente mostrando-lhe o espetáculo de uma relação sexual humana. Assim – um exemplo em vez de um número infinito deles –, em algumas partes de Java, quando se aproxima o tempo da floração do arroz, o camponês e a camponesa costumam passar a noite nos campos para estimular a fertilidade do arroz por meio do exemplo que lhe dão.[9] Em compensação, se teme que relações sexuais incestuosas proibidas produzam más colheitas e infertilidade do solo.[10]

Certos preceitos negativos – precauções mágicas, portanto – também devem ser incluídos nesse primeiro grupo.

---

8. A proibição bíblica de fazer imagens de qualquer coisa viva decerto não provinha de nenhuma rejeição fundamental às artes plásticas, mas devia privar a magia, desaprovada pela religião hebraica, de um de seus instrumentos. Frazer (1911 *a*, vol. 1, p. 87, nota de rodapé).

9. Frazer (1911 *a*, vol. 2, p. 98).

10. Há uma ressonância disso em *Édipo rei*, de Sófocles.

III – Animismo, magia e onipotência dos pensamentos

Quando uma parte dos habitantes de uma aldeia dayak sai para caçar javalis, os que ficaram em casa não podem tocar óleo nem água com as mãos, caso contrário os caçadores ficariam com os dedos moles e deixariam a presa escapar de suas mãos.[11] Ou quando um caçador gilyak persegue a caça na selva, seus filhos que ficaram em casa estão proibidos de fazer desenhos na madeira ou na areia. Caso contrário, as trilhas na mata fechada poderiam se tornar tão enredadas como as linhas do desenho, de modo que o caçador não encontraria o caminho para casa.[12]

Se nesses últimos exemplos de efeito mágico, como em tantos outros, a distância não representa papel algum e a telepatia, portanto, é aceita como algo evidente, então a compreensão dessa peculiaridade da magia também não nos causará dificuldades.

Não há dúvida sobre aquilo que é considerado eficaz em todos esses exemplos. É a *semelhança* entre a ação realizada e o acontecimento esperado. Por isso Frazer chama esse tipo de magia de *imitativa* ou *homeopática*. Se eu quiser que chova, apenas preciso fazer algo que se pareça com chuva ou que lembre chuva. Numa fase posterior do desenvolvimento cultural, em vez desse feitiço da chuva as pessoas irão promover procissões até um templo e implorar chuva aos santos que ali habitam. Por fim também irão renunciar a essa técnica religiosa e, em compensação, testar sobre a atmosfera as influências capazes de produzir chuva.

Em outro grupo de ações mágicas não se considera mais o princípio da semelhança, mas, em compensação, se considera outro princípio que poderá ser facilmente deduzido dos exemplos abaixo.

---

11. Frazer (1911 *a*, vol. 1, p. 120).
12. Frazer (1911 *a*, vol. 1, p. 122).

Para prejudicar um inimigo, também é possível se servir de outro método. Basta se apoderar de seus cabelos, suas unhas, seus detritos ou mesmo de uma parte de sua roupa e fazer algo hostil com essas coisas. Isso é exatamente como se apoderar da própria pessoa, e aquilo que se fez às coisas dessa pessoa deve acontecer a ela própria. Segundo a concepção dos primitivos, o nome é um dos componentes essenciais da personalidade; portanto, quando se sabe o nome de uma pessoa ou de um espírito, se adquiriu um certo poder sobre o portador do nome. Por isso as curiosas precauções e restrições no uso dos nomes, das quais se tratou ligeiramente no ensaio sobre o tabu (ver p. 102 e segs.). A semelhança é manifestamente substituída nesses exemplos pela *afinidade*.

O canibalismo dos primitivos deriva sua motivação mais sublime de maneira semelhante. Quando alguém assimila partes do corpo de uma pessoa pelo ato de comê-las, também se apropria das qualidades que pertenceram a essa pessoa. Disso resultam precauções e restrições da dieta sob circunstâncias especiais. Durante a gravidez, uma mulher evitará comer a carne de certos animais, pois suas qualidades indesejadas – por exemplo, a covardia – poderiam passar à criança que ela alimenta. Não faz diferença para o efeito mágico se o nexo já se desfez ou se ele consistiu apenas de um único e significativo contato. Assim, por exemplo, podemos seguir por milênios, inalterada, a crença num laço mágico que liga o destino de uma ferida ao da arma que a causou. Quando um melanésio se apodera do arco com o qual foi ferido, ele o guarda cuidadosamente num lugar fresco para assim deter a inflamação da ferida. Mas se o arco ficou em poder dos inimigos, ele certamente será pendurado bem próximo de uma fogueira para que a ferida se inflame e arda a valer. Em sua *História natural*, livro XXVIII, Plínio aconselha, quando alguém se arrepende de ter ferido outra pessoa, a cuspir na mão que causou o ferimento; a dor do ferido seria amenizada de imediato. Francis Bacon menciona em sua *História natural* a crença universal de que untar uma arma que causou um ferimento sararia esse mesmo ferimento. Conta-se que os camponeses ingleses agem ainda hoje segundo essa receita; quando se cortam com uma foicinha, mantêm o instrumento cuidadosamente limpo a partir de então para que a ferida não forme pus. Em junho de 1902, conforme noticiou um semanário local inglês, uma mulher chamada Matilda Henry, em Norwich, cravou acidentalmente um prego de ferro na sola do pé. Sem mandar examinar a ferida ou mesmo apenas tirar a meia, ela mandou a filha lubrificar bem o prego, na expectativa de que então nada pudesse lhe acontecer. Ela morreu de tétano alguns dias depois em consequência dessa antissepsia deslocada (Frazer, *ibid.*, p. 203).

Os exemplos do último grupo ilustram o que Frazer distingue como magia *contagiosa* da magia *imitativa*. O que se imagina ser eficaz nesses exemplos não é mais a semelhança, e sim o nexo no espaço, a *contiguidade*, ou pelo menos a contiguidade imaginada, a recordação de sua existência. Mas visto que semelhança e contiguidade são os dois princípios essenciais dos processos associativos, verifica-se que a explicação para todo o absurdo das prescrições mágicas é de fato a dominação da associação de ideias. Vemos como se mostra acertada a caracterização da magia dada por Tylor, que citamos acima: "*mistaking an ideal connection for a real one*", ou, como Frazer expressou quase com as mesmas palavras (*ibid.*, p. 420): "*men mistook the order of their ideas for the order of nature, and hence imagined that the control which they have, or seem to have, over their thoughts, permitted them to exercise a corresponding control over things*".[13]

Causará estranheza, de início, que essa explicação convincente da magia pudesse ter sido rejeitada por alguns autores como insatisfatória.[14] Porém, ao refletir mais atentamente, é preciso concordar com a objeção de que a teoria associativa da magia apenas esclarece os caminhos que a magia percorre, mas não sua verdadeira essência, isto é, o mal-entendido que a leva a colocar leis psicológicas no lugar de leis naturais. Necessita-se aqui, obviamente, de um fator dinâmico, mas enquanto a busca por tal fator desorienta os críticos da teoria de Frazer será fácil dar uma explicação satisfatória da magia apenas levando adiante e aprofundando a sua teoria associativa.

Consideremos inicialmente o caso mais simples e mais significativo da magia imitativa. Segundo Frazer (1911 *a*, vol. 1, p. 54), esta pode ser praticada de maneira independente, enquanto a magia contagiosa geralmente pressupõe a imitativa. É fácil reconhecer os motivos que impelem à prática da magia: são os desejos humanos. Agora apenas precisamos supor que o homem primitivo tem uma enorme confiança no poder dos seus desejos. No fundo, tudo aquilo que ele produz por via mágica apenas tem de acontecer porque ele o quer. Assim, o que é acentuado de início é apenas seu desejo.

Com respeito à criança, que se encontra sob condições psíquicas análogas, mas que ainda não é motoramente capaz, defendemos em outro lugar a hipótese de que

---

13. "Os homens confundiram a ordem de suas ideias com a ordem da natureza, e por isso imaginaram que o controle que têm, ou parecem ter, sobre seus pensamentos lhes permitia exercer um controle correspondente sobre as coisas." (N.T.)

14. Ver o artigo "Magic" (de N.W. Thomas) na 11ª edição da *Encyclopaedia Britannica*.

inicialmente ela satisfaz seus desejos de maneira alucinatória ao produzir a situação satisfatória por meio da excitação centrífuga de seus órgãos sensoriais.[15] Para o primitivo adulto há um outro caminho. A seu desejo se liga um impulso motor [*motorischer Impuls*], a vontade, e esta – que mais tarde mudará a face da Terra a serviço da satisfação de desejos – agora é empregada para figurar a satisfação, de modo que se possa experimentá-la, por assim dizer, por meio de alucinações motoras. Tal *figuração* do desejo satisfeito é inteiramente comparável à *brincadeira* das crianças, que no caso destas substitui a técnica de satisfação puramente sensorial. Se a brincadeira e a figuração imitativa satisfazem a criança e o primitivo, isso não é um sinal de modéstia no sentido em que entendemos essa palavra ou de resignação devido ao reconhecimento de sua impotência real, e sim a consequência bem compreensível da valorização preponderante de seu desejo, da vontade que deste depende e dos caminhos que ele toma. Com o tempo, o acento psíquico se desloca dos motivos da ação mágica para seus recursos, para a própria ação. Talvez seja mais correto dizer que apenas esses recursos tornam evidente para o primitivo a supervalorização de seus atos psíquicos. Aparentemente, não é outra coisa senão a ação mágica que, por força de sua semelhança com o desejado, força sua ocorrência. No estágio do pensamento animista ainda não há ocasião de demonstrar objetivamente o verdadeiro estado de coisas, o que talvez ocorra em estágios posteriores, quando todos esses procedimentos ainda são cultivados, mas o fenômeno psíquico da dúvida, como expressão de uma tendência ao recalcamento, já é possível. Então os seres humanos admitirão que as invocações de espíritos de nada adiantam sem a crença neles, e que

---

15. "Formulações sobre os dois princípios do processo psíquico" (1911 *b*).

também a força mágica da oração fracassa quando não há nenhuma devoção agindo por trás dela.[16]

A possibilidade de uma magia contagiosa que se apoia na associação por contiguidade nos mostrará que a valoração psíquica se estendeu do desejo e da vontade a todos os atos psíquicos que estão à disposição desta última. Agora existe, portanto, uma supervalorização geral dos processos psíquicos, isto é, uma atitude em relação ao mundo que, segundo nossa compreensão da relação entre realidade e pensamento, tem de nos parecer como uma supervalorização deste último. As coisas passam para o segundo plano em detrimento de suas representações; o que se fizer com as últimas também deve acontecer com as primeiras. As relações que existem entre as representações também são pressupostas entre as coisas. Visto que o pensamento não conhece distâncias, unindo com facilidade num só ato de consciência tanto as coisas mais distantes no espaço quanto as mais diferentes no tempo, o mundo mágico também supera telepaticamente a distância espacial e trata relações passadas como se fossem presentes. No período animista, a imagem especular do mundo interior tem de tornar invisível aquela outra imagem do mundo que acreditamos reconhecer.

Ressaltemos, aliás, que os dois princípios da associação – a semelhança e a contiguidade – coincidem na unidade mais elevada do *contato*. Associação por contiguidade é contato em sentido próprio, e associação por semelhança é contato em sentido figurado. Uma identidade que ainda não compreendemos no processo psíquico possivelmente seja garantida pelo uso da mesma palavra para dois tipos

---

16. O rei em *Hamlet* (ato 3, cena 3): "*My words fly up, my thoughts remain below: / Words without thoughts never to heaven go*" ["Minhas palavras voam, meus pensamentos aqui ficam ao léu; / palavras sem pensamentos não chegam jamais ao céu" (N.T.)].

de ligação. É o mesmo alcance do conceito de contato que se verificou na análise do tabu.[17]

Resumindo, podemos dizer: o princípio que rege a magia, a técnica do modo animista de pensar, é o da "onipotência dos pensamentos".

3

Tomei a designação "onipotência dos pensamentos" de um homem altamente inteligente que sofria de ideias obsessivas, e que, depois de seu restabelecimento por meio do tratamento psicanalítico, também foi capaz de dar provas de competência e de bom senso.[18] Ele cunhara essa expressão para fundamentar todos aqueles acontecimentos estranhos e sinistros que pareciam perseguir tanto a ele quanto a outros acometidos pela mesma doença. Se acabava de pensar numa pessoa, ela já vinha ao seu encontro, como se a tivesse invocado; se perguntasse subitamente pelo estado de saúde de um conhecido que há muito não via, tinha de ouvir que acabara de morrer, de modo que podia acreditar que este tinha se manifestado telepaticamente a ele; se soltasse uma praga, que nem era inteiramente séria, contra um desconhecido, podia esperar que este morresse logo depois e o oprimisse com a responsabilidade por seu falecimento. Sobre a maioria desses casos, o próprio paciente pôde me contar no decorrer do tratamento como surgira a aparência ilusória e quais os arranjos que ele próprio acrescentara para se fortalecer em suas expectativas supersticiosas.[19] Todos

---

17. Ver o ensaio anterior desta série.
18. "Observações sobre um caso de neurose obsessiva" (1909 *d*).
19. Parece que concedemos o caráter do "sinistro" a essas impressões que pretendem confirmar a onipotência dos pensamentos e o modo animista de pensar em geral, enquanto em nosso juízo já nos afastamos dessa onipotência e desse modo de pensar.

os doentes obsessivos, na maioria das vezes em oposição ao seu melhor juízo, são supersticiosos dessa maneira.

Encontramos a persistência da onipotência dos pensamentos da maneira mais nítida na neurose obsessiva; nela, os resultados desse modo primitivo de pensar se encontram extremamente próximos da consciência. Porém, precisamos nos resguardar de ver nisso uma característica distintiva dessa neurose, pois a investigação analítica descobre o mesmo nas outras neuroses. Em todas elas, o que é determinante para a formação de sintomas não é a realidade da experiência, e sim a do pensamento. Os neuróticos vivem num mundo particular, no qual, como afirmei em outro texto, vale apenas a "moeda neurótica", ou seja, é eficiente neles apenas aquilo que é pensado com intensidade, representado com afeto, mas a harmonia disso com a realidade externa é secundária. O histérico repete em seus ataques e fixa por meio de seus sintomas experiências que apenas ocorreram dessa maneira em sua fantasia, mas que, em última análise, remontam a acontecimentos reais ou foram construídas a partir de acontecimentos desse tipo. Entenderíamos igualmente mal a consciência de culpa dos neuróticos se quiséssemos atribuí-la a crimes reais. Um neurótico obsessivo pode ser oprimido por uma consciência de culpa que talvez fosse apropriada ao autor de um massacre; ao mesmo tempo, se comportará em relação a seus próximos como o mais atencioso e mais escrupuloso dos indivíduos, e isso já desde a infância. Mas o seu sentimento de culpa é fundamentado; ele se apoia nos intensos e frequentes desejos de morte que nele se manifestam inconscientemente em relação a seus próximos. É fundamentado na medida em que entram em consideração pensamentos inconscientes e não atos deliberados. Assim, a onipotência dos pensamentos, a superestimação dos processos psíquicos frente à realidade, se mostra irrestritamente em ação na vida afetiva do

III – Animismo, magia e onipotência dos pensamentos

neurótico e em todas as consequências que dela emanam. Porém, se o submetermos ao tratamento psicanalítico, que torna consciente o que nele é inconsciente, ele não poderá acreditar que os pensamentos são livres e sempre temerá manifestar maus desejos, como se em consequência dessa manifestação tivessem de se realizar. Mas, por meio desse comportamento, como também por meio das superstições em ação na sua vida, ele nos mostra como está perto do selvagem, que acredita modificar a realidade externa por meio de seus meros pensamentos.

As ações obsessivas primárias desses neuróticos são na verdade de natureza inteiramente mágica. São, se não feitiços, contrafeitiços destinados à defesa contra as expectativas de desgraça com as quais a neurose costuma começar. Sempre que consegui penetrar o mistério, mostrou-se que essa expectativa de desgraça tinha a morte por conteúdo. Segundo Schopenhauer, o problema da morte está no começo de toda filosofia; vimos que também a formação das ideias de alma e da crença nos demônios, que caracterizam o animismo, é explicada pela impressão que a morte causa nos seres humanos. É difícil avaliar se essas primeiras ações obsessivas ou protetoras seguem o princípio da semelhança, ou antes, do contraste, pois sob as condições da neurose elas costumam ser distorcidas por meio do deslocamento a alguma coisa ínfima, a uma ação em si mesma extremamente insignificante.[20] Também as fórmulas protetoras da neurose obsessiva encontram seu correspondente nas fórmulas encantatórias da magia. Porém, podemos descrever a história evolutiva das ações obsessivas ao ressaltar como elas, afastadas ao máximo do sexual, começam como um feitiço contra os maus desejos para terminar como substitutas de atividades sexuais proibidas que imitam com a máxima fidelidade possível.

---

20. Um motivo adicional para esse deslocamento a uma ação ínfima será apresentado nas discussões que seguem.

Se aceitarmos a recém-mencionada história evolutiva das visões humanas de mundo, na qual a fase *animista* foi substituída pela *religiosa* e esta pela *científica*, não nos será difícil seguir os destinos da "onipotência dos pensamentos" ao longo dessas fases. No estágio animista, o homem atribui a onipotência a si mesmo; no estágio religioso, ele a cedeu aos deuses, mas sem renunciar seriamente a ela, pois se reserva a possibilidade de dirigir os deuses, por meio de variadas influências, segundo seus próprios desejos. Na visão científica de mundo, não há mais espaço para a onipotência do homem; ele reconheceu sua pequenez e se submeteu, resignado, à morte e a todas as outras necessidades naturais. Mas na confiança no poder do espírito humano, que conta com as leis da realidade, continua vivendo uma parte da primitiva crença na onipotência.

Ao acompanharmos retroativamente o desenvolvimento dos anseios libidinosos do indivíduo, da conformação desses anseios na maturidade aos seus primórdios na infância, resultou inicialmente uma distinção importante, registrada nos *Três ensaios de teoria sexual* (1905 d). As manifestações dos impulsos sexuais são reconhecíveis desde o começo, mas de início ainda não se dirigem a nenhum objeto externo. Cada um dos componentes impulsionais da sexualidade trabalha para si mesmo em busca de ganho de prazer e encontra sua satisfação no próprio corpo da pessoa. Esse estágio é chamado de estágio do *autoerotismo*, e é substituído pelo da *escolha de objeto*.

Na sequência do estudo se mostrou conveniente, inclusive inevitável, introduzir um terceiro estágio entre esses dois, ou, caso se queira, decompor em dois o primeiro estágio do autoerotismo. Nesse estágio intermediário, cuja importância se impõe cada vez mais à investigação, os impulsos sexuais antes isolados já se associaram numa unidade e também já encontraram um objeto; mas esse objeto não é externo, alheio ao indivíduo, mas é o próprio eu, constituído nesse período. Considerando as fixações patológicas desse estado, posteriormente observáveis, chamamos o novo estágio de estágio do *narcisismo*. A pessoa se comporta como se estivesse apaixonada por si mesma; os impulsos do eu e os desejos libidinosos ainda não podem ser separados pela nossa análise.

Embora ainda não nos seja possível dar uma caracterização suficientemente precisa desse estágio narcisista, no qual os impulsos sexuais até então dissociados se reúnem numa unidade e investem o eu como objeto, já suspeitamos que a organização narcisista nunca mais seja inteiramente abandonada. O ser humano permanece em certa medida narcisista, mesmo depois de ter encontrado objetos externos para sua libido; os investimentos objetais que ele empreende são, por assim dizer, emanações da libido que restou no eu, e podem ser novamente recolhidos nesta. Os estados de apaixonamento, psicologicamente tão notáveis e que são os modelos normais das psicoses, correspondem ao nível mais alto dessas emanações em comparação com o nível do amor pelo eu.

É natural relacionar com o narcisismo, e compreender como sua parte essencial, a alta estima dos atos psíquicos – que do nosso ponto de vista chamamos de superestimação – por nós encontrada entre os primitivos e os neuróticos. Diríamos que entre os primitivos o pensamento ainda é sexualizado em alto grau; daí provém a crença na onipotência dos pensamentos, a confiança inabalável na possibilidade da dominação do mundo e o fechamento em relação às experiências fáceis de fazer que poderiam instruir o homem sobre sua real posição no mundo. Nos neuróticos, por um lado, restou constitucionalmente uma parte considerável dessa atitude primitiva; por outro lado, o recalcamento sexual que neles ocorre produz uma nova sexualização dos processos de pensamento. As consequências psíquicas têm de ser as mesmas nos dois casos, seja quando o superinvestimento libidinoso do pensamento é original, seja quando é alcançado regressivamente: narcisismo intelectual, onipotência dos pensamentos.[21]

Se estivermos autorizados a ver na demonstração da onipotência dos pensamentos entre os primitivos um testemunho a favor do narcisismo, podemos ousar a tentativa de comparar os estágios de desenvolvimento da visão humana de mundo com os estágios do desenvolvimento libidinoso do indivíduo. Assim, tanto no que respeita à cronologia quanto ao conteúdo, a fase animista corresponde ao narcisismo, a fase religiosa corresponde àquele estágio do encontro do objeto caracterizado pela ligação com os pais e a fase científica tem o seu correspondente pleno naquele estado maduro do indivíduo que renunciou ao princípio do prazer e, adaptando-se à realidade, busca seu objeto no mundo externo.[22]

Apenas num âmbito a "onipotência dos pensamentos" se conservou também em nossa cultura, e esse é o âmbito da arte. É somente na arte que ainda ocorre que um homem consumido por desejos faça algo que se assemelhe à satisfação e que esse jogar – graças à ilusão artística – produza efeitos afetivos como se fosse algo real. Com razão se fala da magia da arte e se compara o artista ao mágico. Mas essa

---

21. "*It is almost an axiom with writers on this subject, that a sort of Solipsism or Berkeleianism (as Professor Sully terms it as he finds it in the child), operates in the savage to make him refuse to recognize death as a fact.*" ["É quase um axioma entre aqueles que escrevem sobre esse assunto que uma espécie de solipsismo ou de berkelianismo (segundo o denomina o professor Sully tal como o encontra na criança) opera no selvagem para fazê-lo recusar-se a reconhecer a morte como um fato." (N.T.)] (Marett, 1900, p. 178.)

22. Apenas se aluda aqui que o narcisismo original da criança é determinante para a compreensão do desenvolvimento de seu caráter e exclui a hipótese de um sentimento primitivo de inferioridade nela.

comparação talvez seja mais significativa do que pretende ser. A arte, que certamente não começou como *l'art pour l'art*, estava originalmente a serviço de tendências que hoje em grande parte estão extintas. Entre estas, podemos presumir todo tipo de intenções mágicas.[23]

4

A primeira concepção de mundo a que o homem chegou, a do animismo, era portanto uma concepção psicológica e ainda não precisava da ciência para sua fundamentação, pois a ciência apenas começa quando se admite que não se conhece o mundo e que por isso se precisa procurar caminhos para conhecê-lo. Mas para o homem primitivo o animismo era natural e certo; ele sabia como são as coisas do mundo, isto é, elas são como o homem sente a si mesmo. Assim, estamos preparados para descobrir que o homem primitivo deslocava para o mundo externo

---

23. Ver Reinach, "A arte e a magia", na coletânea *Cultos, mitos e religiões* (1905-1912, vol. 1, p. 125-136). – Reinach opina que os artistas primitivos que nos legaram as imagens de animais gravadas ou pintadas nas cavernas da França não queriam "agradar", e sim "conjurar". Assim ele explicou o fato desses desenhos se encontrarem nos lugares mais escuros e mais inacessíveis das cavernas e de faltarem entre eles as figurações dos temidos animais de rapina. "*Les modernes parlent souvent, par hyperbole, de la magie du pinceau ou du ciseau d'un grand artiste et, en général, de la magie de l'art. Entendu au sens propre, qui est celui d'une contrainte mystique exercée par la volonté de l'homme sur d'autres volontés ou sur les choses, cette expression n'est plus admissible; mais nous avons vu qu'elle était autrefois rigoureusement vraie, du moins dans l'opinion des artistes.*" ["Os modernos falam muitas vezes, por hipérbole, da magia do pincel ou do cinzel de um grande artista e, em geral, da magia da arte. Entendida no sentido próprio, que é o de uma coação mística exercida pela vontade do homem sobre outras vontades ou sobre as coisas, essa expressão não é mais admissível; mas vimos que no passado ela era rigorosamente verdadeira, pelo menos na opinião dos artistas." (N.T.)] (*Ibid.*, p. 136.)

condições estruturais de sua própria psique[24], e estamos autorizados, por outro lado, a fazer a tentativa de recolocar na psique humana aquilo que o animismo ensina sobre a natureza das coisas.

A técnica do animismo, a magia, nos mostra da maneira mais clara e mais isenta de misturas a intenção de impor as leis da vida psíquica às coisas reais, sendo que nisso os espíritos ainda não precisam desempenhar papel algum, enquanto também podem ser tomados como objetos de tratamento mágico. Os pressupostos da magia são portanto mais primordiais e mais antigos do que a doutrina dos espíritos que forma o núcleo do animismo. Neste ponto, nossa perspectiva psicanalítica coincide com uma doutrina de R.R. Marett, que antepõe um estágio *pré-animista* ao animismo, cujo caráter é mais bem indicado pelo nome de *animatismo* (a doutrina da animação universal). Há pouco mais a dizer por experiência sobre o pré-animismo, visto que ainda não se encontrou nenhum povo que carecesse de ideias sobre os espíritos.[25]

Enquanto a magia ainda reserva toda a onipotência aos pensamentos, o animismo cedeu uma parte dessa onipotência aos espíritos, e com isso tomou o caminho para a formação de uma religião. Bem, mas o que levou o primitivo a essa primeira renúncia? Dificilmente o fato de reconhecer a incorreção de seus pressupostos, visto que, afinal, ele conserva a técnica mágica.

Os espíritos e os demônios, como foi indicado em outra parte, não são mais do que projeções dos sentimentos do primitivo[26]; ele transforma seus investimentos de afeto em

---

24. Reconhecidas pela chamada percepção endopsíquica.
25. R.R. Marett (1900). – Ver Wundt (1906, p. 171 e segs.).
26. Supomos que nesse estágio narcisista primário os investimentos oriundos de fontes libidinosas de excitação e de outras fontes talvez ainda estejam indistinguivelmente unidos.

pessoas, povoa com elas o mundo e então volta a encontrar seus próprios processos psíquicos interiores no mundo externo, de modo bem semelhante ao do engenhoso paranoico Schreber, que encontrou as ligações e os desligamentos de sua libido refletidos nos destinos dos "raios divinos" por ele combinados.[27]

Neste ponto, como numa ocasião anterior[28], queremos evitar o problema que consiste em determinar a origem da tendência a projetar processos psíquicos para fora. Mas podemos arriscar a hipótese de que essa tendência experimenta um reforço quando a projeção traz consigo a vantagem de um alívio psíquico. Pode-se esperar com certeza tal vantagem quando os sentimentos que aspiram por onipotência entraram em conflito uns com os outros; então, é claro, não serão todos que se tornarão onipotentes. O processo patológico da paranoia se serve de fato do mecanismo da projeção para resolver tais conflitos surgidos na vida psíquica. O caso exemplar de tal conflito é aquele que envolve os dois elementos de um par de opostos, o caso da atitude ambivalente que analisamos em pormenor na situação do enlutado por ocasião da morte de um familiar querido. Tal caso nos parecerá especialmente apropriado para motivar a criação de formações projetivas. Mais uma vez coincidimos com as opiniões dos autores que declaram que os maus espíritos são os primogênitos dentre os espíritos e que derivam a origem das ideias de alma a partir da impressão causada pela morte nos sobreviventes. Apenas fazemos a distinção de que não colocamos em primeiro lugar o problema intelectual que a morte propõe aos vivos, mas que transferimos a força que impele à investigação

---

27. Schreber, *Memórias de um doente dos nervos* (1903). – Freud, "Observações psicanalíticas sobre um caso de paranoia descrito autobiograficamente" (1911 c).

28. Ver o recém-citado texto sobre Schreber (Freud, 1911 c).

para o conflito emocional em que essa situação precipita os sobreviventes.

Assim, o primeiro feito teórico do homem – a criação dos espíritos – surgiria da mesma fonte que as primeiras restrições morais às quais ele se submete, as prescrições do tabu. Mas a igualdade da origem nada deve decidir acerca da simultaneidade do surgimento. Se foi realmente a situação do sobrevivente em relação ao morto o que fez o homem primitivo refletir pela primeira vez, que o forçou a ceder uma parte de sua onipotência aos espíritos e sacrificar uma parcela do livre-arbítrio de seu agir, então essas criações culturais seriam um primeiro reconhecimento da ’Ανάγχη [Necessidade] que se opõe ao narcisismo humano. O primitivo se curvaria à supremacia da morte com o mesmo gesto por meio do qual parece negá-la.

Se tivermos a coragem de continuar explorando nossas hipóteses, poderemos perguntar que parte essencial de nossa estrutura psicológica encontra seu reflexo e seu retorno na criação projetiva de almas e de espíritos. Será difícil de contestar, então, que a ideia primitiva de alma, por mais afastada que se encontre da alma posterior, inteiramente imaterial, ainda assim coincide essencialmente com esta, ou seja, que ela conceba pessoa ou coisa como uma dualidade entre cujos dois componentes se dividem as reconhecidas qualidades e modificações do todo. Essa dualidade primordial – segundo uma expressão de H. Spencer[29] – já é idêntica àquele dualismo que se manifesta na separação, que nos é familiar, entre espírito e corpo, e cujas manifestações linguísticas indestrutíveis reconhecemos, por exemplo, na descrição da pessoa desmaiada ou enfurecida: "Ela está fora de si".[30]

---

29. No primeiro volume dos *Princípios de sociologia*.
30. H. Spencer, *ibid.*, p. 179.

III – Animismo, magia e onipotência dos pensamentos

O que assim, exatamente como faz o primitivo, projetamos na realidade externa, dificilmente poderá ser outra coisa senão o reconhecimento de um estado em que uma coisa está dada para os sentidos e para a consciência, está *presente*, e ao lado do qual existe outro estado em que a mesma está *latente* mas pode reaparecer, ou seja, a coexistência do perceber e do recordar, ou, estendendo-se isso a um âmbito geral, a existência de processos psíquicos *inconscientes* ao lado dos *conscientes*.[31] Poderíamos dizer que o "espírito" de uma pessoa ou de uma coisa se reduz, em última análise, à sua capacidade de ser recordada e representada quando subtraída à percepção.

Todavia, não podemos esperar da ideia primitiva de "alma", nem da atual, que sua delimitação em relação a outras partes respeite as linhas que nossa ciência atual traça entre a atividade psíquica consciente e a inconsciente. A alma animista reúne em si, antes, determinações de ambos os lados. Sua volatilidade e sua mobilidade, sua capacidade de abandonar o corpo e tomar posse permanente ou temporariamente de outro corpo são características que lembram de maneira inconfundível a natureza da consciência. Mas o modo como ela se mantém oculta por trás da aparência pessoal lembra o inconsciente; hoje não atribuímos mais a imutabilidade e a indestrutibilidade aos processos conscientes, e sim aos inconscientes, e também os consideramos como os verdadeiros portadores da atividade psíquica.

Afirmamos anteriormente que o animismo é um sistema de pensamento, a primeira teoria completa sobre o mundo, e agora queremos tirar certas conclusões da compreensão psicanalítica de tal sistema. Nossa experiência cotidiana pode nos apresentar sem cessar as principais

---

31. Ver meu pequeno texto: "A Note on the Unconscious in Psycho-Analysis" ["Uma observação sobre o inconsciente na psicanálise"] nos *Proceedings* da Society for Psychical Research, parte LXVI, vol. XXVI, Londres, 1912.

qualidades do "sistema". Sonhamos de noite e aprendemos a interpretar o sonho de dia. Sem negar sua natureza, o sonho pode parecer confuso e desconexo, mas também pode, ao contrário, imitar a ordem de impressões de uma experiência, derivar um acontecimento de outro e relacionar uma parte de seu conteúdo com outra. Parece consegui-lo com maior ou menor sucesso, mas quase nunca o consegue tão perfeitamente que em alguma parte não apareça um absurdo, uma fenda na estrutura. Quando submetemos o sonho à interpretação, ficamos sabendo que o ordenamento inconstante e desigual dos componentes oníricos é algo perfeitamente sem importância para a compreensão do sonho. O essencial no sonho são os pensamentos oníricos, que de fato são plenos de sentido, coerentes e ordenados. Mas sua ordem é bem diferente daquela que recordamos com respeito ao conteúdo onírico manifesto. O nexo dos pensamentos oníricos foi abandonado, e pode então ficar inteiramente perdido ou ser substituído pelo novo nexo do conteúdo onírico. Além da condensação dos elementos oníricos, quase sempre ocorreu um reordenamento destes, que é mais ou menos independente do ordenamento anterior. Para concluir: o que foi feito do material dos pensamentos oníricos pelo trabalho do sonho experimentou uma nova influência, a chamada *elaboração secundária*, cujo propósito evidente é eliminar a incoerência e a incompreensibilidade resultantes do trabalho do sonho em benefício de um novo "sentido". Esse novo sentido, alcançado por meio da elaboração secundária, não é mais o sentido dos pensamentos oníricos.

A elaboração secundária do produto do trabalho do sonho é um excelente exemplo da natureza e das exigências de um sistema. Uma função intelectual em nós exige unificação, coerência e compreensibilidade de cada material da percepção ou do pensamento do qual ela se apodera, e

III – Animismo, magia e onipotência dos pensamentos

não teme produzir um nexo incorreto quando, em consequência de circunstâncias especiais, não pode apreender o nexo correto. Conhecemos tais formações de sistema não apenas no caso dos sonhos, mas também das fobias, do pensamento obsessivo e das formas do delírio. Nas enfermidades delirantes (da paranoia) a formação de sistema é o elemento mais evidente, dominando o quadro clínico, mas ela também não pode ser ignorada nas outras formas de neuropsicose. Podemos demonstrar que em todos os casos ocorreu um *reordenamento* do material psíquico com vistas a uma nova meta, um reordenamento que muitas vezes é no fundo bastante brutal, caso em que ele apenas parece compreensível sob o ponto de vista do sistema. Então, o melhor sinal da formação de sistema passa a ser o fato de cada um dos seus resultados permitir a descoberta de pelo menos duas motivações: uma oriunda dos pressupostos do sistema – ou seja, eventualmente uma motivação delirante – e uma oculta, que no entanto temos de reconhecer como aquela que é propriamente efetiva, real.

Para ilustrar, um exemplo extraído da neurose: no ensaio sobre o tabu, mencionei uma paciente cujas proibições obsessivas mostram as mais perfeitas correspondências com o tabu dos maoris (p. 69-70). A neurose dessa mulher está dirigida ao marido; ela culmina na defesa contra o desejo inconsciente de que ele morra. Mas sua fobia manifesta, sistemática, se refere à menção da morte em geral, sendo que aí o marido é completamente excluído e jamais se torna objeto de preocupação consciente. Certo dia ela ouve o marido dar ordens para que suas navalhas, que tinham perdido o fio, sejam levadas a certa loja para serem afiadas. Impulsionada por uma inquietação singular, ela mesma se põe a caminho da loja e, depois de voltar desse reconhecimento, exige do marido que se desfaça para sempre das navalhas, pois ela tinha descoberto que ao lado da loja por ele mencionada se encontra um depósito de caixões, artigos funerários etc. Devido a seus fins, as navalhas entraram numa ligação indissolúvel com a ideia da morte. Esta é a motivação *sistemática* da proibição. Podemos estar certos de que mesmo sem a descoberta daquela vizinhança a paciente teria trazido para casa a proibição das navalhas. Pois teria bastado que a caminho da loja ela encontrasse um carro fúnebre, uma pessoa de luto ou uma mulher carregando uma coroa funerária. A rede de condições estava suficientemente estendida para apanhar a presa em qualquer caso; só dependia da paciente querer fechá-la ou não. Pôde-se verificar com segurança que para outros casos ela não ativou as condições da proibição. Então ela simplesmente dizia que havia sido um "dia melhor". A *verdadeira* causa da proibição das navalhas, como adivinhamos com facilidade, era, naturalmente, sua oposição a colocar uma ênfase prazerosa na representação de que o marido pudesse cortar o pescoço com a navalha afiada.

De modo inteiramente semelhante se completa e se detalha uma inibição do caminhar, uma abasia ou uma agorafobia quando esse sintoma consegue se elevar à categoria de substituto de um desejo inconsciente e de defesa contra ele. O que mais existir no paciente em termos de fantasias inconscientes e de reminiscências eficazes acorre a essa saída uma vez aberta em busca de expressão sintomática e se acomoda, numa reorganização apropriada, no âmbito do distúrbio do caminhar. Seria portanto um começo inútil, na verdade insensato, se quiséssemos compreender a estrutura sintomática e os detalhes de uma agorafobia, por exemplo, a partir de seu pressuposto básico. Afinal, toda a consequência e todo o rigor da concatenação são apenas aparentes. Uma observação mais perspicaz pode descobrir, como na formação de fachadas do sonho, as mais sérias inconsequências e arbitrariedades da formação de sintomas.

III – Animismo, magia e onipotência dos pensamentos

Os detalhes de tal fobia sistemática tomam sua motivação real de determinantes ocultos que não precisam ter nada a ver com a inibição do caminhar, e é por isso que as configurações dessa fobia em diferentes pessoas também resultam tão variadas e tão contraditórias.

Se agora buscarmos o caminho de volta ao sistema do animismo que nos ocupa, concluímos de nossas observações de outros sistemas psicológicos que também no caso dos primitivos a motivação de um costume ou prescrição particular pela "superstição" não precisa ser a única e verdadeira, e não nos dispensa da obrigação de buscar seus motivos ocultos. Sob o domínio de um sistema animista, cada prescrição e cada atividade não podem deixar de receber uma fundamentação sistemática que hoje chamamos de "supersticiosa". A "superstição", tal como a "angústia", o "sonho" e o "demônio", é uma das provisoriedades psicológicas que se dissolveram diante da investigação psicanalítica. Quando compreendemos essas construções, que bloqueiam o conhecimento como se fossem anteparos, suspeitamos que até agora se negou uma parcela de merecido reconhecimento à vida psíquica e ao nível cultural dos selvagens.

Se o recalcamento dos impulsos for considerado como uma medida do nível cultural alcançado, então é preciso admitir que também sob o sistema animista ocorreram progressos e desenvolvimentos que se menospreza injustamente devido à sua motivação supersticiosa. Quando ficamos sabendo que guerreiros de uma tribo selvagem se impõem a maior castidade e a maior limpeza tão logo pisem a trilha da guerra (Frazer, 1911 *b*, p. 158), nos é sugerida a explicação de que eliminam sua sujeira para que o inimigo não se apodere dessa parte de suas pessoas a fim de prejudicá-los magicamente, sendo que para sua abstinência devemos supor motivações analogamente supersticiosas. Não obstante, permanece o fato da renúncia aos impulsos, e talvez entendamos melhor o caso se supormos que o guerreiro selvagem se impõe tais restrições por uma questão de equilíbrio, pois está a ponto de se permitir a satisfação completa, normalmente vedada, de moções cruéis e hostis. O mesmo vale para os inúmeros casos de restrição sexual que duram enquanto se estiver ocupado com trabalhos difíceis ou que requerem responsabilidade (*ibid.*, p. 200-201). Embora a fundamentação dessas proibições possa recorrer a um contexto mágico, é inequívoca a ideia fundamental de ganhar mais força pela renúncia à satisfação dos impulsos, e a raiz higiênica da proibição, ao lado da sua racionalização mágica, não pode ser negligenciada. Se os homens de uma tribo selvagem saíram para caçar, pescar, guerrear ou coletar substâncias vegetais valiosas, suas mulheres permanecem em casa submetidas a inúmeras restrições opressivas, às quais os próprios selvagens atribuem um efeito simpático, de longo alcance, sobre o sucesso da expedição. No entanto, é preciso pouca perspicácia para adivinhar que esse fator que atua à distância não é outro senão o pensamento no regresso para casa, a saudade dos ausentes, e que por trás desses disfarces se encontra a intuição psicológica correta de que os homens só farão o seu melhor se estiverem inteiramente tranquilos sobre o paradeiro das mulheres, que não estão sendo vigiadas. Outras vezes se afirma diretamente, sem motivação mágica, que a infidelidade conjugal da mulher leva ao fracasso os esforços do homem ausente ocupado com uma atividade que exige responsabilidade.

As inúmeras prescrições do tabu às quais estão submetidas as mulheres dos selvagens durante a menstruação são motivadas pelo temor supersticioso ao sangue e provavelmente também têm nesse temor uma fundamentação real. Mas seria equivocado desconsiderar a possibilidade de que esse temor ao sangue também sirva a propósitos estéticos e higiênicos que em todos os casos tiveram de se revestir com motivações mágicas.

Provavelmente não nos enganamos quanto ao fato de que tais tentativas de explicação nos expõem à crítica de atribuir aos selvagens atuais uma sutileza das atividades psíquicas que ultrapassa em muito todas as probabilidades. Penso, contudo, que com a psicologia desses povos que permaneceram no estágio animista facilmente poderia acontecer o mesmo que acontece com a vida psíquica da criança, que nós, adultos, não compreendemos mais, e cuja riqueza e sensibilidade, por isso, tanto subestimamos.

Quero mencionar mais um grupo de prescrições do tabu até agora não explicadas, pois tal grupo admite uma explicação familiar ao psicanalista. Em muitos povos selvagens é proibido, em diversas circunstâncias, guardar armas afiadas e instrumentos cortantes em casa (Frazer, 1911 *b*, p. 237). Frazer cita uma superstição alemã segundo a qual não se deve deixar uma faca com o gume para cima. Deus e os anjos poderiam se ferir com ela. Não se deve reconhecer nesse tabu uma noção de certas "ações sintomáticas" para as quais a arma afiada poderia ser usada por moções más inconscientes?

IV

O RETORNO INFANTIL DO TOTEMISMO

Não é preciso temer que a psicanálise, a primeira a descobrir a superdeterminação normal das formações e dos atos psíquicos, seja tentada a derivar de uma única origem algo tão complicado quanto a religião. Se, numa unilateralidade forçada, na verdade obrigatória, ela pretende que se reconheça uma única das fontes dessa instituição, não reivindica, de início, a sua exclusividade, como tampouco o primeiro lugar entre os fatores cooperantes. Apenas uma síntese de diversos âmbitos de investigação poderá decidir qual a importância relativa que cabe atribuir na gênese da religião ao mecanismo que aqui discutiremos; um trabalho desses, porém, ultrapassa não só os recursos como também o propósito do psicanalista.

1

No primeiro ensaio desta série tomamos conhecimento do conceito de totemismo. Vimos que o totemismo é um sistema que em certos povos primitivos da Austrália, dos Estados Unidos e da África ocupa o lugar da religião e oferece a base para a organização social. Sabemos que em 1869 o escocês McLennan despertou o interesse mais geral para os fenômenos do totemismo, até então considerados apenas como curiosidades, ao formular a hipótese de que muitos usos e costumes, em diversas sociedades antigas e modernas, deveriam ser compreendidos como restos de uma época totêmica. Desde então, a ciência reconheceu esse significado do totemismo em toda a sua amplitude.

IV – O RETORNO INFANTIL DO TOTEMISMO

Como uma das últimas manifestações sobre essa questão, quero citar um trecho de *Elementos de etnopsicologia*, de W. Wundt (1912, p. 139): "Considerando tudo isso em conjunto, resulta a conclusão altamente provável de que a cultura totêmica constituiu por toda parte, certa vez, uma fase preliminar dos desenvolvimentos posteriores e uma fase de transição entre o estado do homem primitivo e a época dos heróis e dos deuses".

Os propósitos do presente ensaio nos obrigam a um maior aprofundamento nas características do totemismo. Por razões que deverão ficar claras mais adiante, dou preferência aqui a uma exposição de S. Reinach, que em 1900 esboçou o seguinte *Code du totémisme* em doze artigos, por assim dizer um catecismo da religião totêmica[1]:

1. Certos animais não podem ser mortos nem comidos, mas as pessoas criam indivíduos dessas espécies e lhes prestam cuidados.

2. Um animal que morre por acidente é lamentado e enterrado com as mesmas honras de um membro da tribo.

3. Ocasionalmente, a proibição alimentar se refere apenas a determinada parte do corpo do animal.

4. Quando, sob a pressão da necessidade, se precisa matar um animal normalmente poupado, se pedem desculpas a ele e se procura atenuar a violação do tabu, o assassinato, mediante variados artifícios e subterfúgios.

5. Se sacrificado ritualmente, o animal é lamentado de maneira solene.

6. Em certas ocasiões solenes e cerimônias religiosas as pessoas se cobrem com a pele de determinados animais. Onde o totemismo ainda existe, esses são os animais totêmicos.

---

1. *Revue scientifique*, outubro de 1900, reproduzido na obra do mesmo autor, em quatro volumes, *Cultos, mitos e religiões* (1905-1912, vol. 1, p. 17 e segs.).

7. Tribos e indivíduos se atribuem nomes de animais, precisamente os dos animais totêmicos.

8. Muitas tribos usam imagens de animais como brasões e enfeitam com elas suas armas; os homens pintam imagens de animais sobre o corpo ou mandam tatuá-las.

9. Se o totem se encontra entre os animais temidos e perigosos, se supõe que ele poupe os membros da tribo que leva seu nome.

10. O animal totêmico protege e adverte os membros da tribo.

11. O animal totêmico anuncia o futuro a seus fiéis e lhes serve de guia.

12. Os membros de uma tribo totêmica muitas vezes acreditam estarem ligados ao animal totêmico pelo laço de uma origem comum.

Somente se poderá apreciar esse catecismo da religião totêmica quando se considerar que Reinach também incluiu nele todos os indícios e fenômenos residuais a partir dos quais se pode concluir a existência passada do sistema totêmico. Em compensação, esse autor mostra uma postura especial em relação ao problema pelo fato de negligenciar em certa medida os traços essenciais do totemismo. Ainda nos convenceremos de que ele relegou uma das duas principais teses do catecismo totêmico ao último plano e omitiu inteiramente a outra.

A fim de obtermos uma imagem correta das características do totemismo, nos voltaremos a um autor que dedicou uma obra em quatro volumes ao tema, obra que reúne a coleção mais completa de observações aqui pertinentes com as discussões mais pormenorizadas dos problemas que elas despertam. Ficamos gratos a J.G. Frazer, o autor de *Totemismo e exogamia* (1910), pelo deleite e pela instrução,

IV – O RETORNO INFANTIL DO TOTEMISMO

mesmo que a investigação psicanalítica devesse levar a resultados que se afastam muito dos seus.[2]

"Um totem", escreve Frazer em seu primeiro ensaio[3], "é um objeto material ao qual o selvagem presta um respeito supersticioso, pois acredita que entre sua própria pessoa e cada objeto dessa categoria exista uma relação bem especial. (...) A ligação entre um homem e seu totem é recíproca; o totem protege o homem, e o homem demonstra

---

2. Mas talvez façamos bem ao apresentar antes ao leitor as dificuldades com que têm de lutar as averiguações nesse campo:
Em primeiro lugar: as pessoas que coletam as observações não são as mesmas que as organizam e discutem; as primeiras são viajantes e missionários, as últimas são estudiosos que talvez jamais tenham visto os objetos de sua investigação. – O entendimento com os selvagens não é fácil. Nem todos os observadores estavam familiarizados com o idioma deles, mas tinham de se servir do auxílio de intérpretes ou conversar com os interrogados na língua auxiliar do *pidgin English*. Os selvagens não são comunicativos sobre os assuntos mais íntimos de sua cultura e se abrem apenas aos estrangeiros que passaram muitos anos entre eles. Pelos mais variados motivos (ver Frazer, 1910, vol. 1, p. 150-151), muitas vezes eles dão informações falsas ou equívocas. – Não se deve esquecer que os povos primitivos não são povos jovens, e sim, na verdade, tão antigos quanto os mais civilizados, e que não se tem qualquer direito a esperar que tenham conservado suas ideias e instituições originais sem qualquer desenvolvimento e distorção para que tomemos conhecimento delas. É certo, antes, que entre os primitivos se consumaram mudanças profundas em todos os sentidos, de modo que jamais se pode determinar sem hesitação o que em seus estados e opiniões atuais conservou o passado original à maneira de um fóssil e o que corresponde a uma distorção e a uma modificação desse passado. Daí as abundantes disputas entre os autores sobre o que, nas peculiaridades de uma cultura primitiva, deve ser compreendido como primário e sobre o que deve ser compreendido como uma configuração posterior, secundária. Assim, a determinação do estado original é sempre uma questão de construção. – Por fim, não é fácil tentar compreender o modo de pensar dos primitivos. Nós os entendemos mal com a mesma facilidade com que entendemos mal as crianças, e sempre tendemos a interpretar seu agir e seu sentir segundo nossas próprias constelações psíquicas.
3. *Totemismo*, Edimburgo, 1887, reimpresso no primeiro volume da grande obra *Totemismo e exogamia* (1910).

seu respeito pelo totem de diversas maneiras, como, por exemplo, pelo fato de não matá-lo quando se tratar de um animal e de não colhê-lo quando se tratar de uma planta. O totem se distingue do fetiche pelo fato de jamais ser um objeto único como este, e sim sempre uma categoria, geralmente uma espécie animal ou vegetal, mais raramente uma classe de coisas inanimadas e mais raramente ainda de objetos produzidos artificialmente (...).

"Podemos distinguir pelo menos três espécies de totens:

1. O totem da tribo, compartilhado por uma tribo inteira, e que se transmite por herança de uma geração à outra;

2. O totem do sexo, que pertence a todos os membros masculinos ou femininos de uma tribo com exclusão do outro sexo;

3. O totem individual, próprio de uma só pessoa e que não é transmitido à sua descendência (...)". Quanto à sua importância, as duas últimas espécies de totem não entram em consideração quando comparadas ao totem da tribo. São, se não nos enganamos inteiramente, formações tardias e pouco significativas para a essência do totem.

"O totem da tribo (totem do clã) é objeto da veneração de um grupo de homens e mulheres que se nomeiam segundo esse totem, se consideram descendentes consanguíneos de um antepassado comum e estão firmemente ligados entre si tanto por deveres recíprocos comuns quanto pela crença em seu totem.

"O totemismo é tanto um sistema religioso quanto social. Pelo seu lado religioso, consiste nas relações de respeito e de cuidado mútuo entre uma pessoa e seu totem; pelo seu lado social, nas obrigações dos membros do clã uns em relação aos outros e em relação a outras tribos. Na história posterior do totemismo, esses dois lados mostram uma tendência a se separar; o sistema social muitas vezes sobrevive ao religioso e, inversamente, permanecem restos do totemismo na religião daqueles países em que o sistema social nele baseado desapareceu. Devido ao nosso desconhecimento sobre as origens do totemismo, não podemos dizer com segurança como esses dois lados se relacionavam originalmente. Mas, no todo, existe uma grande probabilidade de que no começo os dois lados do totemismo fossem inseparáveis. Em outras palavras, quanto mais retrocedemos, mais nitidamente se mostra que o membro da tribo se considera da mesma espécie de seu totem e não diferencia seu comportamento em relação ao totem do comportamento em relação a um companheiro de tribo."

Na descrição especial do totemismo como um sistema religioso, Frazer começa afirmando que os membros de uma tribo se nomeiam de acordo com seu totem e *geralmente também acreditam descender dele*. A consequência dessa crença é que não caçam, não matam e não comem o animal totêmico, e se privam de qualquer outro uso do totem quando ele não for um animal. As proibições de matar e de comer o totem não são os únicos tabus que o afetam; às vezes também é proibido tocá-lo e até mesmo olhá-lo; em alguns casos, o totem não pode ser mencionado pelo seu verdadeiro nome. A transgressão desses mandamentos do tabu que protegem o totem é punida automaticamente com doenças graves ou morte.[4]

Ocasionalmente, exemplares do animal totêmico são criados pelo clã e mantidos em cativeiro.[5] Um animal totêmico encontrado morto é pranteado e sepultado como um companheiro de clã. Quando se precisava matar um animal totêmico, isso acontecia num ritual prescrito que consistia em desculpas e cerimônias expiatórias.

---

4. Ver o ensaio sobre o tabu.
5. Como ocorre ainda hoje com os lobos na jaula próxima à escada do Capitólio, em Roma, e os ursos no fosso de Berna.

A tribo esperava ser protegida e poupada pelo seu totem. Quando era um animal perigoso (um predador, uma serpente venenosa), se supunha que ele não faria mal a seus companheiros, e quando essa suposição não se confirmava, a pessoa ferida era excluída da tribo. Os juramentos, opina Frazer, eram originalmente ordálios; assim, a decisão sobre muitas provas de descendência e de autenticidade era deixada ao totem. O totem auxilia nas doenças e faz presságios e advertências à tribo. O aparecimento do animal totêmico nas proximidades de uma casa muitas vezes era encarado como um anúncio de falecimento. O totem viera para buscar seu parente.[6]

Em diversas circunstâncias importantes, o membro do clã procura acentuar seu parentesco com o totem ao se tornar exteriormente semelhante a ele, se envolver na pele do animal totêmico, tatuar a imagem dele no próprio corpo etc. Nas ocasiões solenes do nascimento, da iniciação masculina e do sepultamento, essa identificação com o totem é realizada em atos e palavras. Danças nas quais todos os membros da tribo se disfarçam de totem e se comportam como ele servem a variados propósitos mágicos e religiosos. Por fim, há cerimônias nas quais o animal totêmico é morto de maneira solene.[7]

O lado social do totemismo se manifesta sobretudo num mandamento rigorosamente observado e numa imensa restrição. Os membros de um clã totêmico são irmãos e irmãs, obrigados a se ajudar e a se proteger mutuamente; quando o membro de um clã é assassinado por um estranho, toda a tribo do autor é responsável pelo assassinato e o clã da vítima se sente solidário na exigência de expiação para o sangue derramado. Os laços totêmicos são mais fortes

---

6. Ou seja, como a mulher branca de algumas linhagens nobres.

7. Frazer (1910, vol. 1, p. 45). – Ver abaixo a explicação sobre o sacrifício.

IV – O retorno infantil do totemismo

do que os laços familiares tal como os entendemos; eles não coincidem com estes, visto que a transmissão do totem geralmente ocorre por herança materna e, originalmente, a herança paterna talvez não estivesse de forma alguma em vigor.

A correspondente restrição do tabu consiste na proibição de que os membros do mesmo clã totêmico se casem entre si e mantenham relações sexuais. Esta é a célebre e enigmática *exogamia* ligada ao totemismo. Dedicamos a ela todo o primeiro ensaio desta série, e por isso apenas precisamos mencionar aqui que ela se origina do aguçado horror ao incesto dos primitivos, tornar-se-ia perfeitamente compreensível como garantia contra o incesto em casamentos grupais e de início proporciona a evitação do incesto para as gerações mais jovens, apenas num desenvolvimento posterior se tornando um obstáculo também para a geração mais antiga.

A essa exposição do totemismo por Frazer, uma das primeiras na literatura sobre o assunto, quero agora acrescentar alguns extratos de uma das sínteses mais recentes. Em *Elementos de etnopsicologia*, obra publicada em 1912, W. Wundt afirma (p. 116 e segs.): "O animal totêmico é considerado o animal ancestral do respectivo grupo. O 'totem', portanto, é o nome de grupo, por um lado, e o nome de descendência, por outro; neste último aspecto, esse nome tem ao mesmo tempo um significado mitológico. Porém, todas essas aplicações do conceito se mesclam, e os significados isolados podem recuar para o segundo plano, de modo que em alguns casos os totens quase se tornaram uma mera nomenclatura das divisões da tribo, enquanto em outros a representação da descendência, ou então também o significado cultual do totem, se encontra em primeiro plano (...)." O conceito de totem se torna decisivo para a *divisão* e a *organização da tribo*. "Com essas normas e com sua consolidação na crença e na sensibilidade dos membros da tribo se relaciona o fato de que não se considerava o animal totêmico, pelo menos originalmente, apenas como um nome de um grupo de membros de uma tribo, mas que o animal era considerado na maioria dos casos como o ancestral do respectivo grupo. (...) Com isso se relaciona o fato de que esses antepassados animais eram objeto de culto. (...) Essa zoolatria, não considerando determinadas cerimônias e festas cerimoniais, se manifesta originalmente sobretudo no comportamento em relação ao animal totêmico: não apenas um animal isolado, mas qualquer representante da mesma espécie é um animal sagrado em certo grau, e é proibido aos membros do totem, ou permitido apenas em determinadas circunstâncias, consumir a carne do animal totêmico. Corresponde a isso o fenômeno oposto, significativo em tal contexto, de que sob certas condições ocorre uma espécie de consumo cerimonial da carne do totem (...).

"Porém, o aspecto social mais importante dessa divisão totêmica da tribo consiste no fato de se ligarem a ela determinadas normas morais para a relação dos grupos entre si. Entre essas normas se encontram em primeiro lugar as da relação matrimonial. Assim, essa divisão da tribo se relaciona com um fenômeno importante que surge pela primeira vez na época totêmica: a *exogamia*."

Se, indo além de tudo que possa corresponder a um desenvolvimento posterior ou a um enfraquecimento, quisermos chegar a uma caracterização do totemismo original, resultam os seguintes traços essenciais: *os totens eram originalmente apenas animais e eram considerados antepassados de cada uma das tribos. O totem era herdado apenas pela linha feminina; era proibido matar o totem* (ou *comê-lo*, o que nas condições primitivas vem a ser a

IV – O retorno infantil do totemismo

mesma coisa); *era proibido aos membros do totem manter relações sexuais entre si.*⁸

O que agora poderá chamar nossa atenção é o fato de no *Code du totémisme* estabelecido por Reinach absolutamente não aparecer um dos principais tabus, o da exogamia, enquanto que o pressuposto do segundo, a descendência a partir do animal totêmico, é mencionado apenas de passagem. No entanto, escolhi a exposição de Reinach, um autor que fez grandes contribuições ao tema, a fim de nos preparar para as diferenças de opinião entre os autores que agora deverão nos ocupar.

---

8. Coincide com esse texto o resumo do totemismo que Frazer faz em seu segundo trabalho sobre o assunto ("The Origin of Totemism", *Fortnightly Review*, 1899, reproduzido em Frazer, 1910, vol. 1, p. 101): "*Thus, Totemism has commonly been treated as a primitive system both of religion and of society. As a system of religion it embraces the mystic union of the savage with his totem; as a system of society it comprises the relations in which men and women of the same totem stand to each other and to the members of other totemic groups. And corresponding to these two sides of the system are two rough and ready tests or canons of Totemism: first, the rule that a man may not kill or eat his totem animal or plant; and second the rule that he may not marry or cohabit with a woman of the same totem*". ["Assim, o totemismo foi comumente tratado como um sistema primitivo, tanto de religião quanto de sociedade. Como sistema de religião, ele inclui a união mística do selvagem com seu totem; como sistema de sociedade, ele abrange a relação na qual homens e mulheres do mesmo totem se encontram uns com os outros e com os membros de outros grupos totêmicos. E, correspondendo a esses dois lados do sistema, há dois testes ou cânones improvisados do totemismo: primeiro, a regra de que um homem não pode matar ou comer sua planta ou animal totêmico; segundo, a regra de que ele não pode se casar ou coabitar com uma mulher do mesmo totem." (N.T.)] Em seguida, Frazer acrescenta algo que nos coloca no meio das discussões sobre o totemismo: "*Whether the two sides – the religious and the social – have always co-existed or are essentially independent, is a question which has been variously answered*". ["Se os dois lados – o religioso e o social – sempre coexistiram ou são essencialmente independentes, essa é uma questão que foi respondida de diversas maneiras." (N.T.)]

2

Quanto mais irrefutável se apresentava o ponto de vista de que o totemismo constituiu uma fase normal de todas as culturas, tanto mais urgente se tornou a necessidade de chegar a uma compreensão dele, de esclarecer os enigmas de sua natureza. Possivelmente tudo seja enigmático no totemismo; as questões decisivas envolvem a origem da descendência totêmica, a motivação da exogamia (ou melhor, do tabu do incesto por ela substituído) e a relação entre ambos, a organização totêmica e a proibição do incesto. A compreensão deveria ser ao mesmo tempo histórica e psicológica, informando sob que condições essa instituição singular se desenvolveu e a que necessidades psíquicas do homem ela deu expressão.

Meus leitores certamente ficarão surpresos em saber a partir de quantos pontos de vista diferentes se tentou responder a essas questões e o quanto divergem as opiniões dos investigadores especializados. Quase tudo que se poderia afirmar de maneira geral sobre o totemismo e a exogamia está em questão; também a imagem prévia, extraída de um texto de Frazer publicado em 1887, não pode escapar à crítica de expressar uma preferência arbitrária do informante, e hoje seria criticada pelo próprio Frazer, que modificou repetidamente suas opiniões sobre o assunto.[9]

---

9. Por ocasião de uma dessas mudanças de opinião ele escreveu estas belas palavras: "*That my conclusions on these difficult questions are final, I am not so foolish as to pretend. I have changed my views repeatedly, and I am resolved to change them again with every change of the evidence, for like a chameleon, the candid enquirer should shift his colours with the shifting colours of the ground he treads.*" ["Não sou tão tolo a ponto de pretender que minhas conclusões sobre essas difíceis questões sejam definitivas. Mudei minhas opiniões repetidamente, e estou disposto a mudá-las outra vez com cada mudança das evidências, pois, tal como o camaleão, o pesquisador honesto deve mudar de cor conforme muda a cor do solo que pisa." (N.T.)] Prefácio ao vol. 1 de *Totemismo e exogamia* (1910).

IV – O retorno infantil do totemismo

É natural supor que poderíamos compreender a essência do totemismo e da exogamia mais facilmente se conhecêssemos melhor as origens de ambas as instituições. Porém, na avaliação do estado das coisas cabe não esquecer a observação de Andrew Lang segundo a qual também os povos primitivos não conservaram essas formas originais das instituições e as condições para seu surgimento, de modo que dependemos única e exclusivamente de hipóteses a fim de substituir a observação que nos falta.[10] Entre as tentativas de explicação apresentadas, algumas parecem de antemão inadequadas ao juízo do psicólogo. Elas são racionais demais e não levam em conta o caráter emocional das coisas que cabe esclarecer. Outras se baseiam em pressupostos que não são confirmados pela observação; outras, ainda, se reportam a um material que seria melhor submeter a uma interpretação diferente. A refutação das diferentes opiniões em geral oferece poucas dificuldades; como de hábito, os autores são mais fortes nas críticas que se fazem mutuamente do que em suas próprias produções. Para a maioria dos pontos tratados, o resultado final é um *non liquet*.[11] Por isso não é de se admirar que na bibliografia mais recente sobre o assunto, omitida aqui em sua maior parte, apareça a tendência inequívoca a rejeitar, como sendo inviável, uma solução geral para os problemas totêmicos. (Por exemplo, Goldenweiser, 1910, resenha em *Britannica*

---

10. "*By the nature of the case, as the origin of totemism lies far beyond our powers of historical examination or of experiment, we must have recourse as regards this matter to conjecture*" ["Pela natureza do caso, visto que a origem do totemismo se encontra muito além de nossa capacidade de exame histórico ou de experimentação, temos, no que concerne a esse assunto, de recorrer à conjectura" (N.T.)], A. Lang (1905, p. 27). – "*Nowhere do we see absolutely primitive man, and a totemic system in the making.*" ["Em parte alguma vemos um homem absolutamente primitivo ou um sistema totêmico em formação." (N.T.)] (*Ibid.*, p. 29.)
11. "Não está claro", antiga fórmula jurídica que indicava a falta de elementos suficientes para se proferir um veredito. (N.T.)

Year Book, 1913.) Ao comunicar essas hipóteses conflitantes, tomei a liberdade de não considerar sua sequência cronológica.

a) A ORIGEM DO TOTEMISMO

A pergunta pelo surgimento do totemismo também pode ser formulada da seguinte maneira: como foi que os homens primitivos chegaram a se dar (a dar a suas tribos) nomes de animais, plantas ou objetos inanimados?[12]

O escocês McLennan, que revelou o totemismo e a exogamia para a ciência (1869-1870 e 1865), se absteve de publicar um parecer sobre a origem do totemismo. Segundo uma informação de A. Lang (1905, p. 34), por algum tempo ele esteve inclinado a derivar o totemismo do costume da tatuagem. Eu dividiria em três grupos as teorias publicadas sobre a origem do totemismo: *α*) nominalistas, *β*) sociológicas e *γ*) psicológicas.

α) As teorias nominalistas

As informações que seguem sobre essas teorias justificarão o fato de eu tê-las reunido sob esse título.

Já Garcilaso de la Vega, um descendente dos incas peruanos que escreveu a história de seu povo no século XVII, teria atribuído aquilo que conhecia dos fenômenos totêmicos à necessidade das tribos de se distinguirem por meio de nomes (conforme Lang, 1905, p. 34). O mesmo pensamento aparece séculos depois na etnologia de A.H. Keane: os totens teriam surgido de *heraldic badges* (insígnias heráldicas) por meio das quais indivíduos, famílias e tribos pretendiam se distinguir uns dos outros.[13]

---

12. É provável que originalmente fossem apenas nomes de animais.
13. Citado por Lang (1903, IX-X).

IV – O retorno infantil do totemismo

Max-Müller expressou a mesma opinião sobre o significado do totem em suas *Contribuições à ciência da mitologia*.[14] Um totem seria: 1) uma insígnia de clã, 2) um nome de clã, 3) o nome do ancestral do clã, 4) o nome do objeto venerado pelo clã. Posteriormente, J. Pikler afirmou (1899): "Os homens precisavam de um nome permanente, fixável por escrito, para comunidades e para indivíduos. (...) Assim, o totemismo não surge da necessidade religiosa, mas da prosaica necessidade cotidiana da humanidade. O núcleo do totemismo, o ato de nomear, é uma consequência da técnica primitiva de escrita. O caráter do totem também é o de sinais gráficos facilmente representáveis. Mas por serem portadores do nome de um animal, os selvagens derivaram disso a ideia de um parentesco com esse animal".[15]

Herbert Spencer (1870 e 1893, p. 331-346) igualmente atribuiu ao ato de nomear a importância decisiva para a origem do totemismo. Devido a suas qualidades, explica ele, alguns indivíduos acabaram sendo chamados por nomes de animais, recebendo assim títulos ou alcunhas que se transmitiram a seus descendentes. Em consequência da indeterminação e da incompreensibilidade das línguas primitivas, esses nomes teriam sido compreendidos pelas gerações posteriores como se fossem um testemunho de que eram descendentes desses animais mesmos. Assim, o totemismo teria surgido como veneração equivocada dos ancestrais.

Lord Avebury (mais conhecido pelo seu nome anterior, Sir John Lubbock) avaliou a origem do totemismo de maneira bem parecida, embora sem ressaltar o equívoco: se quisermos explicar a veneração de animais, não podemos esquecer com que frequência os nomes humanos são tomados deles. Os filhos e o séquito de um homem chamado

---

14. Citado por Lang (1905, p. 118).
15. Pikler e Somló. Com razão os autores designam sua tentativa de explicação como "contribuição à teoria materialista da história".

Urso ou Leão naturalmente derivaram daí o nome de uma tribo. Disso resultou que o próprio animal obteve um certo respeito e, por fim, veneração.

Uma objeção aparentemente irrefutável a essa derivação dos nomes totêmicos a partir de nomes de indivíduos foi apresentada por Fison.[16] Com base nas condições dos australianos, ele mostra que o totem sempre é a marca de um grupo de pessoas, jamais de um indivíduo. Mas se as coisas fossem diferentes e o totem fosse originalmente o nome de um indivíduo, no sistema de herança materna ele jamais poderia passar a seus filhos.

Aliás, as teorias comunicadas até aqui são manifestamente insuficientes. Talvez expliquem o fato de as tribos dos primitivos terem nomes de animais, porém nunca explicam a importância que esse ato de nomear adquiriu para eles, ou seja, o sistema totêmico. A mais notável teoria desse grupo é a desenvolvida por A. Lang em seus livros *Origens sociais* (1903) e *O segredo do totem* (1905). Ela ainda continua fazendo do ato de nomear o núcleo do problema, mas incorpora dois fatores psicológicos interessantes e reivindica assim ter dado a solução definitiva ao enigma do totemismo.

A. Lang opina que, em primeiro lugar, é indiferente de que maneira os clãs chegaram a seus nomes de animais. Basta supor que certo dia despertaram para a consciência de que os levavam e não souberam explicar donde provinham. *A origem desses nomes teria sido esquecida.* Então eles teriam tentado obter informações a respeito mediante especulação e, levando em conta suas convicções sobre a importância dos nomes, necessariamente tiveram de chegar a todas as ideias contidas no sistema totêmico. Para os primitivos – assim como para os selvagens de hoje e

---

16. Fison (1880, p. 165), citado por Lang (1905, p. 141).

IV – O retorno infantil do totemismo

mesmo para os nossos filhos[17] –, os nomes não são algo indiferente e convencional como nos parecem, mas algo significativo e essencial. O nome de um homem é um dos principais componentes de sua pessoa, talvez uma parte de sua alma. A igualdade de nomes com os animais tinha de levar os primitivos a supor que existia um laço misterioso e significativo entre suas pessoas e essas espécies animais. Que outro laço poderia entrar em consideração a não ser o do parentesco de sangue? Mas uma vez que este fora adotado em consequência da igualdade de nomes, resultaram dele, como consequências diretas do tabu de sangue, todas as prescrições totêmicas, incluindo a exogamia.

"*No more than these three things – a group animal name of unknown origin; belief in a transcendental connection between all bearers, human and bestial, of the same name; and belief in the blood superstitions – was needed to give rise to all the totemic creeds and practices, including exogamy.*"[18] (Lang, 1905, p. 125-126.)

A explicação de Lang é, por assim dizer, de dois tempos. Ela deriva o sistema totêmico, com necessidade psicológica, do fato dos nomes totêmicos, sob o pressuposto de que a origem desse ato de nomear tenha sido esquecida. A outra parte da teoria busca então esclarecer a origem desses nomes; veremos que ela é de cunho bem diferente.

Essa outra parte da teoria de Lang não se afasta essencialmente das demais teorias que chamei de "nominalistas". A necessidade prática de diferenciação teria obrigado cada uma das tribos a adotar nomes, e por isso elas teriam aceitado os nomes que cada uma recebeu das outras. Esse

---

17. Ver o ensaio sobre o tabu, p. 102 e segs.
18. "Não mais do que essas três coisas – um nome animal grupal de origem desconhecida; a crença numa conexão transcendental entre todos os portadores, humanos e animais, do mesmo nome; e a crença nas superstições de sangue – foram necessárias para dar origem a todas as doutrinas e práticas totêmicas, incluindo a exogamia." (N.T.)

"*naming from without*" [nomear de fora] é a peculiaridade da construção de Lang. Que os nomes que assim surgiram fossem tomados de animais não causa maior estranheza e não precisava ter sido sentido pelos primitivos como injúria ou zombaria. Aliás, Lang recorreu aos casos de períodos posteriores da história, casos de forma alguma isolados, em que nomes dados de fora, originalmente com conotação zombeteira, foram aceitos e levados de boa vontade por aqueles que eram assim qualificados (*les gueux*, *whigs* e *tories*). A hipótese de que a origem desses nomes tenha sido esquecida com o passar do tempo liga essa segunda parte da teoria de Lang à primeira, antes apresentada.

β) *As teorias sociológicas*

S. Reinach, que investigou com sucesso os resquícios do sistema totêmico no culto e nos costumes de períodos posteriores, mas que desde o início desdenhou o fator da descendência a partir do animal totêmico, declarou certa vez sem hesitar que o totemismo não lhe parecia ser outra coisa senão "*une hypertrophie de l'instinct social*".[19]

A mesma concepção parece perpassar a nova obra de E. Durkheim, *As formas elementares da vida religiosa: o sistema totêmico na Austrália* (1912). O totem é o representante visível da religião social desses povos. Ele corporifica a comunidade, que é o verdadeiro objeto da veneração.

Outros autores buscaram uma fundamentação mais pormenorizada para essa participação dos impulsos sociais na formação das instituições totêmicas. Assim, A.C. Haddon supôs que originalmente cada tribo primitiva vivia de determinada espécie animal ou vegetal, talvez também praticasse o comércio com esse alimento e, por meio de troca, abastecesse com ele outras tribos. Assim,

---

19. Reinach (1905-1912, vol. 1, p. 41).

foi inevitável que a tribo passasse a ser conhecida para as outras sob o nome do animal que para ela desempenhava um papel tão importante. Ao mesmo tempo, teve de se desenvolver nessa tribo uma familiaridade especial com o animal em questão e uma espécie de interesse por ele, que, no entanto, não era fundamentado em nenhum outro motivo psíquico que não a mais elementar e mais urgente das necessidades humanas, a fome.[20]

As objeções a essa teoria sobre o totem, a mais racional de todas, alegam que tal situação alimentar não foi encontrada em parte alguma entre os primitivos e que provavelmente jamais tenha existido. Os selvagens seriam onívoros, e tanto mais quanto mais baixo fosse o nível em que se encontrassem. Além disso, não seria compreensível como a partir de tal dieta exclusiva se pôde desenvolver uma relação quase religiosa com o totem que culminou na abstenção absoluta do alimento predileto.

A primeira das três teorias sobre a origem do totemismo formuladas por Frazer era uma teoria psicológica; ela será apresentada em outra passagem.

A segunda teoria de Frazer, a ser discutida aqui, surgiu sob a impressão da importantíssima publicação de dois pesquisadores sobre os nativos da Austrália central.

Spencer e Gillen (1899) descreveram uma série de instituições, usos e opiniões peculiares adotados por um grupo de tribos, a chamada nação arunta, e Frazer concordou com o julgamento desses autores de que cabe considerar essas peculiaridades como traços de um estado primário e que elas podem dar esclarecimentos sobre o sentido primeiro e autêntico do totemismo.

Na própria tribo dos aruntas (uma parte da nação arunta), essas peculiaridades são as seguintes:

---

20. Haddon (1902), citado por Frazer (1910, vol. 4, p. 50).

1. Eles têm a divisão em clãs totêmicos, mas o totem não é transmitido hereditariamente, e sim determinado de modo individual (de uma maneira a ser comunicada abaixo).

2. Os clãs totêmicos não são exógamos; as restrições matrimoniais são estabelecidas por uma divisão altamente desenvolvida em classes matrimoniais que nada têm a ver com o totem.

3. A função dos clãs totêmicos consiste em executar uma cerimônia que, de maneira extravagantemente mágica, tem por objetivo a multiplicação do objeto totêmico comestível (essa cerimônia se chama *intichiuma*).

4. Os aruntas têm uma singular teoria da concepção e do renascimento. Eles supõem que em determinados lugares de sua terra os espíritos dos falecidos do mesmo totem esperam pelo renascimento e penetram no ventre das mulheres que passam por esses lugares. Quando uma criança nasce, a mãe indica o lugar dos espíritos em que acredita ter concebido seu filho. O totem da criança é determinado de acordo com isso. Além do mais, se supõe que os espíritos (tanto dos falecidos quanto dos renascidos) estejam ligados a singulares amuletos de pedra (chamados *churinga*), encontrados nesses lugares.

Dois fatores parecem ter levado Frazer a acreditar que nas instituições dos aruntas se encontrou a forma mais antiga do totemismo. Em primeiro lugar, a existência de certos mitos que afirmavam que os ancestrais dos aruntas teriam se alimentado regularmente de seu totem e não teriam se casado com outras mulheres a não ser as de seu próprio totem. Em segundo lugar, a aparente desconsideração pelo ato sexual em sua teoria da concepção. Seres humanos que ainda não tenham reconhecido que a concepção é a consequência do ato sexual decerto poderiam ser considerados como os mais atrasados e mais primitivos entre aqueles que hoje vivem.

IV – O retorno infantil do totemismo

Ao se ater à cerimônia *intichiuma* em sua apreciação do totemismo, o sistema totêmico apareceu de súbito a Frazer sob uma luz inteiramente modificada: como uma organização absolutamente prática para atender às necessidades mais naturais do homem (ver acima, Haddon).[21] O sistema era simplesmente uma grandiosa peça de "*co-operative magic*". Os primitivos formavam, por assim dizer, uma associação mágica de produção e de consumo. Cada clã totêmico tinha assumido a tarefa de cuidar da abundância de certo alimento. Quando se tratava de totens não comestíveis, como animais daninhos, chuva, vento etc., era dever do clã totêmico dominar essa parcela de natureza e rechaçar sua nocividade. As realizações de cada clã beneficiavam todos os outros. Visto que o clã não podia comer nada ou apenas muito pouco do seu totem, ele fornecia esse bem valioso para os outros, que, em compensação, o abasteciam com aquilo que eles próprios tinham de providenciar como sua obrigação social totêmica. À luz dessa concepção proporcionada pela cerimônia *intichiuma*, pareceu a Frazer como se a proibição de comer do próprio totem tivesse produzido um ofuscamento que levou à negligência do aspecto mais importante da situação, a saber, o mandamento de acumular o máximo possível do totem comestível para atender às necessidades dos outros.

Frazer aceitou a tradição dos aruntas de que cada clã totêmico se alimentava originalmente de seu totem sem restrições. Então surgiram dificuldades para compreender o

---

21. "*There is nothing vague or mystical about it, nothing of that metaphysical haze which some writers love to conjure up over the humble beginnings of human speculation, but which is utterly foreign to the simple, sensuous and concrete modes of thought of the savage.*" ["Não há nada vago ou místico nisso, nada daquela névoa metafísica que alguns autores gostam de evocar a propósito dos humildes primórdios da especulação humana, mas que é totalmente estranha aos modos de pensamento simples, sensíveis e concretos do selvagem." (N.T.)] (Frazer, 1910, vol. 1, p. 117.)

desdobramento seguinte, que se contentou em assegurar o totem para os outros, enquanto a própria tribo quase renunciava ao seu consumo. Frazer supôs então que essa restrição não resultou de forma alguma de uma espécie de respeito religioso, mas talvez da observação de que nenhum animal costuma devorar seus iguais, de modo que essa ruptura da identificação com o totem prejudicaria o poder que se desejava alcançar sobre ele. Ou, então, que a restrição resultou de um empenho em obter a simpatia da criatura pelo fato de poupá-la. Mas Frazer não ocultava a si próprio as dificuldades dessa explicação (1910, vol. 1, p. 121 e segs.), como tampouco se atreveu a indicar de que modo o costume de casar dentro do próprio totem, mencionado pelos mitos dos aruntas, teria se transformado em exogamia.

A teoria de Frazer baseada na *intichiuma* depende inteiramente do reconhecimento da natureza primitiva das instituições aruntas. Mas parece impossível sustentar esse reconhecimento diante das objeções apresentadas por Durkheim[22] e por Lang (1903 e 1905). Os aruntas parecem ser, isso sim, as mais desenvolvidas das tribos australianas, representando antes um estágio de dissolução do totemismo do que o seu começo. Os mitos que tanto impressionaram Frazer porque, em oposição às instituições hoje vigentes, acentuam a liberdade de comer o totem e se casar dentro do totem, seriam fáceis de explicar como fantasias de desejo projetadas para o passado, de maneira semelhante ao mito da idade do ouro.

γ) As teorias psicológicas

A primeira teoria psicológica de Frazer, criada ainda antes que ele tomasse conhecimento das observações de

---

[22]. *L'année sociologique*, vol. I, V, VIII e outras passagens. Ver especialmente o ensaio "Sobre o totemismo", vol. V (1902).

IV – O retorno infantil do totemismo

Spencer e Gillen, se baseava na crença na "alma exterior".[23] O totem representaria um refúgio seguro para a alma, no qual ela seria depositada para ficar a salvo dos perigos que a ameaçam. Quando o primitivo abrigava sua alma no totem, ele próprio se tornava invulnerável e, naturalmente, evitava causar dano ao portador da sua alma. Mas visto que ele não sabia qual indivíduo da espécie animal era seu portador anímico, era-lhe natural poupar toda a espécie. Mais tarde, o próprio Frazer abandonou essa derivação do totemismo a partir da crença em almas.

Ao tomar conhecimento das observações de Spencer e Gillen, ele formulou a outra teoria sobre o totemismo, a sociológica, que acabamos de comunicar, mas ele próprio achou que o motivo do qual derivou o totemismo era "racional" demais e que tinha pressuposto uma organização social complicada demais para que pudesse ser chamada de primitiva.[24] As sociedades mágicas cooperativas agora lhe pareciam ser antes os frutos tardios do que os germens do totemismo. Ele buscava um fator mais simples, uma superstição primitiva por trás dessas formações para dela derivar a origem do totemismo. Então ele encontrou esse fator primordial na curiosa teoria dos aruntas sobre a concepção.

Como já foi mencionado, os aruntas eliminam o nexo entre a concepção e o ato sexual. Se uma mulher se sente mãe, é porque nesse momento um dos espíritos que

---

23. *O ramo dourado* (1890), vol. 2, p. 332 e segs.
24. "*It is unlikely that a community of savages should deliberately parcel out the realm of nature into provinces, assign each province to a particular band of magicians, and bid all the bands to work their magic and weave their spells for the common good.*" ["É inverossímil que uma comunidade de selvagens tenha dividido deliberadamente o reino da natureza em províncias, concedido cada província a um grupo específico de mágicos e ordenado a todos os grupos que fizessem suas mágicas e tecessem seus feitiços para o bem comum." (N.T.)] (Frazer, 1910, vol. 4, p. 57.)

aguardava por renascimento no lugar de espíritos mais próximo penetrou em seu ventre e ela o dará à luz como seu filho. Essa criança tem o mesmo totem que todos os espíritos que aguardam num determinado lugar. Essa teoria da concepção não pode explicar o totemismo, pois pressupõe o totem. Mas se quisermos retroceder um passo e supor que a mulher originalmente acreditou que o animal, a planta, a pedra ou o objeto que ocupava sua fantasia no momento em que pela primeira vez se sentiu mãe tenha realmente penetrado nela e será por ela dado à luz sob forma humana, então a identidade de um ser humano com seu totem estaria realmente estabelecida pela crença da mãe, e todos os outros mandamentos totêmicos (com exclusão da exogamia) poderiam ser facilmente derivados daí. O homem se recusaria a comer desse animal ou dessa planta porque assim comeria a si mesmo, por assim dizer. Mas ele se veria obrigado, ocasionalmente, a consumir um pouco de seu totem de maneira cerimonial, pois assim poderia reforçar sua identificação com ele, o que é o essencial no totemismo. Observações de W.H.R. Rivers entre os nativos das ilhas Banks pareceram confirmar a identificação direta dos homens com seu totem com base em tal teoria da concepção.[25]

Assim, a fonte última do totemismo seria a ignorância dos selvagens sobre o processo pelo qual homens e animais propagam sua espécie. Em especial, o desconhecimento do papel representado pelo macho na fecundação. Esse desconhecimento tem de ser facilitado pelo longo intervalo que se interpõe entre o ato fecundador e o nascimento da criança (ou a percepção de seus primeiros movimentos). Por isso, o totemismo não é uma criação do espírito masculino, e sim do feminino. Os desejos (*sick fancies*) da mulher grávida são a sua raiz. "*Anything indeed that struck a*

---

25. Frazer (1910, vol. 2, p. 89 e segs. e vol. 4, p. 59).

IV – O RETORNO INFANTIL DO TOTEMISMO

woman at that mysterious moment of her life when she first knows herself to be a mother might easily be identified by her with the child in her womb. Such maternal fancies, so natural and seemingly so universal, appear to be the root of totemism."[26] (Frazer, 1910, vol. 4, p. 63.)

A principal objeção a essa terceira teoria de Frazer é a mesma que já foi apresentada à segunda, a sociológica. Os aruntas parecem ter se afastado bastante dos primórdios do totemismo. Sua negação da paternidade não parece repousar numa ignorância primitiva; sob certos aspectos, eles próprios têm uma herança paterna. Eles parecem ter sacrificado a paternidade a uma espécie de especulação que pretende honrar os espíritos ancestrais.[27] Se eles elevam o mito da imaculada concepção pelo espírito à categoria de teoria universal da concepção, não podemos por isso lhes atribuir ignorância sobre as condições da reprodução, tal como não a atribuiríamos aos povos antigos que viveram por volta da época em que surgiram os mitos cristãos.

Outra teoria psicológica sobre a origem do totemismo foi proposta pelo holandês G.A. Wilken. Ela estabelece uma ligação entre o totemismo e a transmigração das almas. "O animal para o qual passavam as almas dos mortos, segundo a crença geral, se transformava em parente consanguíneo, em ancestral, e era venerado como tal." Mas a crença na transmigração animal das almas pode antes ser derivada do totemismo do que o contrário.[28]

---

26. "Na verdade, qualquer coisa que impressione uma mulher nesse momento misterioso de sua vida em que pela primeira vez ela sabe que vai ser mãe pode facilmente ser por ela identificada com a criança em seu útero. Tais caprichos maternos, tão naturais e aparentemente tão universais, parecem ser a raiz do totemismo." (N.T.)
27. "*That belief is a philosophy far from primitive.*" ["Essa crença é uma filosofia longe de ser primitiva." (N.T.)] (A. Lang, 1905, p. 192.)
28. Citado por Frazer (1910, vol. 4, p. 45-46).

Outra teoria sobre o totemismo é defendida pelos eminentes etnólogos norte-americanos Boas e Hill-Tout, entre outros. Ela parte de observações feitas em tribos indígenas totêmicas e sustenta que o totem seria originalmente o espírito protetor de um antepassado, que este teria adquirido por meio de um sonho e transmitido por herança à sua descendência. Já vimos antes as dificuldades oferecidas pela tentativa de derivar o totemismo da herança de um indivíduo; além disso, as observações australianas de forma alguma apoiariam a derivação do totem a partir de um espírito protetor (Frazer, 1910, vol. 4, p. 48 e segs.).

Para a última das teorias psicológicas, a formulada por Wundt, estes dois fatos se tornaram decisivos: primeiro, o animal é o objeto totêmico primordial e o mais constantemente difundido; segundo, entre os animais totêmicos, os mais primordiais coincidem com os animais anímicos (Wundt, 1912, p. 190). Os animais anímicos, como os pássaros, as serpentes, as lagartixas e os ratos, se prestam, devido à sua rápida mobilidade, ao seu voo pelos ares ou a outras qualidades que provocam surpresa e receio, a serem reconhecidos como os portadores da alma que abandona o corpo. O animal totêmico é um derivado das metamorfoses animais da alma exalada. Assim, para Wundt, o totemismo desemboca neste ponto diretamente na crença em almas, ou animismo.

b) e *c)* A origem da exogamia e sua relação com o totemismo

Apresentei as teorias sobre o totemismo com algum detalhamento, mas, ainda assim, temo que devido ao necessário resumo prejudiquei a impressão que causaram. No que respeita às demais questões, tomo a liberdade, no interesse dos leitores, de fazer uma condensação ainda maior. Devido à natureza do material utilizado, as discussões sobre a exogamia dos povos totêmicos se tornam especialmente

IV – O retorno infantil do totemismo

complicadas e inabarcáveis; poderíamos dizer: confusas. Os objetivos deste ensaio também permitem que eu me restrinja a destacar algumas linhas diretrizes e, para um acompanhamento mais pormenorizado do assunto, remeta às minuciosas publicações especializadas que já citei várias vezes.

A posição de um autor quanto aos problemas da exogamia naturalmente não é independente de sua tomada de partido em favor desta ou daquela teoria sobre o totem. Algumas dessas explicações do totemismo carecem de qualquer ligação com a exogamia, de modo que as duas instituições se separam claramente. Assim, temos aqui duas visões contrapostas: uma que pretende conservar a aparência original de que a exogamia é uma parte essencial do sistema totêmico, e outra que contesta tal nexo e acredita num encontro casual entre os dois traços das culturas mais antigas. Em seus últimos trabalhos, Frazer defendeu este segundo ponto de vista com firmeza.

"*I must request the reader to bear constantly in mind that the two institutions of totemism and exogamy are fundamentally distinct in origin and nature, though they have accidentally crossed and blended in many tribes.*"[29] (1910, vol. 1, Prefácio, XII.)

Frazer adverte diretamente que a opinião contrária é uma fonte de intermináveis dificuldades e mal-entendidos. Em contraposição a isso, outros autores encontraram o caminho para compreender a exogamia como consequência necessária das opiniões totêmicas fundamentais. Em seus trabalhos (1898, 1902 e 1905), Durkheim expôs como o tabu ligado ao totem teve de implicar a proibição de usar uma mulher do mesmo totem para relações sexuais.

---

29. "Tenho de pedir ao leitor para ter sempre em mente que as instituições do totemismo e da exogamia são fundamentalmente distintas quanto à origem e à natureza, ainda que tenham se cruzado e se misturado acidentalmente em muitas tribos." (N.T.)

O totem é do mesmo sangue que o homem, e por isso o interdito de sangue proíbe (considerando a defloração e a menstruação) a relação sexual com uma mulher que pertença ao mesmo totem.[30] A. Lang, que concorda quanto a isso com Durkheim, opina inclusive que o tabu de sangue não seria necessário para criar a proibição quanto às mulheres da mesma tribo (Lang, 1905, p. 125). O tabu geral do totem, que proíbe, por exemplo, sentar-se à sombra da árvore totêmica, teria bastado para tanto. Aliás, A. Lang também defende uma outra derivação para a exogamia (ver adiante), sem resolver como essas duas explicações se relacionam entre si.

Quanto às relações cronológicas, a maioria dos autores defende a opinião de que o totemismo seria a instituição mais antiga e que a exogamia teria vindo depois.[31]

Entre as teorias que pretendem explicar a exogamia independentemente do totemismo, destacaremos apenas algumas que ilustram as diferentes opiniões dos autores quanto ao problema do incesto.

McLennan (1865) deduziu engenhosamente a exogamia dos restos de costumes que apontavam para o antigo rapto de mulheres. Ele supôs que em tempos primitivos era um costume universal tomar mulheres de tribos desconhecidas, e o casamento com mulheres da própria tribo teria se tornado gradativamente ilícito por ser incomum.[32] Ele buscou o motivo para esse costume da exogamia numa falta de mulheres nessas tribos primitivas, que teria resultado do

---

30. Ver a crítica às discussões de Durkheim em Frazer (1910, vol. 4, p. 100 e segs.)

31. Por exemplo, Frazer (1910, vol. 4, p. 75): "*The totemic clan is a totally different social organism from the exogamous clan, and we have good grounds for thinking that it is far older*". ["O clã totêmico é um organismo social totalmente diferente do clã exógamo, e temos boas razões para pensar que é muito mais antigo." (N.T.)]

32. "*Improper because it was unusual.*"

uso de matar a maioria das meninas recém-nascidas. Não é nossa tarefa verificar se as condições factuais confirmam as hipóteses de McLennan. Interessa-nos muito mais o argumento de que aceitando as suposições do autor permanece inexplicável por que os membros masculinos da tribo também deveriam tornar inacessíveis para si mesmos as poucas mulheres de seu sangue; além disso, também nos interessa a maneira como o problema do incesto é deixado inteiramente de lado aqui (Frazer, 1910, vol. 4, p. 71-92).

Em oposição a isso, e evidentemente com mais razão, outros pesquisadores entenderam a exogamia como uma instituição para prevenir o incesto.[33]

Se observarmos a complicação gradativamente crescente das restrições matrimoniais australianas, não podemos deixar de concordar com a opinião de Morgan, Frazer, Howitt e Baldwin Spencer segundo a qual essas instituições ostentam o cunho de um propósito consequente ("*deliberate design*", conforme Frazer) e que tinham a intenção de alcançar aquilo que de fato conseguiram. "*In no other way does it seem possible to explain in all its details a system at once so complex and so regular.*"[34] (Frazer, *ibid.*, p. 106.)

É interessante destacar que as primeiras restrições geradas pela introdução das classes matrimoniais afetaram a liberdade sexual da geração mais jovem, ou seja, diziam respeito ao incesto entre irmãos e entre filhos e suas mães, enquanto o incesto entre pai e filha apenas foi eliminado por meio de medidas posteriores.

Porém, derivar as restrições sexuais exogâmicas de uma intenção legisladora em nada ajuda na compreensão do motivo que criou essas instituições. Donde provém, em última análise, o horror ao incesto, que tem de ser

---

33. Ver o primeiro ensaio.
34. "De nenhuma outra maneira parece ser possível explicar em todos os seus detalhes um sistema ao mesmo tempo tão complexo e tão regular." (N.T.)

reconhecido como a raiz da exogamia? Para explicar o horror ao incesto, é evidentemente insatisfatório recorrer a uma aversão instintiva à relação sexual entre parentes consanguíneos, isto é, recorrer ao fato do horror ao incesto quando a experiência social demonstra que o incesto, apesar desse instinto, não é uma ocorrência rara mesmo em nossa sociedade atual, e quando a experiência histórica nos mostra casos em que o casamento incestuoso entre pessoas privilegiadas foi transformado em norma.

Para explicar o horror ao incesto, Westermarck[35] afirmou "que entre pessoas que vivem juntas desde a infância reina uma aversão inata às relações sexuais, e que esse sentimento, visto que em geral essas pessoas são parentes consanguíneos, encontra uma expressão natural nos costumes e nas leis por meio da repulsa às relações sexuais entre parentes próximos". É verdade que Havelock Ellis contestou o caráter impulsional dessa aversão em seus *Estudos sobre a psicologia do sexo*, mas no essencial adere à mesma explicação ao afirmar: "A ausência normal da manifestação do impulso de acasalamento quando se trata de irmãos e irmãs ou de meninas e meninos que viveram juntos desde a infância é um fenômeno puramente negativo, que provém do fato de que sob essas circunstâncias têm de faltar inteiramente as precondições que despertam o impulso de acasalamento. (...) Entre pessoas que cresceram juntas desde a infância, o hábito embotou todos os estímulos sensoriais da visão, da audição e do tato, colocando-os no caminho de uma afeição tranquila e despojando-os de seu poder de produzir a excitação eretística necessária para causar a tumescência sexual".

Parece-me bastante curioso que essa aversão inata ao comércio sexual com pessoas com as quais se partilhou a

---

35. 1906-1908, vol. 2. Esta obra também contém a defesa do autor contra as objeções de que tomou conhecimento.

infância seja simultaneamente encarada por Westermarck como representante psíquico do fato biológico de que o cruzamento consanguíneo significa um dano à espécie. Um instinto biológico desse tipo se enganaria tanto em sua manifestação psicológica que, em vez de atingir os parentes consanguíneos, nocivos à reprodução, atingiria as outras pessoas que moram na mesma casa, inteiramente inofensivas nesse aspecto. Também não posso me privar de comunicar a crítica bastante notável que Frazer contrapõe à tese de Westermarck. Frazer acha incompreensível que hoje a sensibilidade sexual nem se oponha tanto assim a relações com pessoas da mesma casa, enquanto o horror ao incesto, que seria apenas um derivado dessa oposição, tenha aumentado tão intensamente na atualidade. Mas outras observações de Frazer vão ainda mais fundo, e trato de apresentá-las na íntegra porque no essencial coincidem com os argumentos desenvolvidos em meu ensaio sobre o tabu.

"Não é fácil compreender por que um instinto humano profundamente enraizado precisaria do reforço de uma lei. Não há lei que ordene aos seres humanos comer e beber ou que lhes proíba colocar as mãos no fogo. Os seres humanos comem, bebem e mantêm as mãos longe do fogo, instintivamente, por medo de castigos naturais, e não legais, que os atingiriam se violassem esses impulsos. A lei apenas proíbe aos seres humanos aquilo que poderiam fazer sob a pressão de seus impulsos. A lei não precisa proibir e punir o que a própria natureza proíbe e pune. Por isso também podemos supor tranquilamente que os crimes que são proibidos por uma lei são crimes que muitos seres humanos gostariam de cometer devido a inclinações naturais. Se não existisse tal inclinação, tais crimes não ocorreriam, e se tais crimes não fossem cometidos, para que se precisaria proibi-los? Assim, em vez de inferir da proibição legal do incesto que existe uma aversão natural a ele, deveríamos, antes, tirar a conclusão de que um instinto natural impele ao incesto, e que se a lei reprime esse impulso, tal como faz com outros impulsos naturais, isso tem seu fundamento na compreensão de homens civilizados de que a satisfação desses impulsos naturais causa danos à sociedade." (Frazer, 1910, vol. 4, p. 97-98)

A essa valiosa argumentação de Frazer ainda posso acrescentar que a experiência da psicanálise torna completamente insustentável a hipótese de uma aversão inata à relação incestuosa. Essa experiência ensinou, ao contrário, que as primeiras moções sexuais do jovem ser humano são em geral de natureza incestuosa, e que tais moções recalcadas, na condição de forças impulsoras das neuroses posteriores, desempenham um papel que dificilmente poderá ser superestimado.

Portanto, a concepção do horror ao incesto como um instinto inato tem de ser abandonada. As coisas não andam melhores no caso de outra derivação para a proibição do incesto que desfruta de numerosos adeptos, a saber, a hipótese de que os povos primitivos cedo teriam percebido os perigos com que o cruzamento consanguíneo ameaçava sua espécie, e que por isso teriam decretado a proibição do incesto com propósito consciente. As objeções a essa tentativa de explicação se acumulam.[36] Não só que a proibição do incesto tem de ser mais antiga do que qualquer criação de animais domésticos, por meio da qual o homem podia fazer experiências acerca dos efeitos do cruzamento consanguíneo sobre as qualidades da raça, mas as consequências danosas desse cruzamento ainda hoje não estão garantidas acima de qualquer dúvida, e apenas com dificuldade são demonstráveis no homem. Além disso, tudo que sabemos sobre os selvagens atuais torna bastante improvável que os pensamentos de seus mais remotos antepassados já estivessem ocupados em evitar danos para sua descendência.

---

36. Ver Durkheim (1898).

Soa quase ridículo que se queira atribuir a essas criaturas, que viviam sem qualquer reflexão, motivos higiênicos e eugênicos que mesmo em nossa cultura atual mal foram levados em conta.[37]

Por fim, também será preciso declarar que a proibição, instituída por motivos práticos de higiene, do cruzamento consanguíneo, entendido como um fator debilitador da raça, parece totalmente imprópria para explicar a profunda repulsa que se levanta contra o incesto em nossa sociedade. Conforme ressaltei em outra passagem[38], esse horror ao incesto parece ser ainda mais ativo e mais forte entre os povos primitivos que hoje vivem do que entre os civilizados.

Enquanto se podia esperar que também nessa questão da origem do horror ao incesto tivéssemos a escolha entre possibilidades explicativas sociológicas, biológicas e psicológicas, talvez ainda reconhecendo os motivos psicológicos como representantes de poderes biológicos, no final da investigação nos vemos obrigados a concordar com a declaração resignada de Frazer: não conhecemos a origem do horror ao incesto e nem sequer sabemos onde procurá-la. Nenhuma das soluções para o enigma apresentadas até agora nos parece satisfatória.[39]

Ainda tenho de mencionar uma tentativa para explicar a origem do horror ao incesto que é de um tipo inteiramente diferente daquelas consideradas até agora. Poderíamos caracterizá-la como uma dedução histórica.

---

37. Darwin (1875, vol. 2, p. 127) afirma acerca dos selvagens: "*They are not likely to reflect on distant evils to their progeny*". ["Não é provável que reflitam sobre males distantes para sua progênie." (N.T.)]

38. Ver o primeiro ensaio.

39. "*Thus the ultimate origin of exogamy and with it the law of incest – since exogamy was devised to prevent incest – remains a problem nearly as dark as ever.*" ["Assim, a origem última da exogamia e, com ela, da lei sobre o incesto – visto que a exogamia foi inventada para prevenir o incesto – continua sendo um problema quase tão obscuro quanto sempre foi." (N.T.)] (Frazer, 1910, vol. 1, p. 165.)

Essa tentativa tem como ponto de partida uma hipótese de Charles Darwin sobre a situação social primordial do ser humano. Dos hábitos de vida dos símios superiores, Darwin deduziu que também o homem viveu primitivamente em pequenas hordas, dentro das quais o ciúme do macho mais velho e mais forte impedia a promiscuidade sexual. "Do que sabemos sobre o ciúme de todos os mamíferos, dos quais muitos são dotados de armas especiais para o combate com seus rivais, podemos deduzir de fato que uma promiscuidade geral dos sexos é extremamente improvável no estado de natureza. (...) Por isso, se olharmos suficientemente longe para trás na torrente do tempo (...) e tirarmos conclusões dos hábitos sociais do homem tal como ele existe hoje, (...) a perspectiva mais provável é a de que o homem vivesse originalmente em pequenas comunidades, cada homem com uma mulher, ou, se tivesse o poder, com várias, que ele defendia ciumentamente de todos os outros homens. Ou ele pode não ter sido um animal social e, ainda assim, ter vivido com várias mulheres só para si, como o gorila, pois todos os nativos 'concordam que se vê apenas um macho adulto num grupo. Quando o jovem macho cresce, ocorre uma luta pelo domínio, e o mais forte, ao matar ou expulsar os outros, se estabelece como chefe da comunidade' (dr. Savage, no *Boston Journal of Natural History*, vol. 5, 1845-1847). Os machos mais jovens, expulsos dessa forma e vagando pela região, se finalmente forem bem-sucedidos em encontrar uma companheira, também evitarão o cruzamento consanguíneo demasiado estreito entre os membros de uma mesma família."[40]

Atkinson[41] parece ter sido o primeiro a reconhecer que essa situação da horda primordial darwiniana na prática tinha de impor a exogamia aos jovens. Cada um desses expulsos

---

40. *A origem do homem*, tradução alemã de V. Carus, vol. 2, cap. 20, p. 341.

41. *Lei primordial* (com A. Lang, 1903).

podia fundar uma horda semelhante, na qual imperava a mesma proibição de relações sexuais devido ao ciúme do chefe, e no decorrer do tempo teria resultado dessas circunstâncias a seguinte regra, agora consciente sob a forma de lei: nenhuma relação sexual com os membros do lar. Depois da instauração do totemismo, a regra teria assumido esta outra forma: nenhuma relação sexual dentro do totem.

A. Lang (1905, p. 114 e 143) aderiu a essa explicação da exogamia. Mas no mesmo livro ele defende a outra teoria (durkheimiana), segundo a qual a exogamia é consequência das leis totêmicas. Não é lá muito simples conciliar as duas concepções; no primeiro caso, a exogamia teria existido antes do totemismo, e no segundo, seria uma consequência dele.[42]

---

42. "*If it be granted that exogamy existed in practice, on the lines of Mr. Darwin's theory, before the totem beliefs lent to the practice a* sacred *sanction, our task is relatively easy. The first practical rule would be that of the jealous Sire, 'No males to touch the females in my camp', with expulsion of adolescent sons. In efflux of time that rule, become habitual, would be, 'No marriage within the local group'. Next let the local groups receive names, such as Emus, Crows, Opossums, Snipes, and the rule becomes, 'No marriage within the local group of animal name; no Snipe to marry a Snipe'. But, if the primal groups were not exogamous, they would become so, as soon as totemic myths and tabus were developed out of the animal, vegetable, and other names of small local groups.*" ["Se admitirmos que a exogamia existia na prática, segundo as linhas da teoria de Darwin, antes que as crenças totêmicas emprestassem à prática uma sanção *sagrada*, nossa tarefa é relativamente fácil. A primeira regra prática seria a do senhor ciumento: 'Nenhum macho toca nas fêmeas do meu acampamento', com expulsão dos filhos adolescentes. *Com o passar do tempo, essa regra, tendo se tornado habitual*, seria: 'Nenhum casamento dentro do grupo local'. Em seguida, os grupos locais teriam recebido nomes, como emus, corvos, opossuns ou narcejas, e a regra teria passado a ser: 'Nenhum casamento dentro do grupo local de nome animal; nenhuma narceja casará com narceja'. Porém, se os grupos primordiais não eram exogâmicos, passariam a sê-lo tão logo os mitos e os tabus totêmicos se desenvolvessem a partir dos nomes animais, vegetais ou outros dos pequenos grupos locais." (N.T.)] (1905, p. 143.) (O grifo no meio do trecho é obra minha.) – Aliás, em sua última manifestação sobre o tema (1911), A. Lang comunica que abandonou a ideia de derivar a exogamia do "*general totemic taboo*" ["tabu totêmico geral" (N.T.)].

3

A experiência psicanalítica lança um único raio de luz nessa escuridão.

A relação da criança com o animal é muito semelhante à do primitivo. A criança ainda não mostra nenhum traço daquela arrogância que leva o homem civilizado adulto a separar sua própria natureza, mediante uma nítida linha fronteiriça, de todos os outros animais. Sem hesitar, ela concede ao animal a plena igualdade de condições; na admissão desinibida de suas necessidades, ela possivelmente se sente mais aparentada com o animal do que com o adulto, que provavelmente lhe parece enigmático.

Nesse excelente entendimento entre a criança e o animal não é raro que surja uma notável perturbação. A criança começa subitamente a temer uma certa espécie de animal e evita tocar ou olhar todos os indivíduos dessa espécie. Estabelece-se o quadro clínico de uma *zoofobia*, uma das enfermidades psiconeuróticas mais frequentes dessa idade, e talvez a sua forma mais precoce. Em geral, a fobia se refere a animais pelos quais a criança mostrou até então um interesse especialmente vivaz, e nada tem a ver com um animal em particular. A variedade de animais que podem se tornar objeto da fobia não é grande sob condições urbanas. São cavalos, cachorros, gatos, mais raramente pássaros, com acentuada frequência animais bem pequenos como besouros e borboletas. Muitas vezes, animais que a criança só conhece de livros ilustrados e contos de fadas se tornam objetos do medo absurdo e desmedido que se mostra nessas fobias; raramente se consegue ficar sabendo por que vias se efetuou uma escolha incomum do animal fóbico. Assim, devo a K. Abraham (1914, p. 82) a comunicação de um caso em que a própria criança explicou seu medo de vespas dizendo que as cores e as listras do corpo da vespa a levaram a pensar no tigre, do qual, segundo tudo que tinha ouvido dizer, cabia ter medo.

As zoofobias das crianças ainda não se tornaram objeto de investigação analítica mais atenta, embora o mereçam em alto grau. As dificuldades da análise com crianças em tão tenra idade foram decerto o motivo da omissão. Por isso não se pode afirmar que se conhece o significado geral dessas enfermidades, e chego a pensar que ele poderia não se revelar como um significado uniforme. Mas alguns casos de fobias dirigidas a animais maiores se mostraram acessíveis à análise, revelando assim o seu segredo ao investigador. Em todos os casos era a mesma coisa: quando as crianças examinadas eram meninos, o medo se referia no fundo ao pai, e apenas havia sido deslocado para o animal.

Toda pessoa com experiência na psicanálise certamente já viu tais casos e recebeu deles a mesma impressão. No entanto, posso recorrer a apenas poucas publicações detalhadas a respeito. Esse é um acaso bibliográfico do qual não se deveria concluir que podemos apoiar nossa tese apenas em observações isoladas. Menciono um autor, por exemplo, que se ocupou das neuroses da infância com perfeita compreensão, M. Wulff (de Odessa). No contexto da história clínica de um menino de nove anos, ele relata que este sofreu de uma fobia de cães aos quatro anos. "Quando via um cão passar pela rua, ele chorava e gritava: 'Cachorro querido, não me pegue, eu quero ser bem-comportado'. Por 'bem-comportado' ele queria dizer 'não tocar mais violino' (masturbar-se)" (Wulff, 1912, p. 15).

Mais adiante, o mesmo autor resume: "Sua fobia de cães é na verdade o medo do pai deslocado para os cães, pois sua curiosa declaração 'Cachorro, eu quero ser bem-comportado!' – isto é, não se masturbar – se refere na verdade ao pai, que proibiu a masturbação". Numa nota, ele acrescenta o que coincide tão completamente com minha experiência e ao mesmo tempo testemunha a abundância de tais experiências: "Tais fobias (de cavalos, cachorros, gatos, galinhas e outros animais domésticos) são, acredito, pelo menos tão generalizadas na infância quanto o *pavor nocturnus*, e na análise quase sempre podem ser desmascaradas como um deslocamento do medo de um dos pais para os animais. Eu não poderia afirmar se a tão generalizada fobia de ratos e de camundongos tem o mesmo mecanismo".

No primeiro volume do *Jahrbuch für psychoanalytische und psychopathologische Forschungen* [*Anuário de pesquisas psicanalíticas e psicopatológicas*] comuniquei a "Análise da fobia de um menino de cinco anos", que o pai do pequeno paciente colocara à minha disposição. Tratava-se de um medo de cavalos, em consequência do qual o menino se recusava a sair à rua. Ele manifestou o receio de que o cavalo entrasse no quarto e o mordesse. Mostrou-se que esse seria o castigo pelo seu desejo de que o cavalo caísse (morresse). Depois que se conseguiu fazer o menino perder o medo do pai por meio de promessas, ocorreu que ele lutasse contra desejos cujo conteúdo era a ausência (viagem, morte) do pai. Ele sentia o pai, conforme deu a entender com extrema clareza, como um concorrente pela afeição da mãe, à qual, em obscuros pressentimentos, se dirigiam seus desejos sexuais em germe. Ele se encontrava, portanto, naquela típica atitude do filho do sexo masculino em relação aos pais que chamamos de "complexo de Édipo", e na qual reconhecemos o complexo nuclear das neuroses em geral. O fato novo que a análise do "pequeno Hans" nos ensinou, valioso no que se refere ao totemismo, foi o fato de que sob tais condições a criança desloca uma parte de seus sentimentos do pai para um animal.

A análise mostra as vias associativas seguidas por tal deslocamento, tanto as significativas do ponto de vista do

IV · O retorno infantil do totemismo

conteúdo quanto as casuais. Ela também permite descobrir os seus motivos. O ódio que provém da rivalidade pela mãe não pode se difundir irrefreadamente na vida psíquica do menino; tem de lutar com a ternura e a admiração, há muito existentes, pela mesma pessoa; a criança se encontra numa atitude emocional de duplo sentido – uma atitude *ambivalente* – em relação ao pai, e obtém alívio desse conflito de ambivalência ao deslocar seus sentimentos hostis e receosos para um substituto do pai. Porém, o deslocamento não pode resolver o conflito de maneira a produzir uma separação clara entre os sentimentos ternos e os hostis. Pelo contrário, o conflito prossegue, agora em torno do objeto de deslocamento; a ambivalência se estende a ele. É evidente que o pequeno Hans não demonstra apenas medo dos cavalos, mas também respeito e interesse por eles. Assim que seu medo diminui, ele próprio se identifica com o animal temido, dá pinotes como um cavalo e trata, por sua vez, de morder o pai. Em outro estágio de resolução da fobia, ele não se importa em identificar os pais com outros animais de grande porte.[43]

É lícito manifestar a impressão de que nessas zoofobias infantis certos traços do totemismo retornam numa configuração negativa. Porém, devemos a S. Ferenczi a bela e única observação de um caso que apenas podemos qualificar como totemismo positivo numa criança (1913 *a*). Só que no pequeno Árpád, de quem Ferenczi dá notícia, os interesses totêmicos não despertam diretamente no contexto do complexo de Édipo, e sim com base no seu pressuposto narcísico, o medo da castração. Mas quem examina atentamente a história do pequeno Hans também encontrará nela os mais abundantes testemunhos de que o pai é admirado como possuidor de um grande genital e temido como ameaçador do genital do menino. Tanto no

---

43. A fantasia da girafa.

complexo de Édipo quanto no de castração, o pai desempenha o mesmo papel, o de temido opositor aos interesses sexuais infantis. A castração, ou a sua substituição pelo cegamento, é o castigo com que ele ameaça.[44]

Quando o pequeno Árpád tinha dois anos e meio, tentou certa vez, durante as férias de verão, urinar no galinheiro, ocasião em que uma galinha bicou seu membro ou tentou fazê-lo. Ao voltar ao mesmo lugar um ano depois, ele mesmo se transformou numa galinha, passou a se interessar apenas pelo galinheiro e por tudo que ali dentro acontecia, e renunciou à sua linguagem humana em troca de cacarejos e cocoricós. No momento da observação (aos cinco anos), ele voltara a falar, mas se ocupava em sua fala exclusivamente de galinhas e de outras aves domésticas. Não tinha outros brinquedos e só cantava canções em que aparecesse algo sobre aves domésticas. Seu comportamento em relação a seu animal totêmico era extremamente ambivalente: ódio e amor desmedidos. Sua atividade predileta era brincar de matar galinhas. "O abate de aves domésticas é uma festa para ele. É capaz de dançar por horas a fio, excitado, em volta dos cadáveres." Mas depois ele beijava e afagava o animal abatido, limpava e acariciava as galinhas de brinquedo que ele próprio maltratara.

O pequeno Árpád cuidou pessoalmente para que o sentido de sua estranha azáfama não permanecesse oculto. Vez por outra, traduzia seus desejos do modo totêmico de expressão para o da vida cotidiana. "Meu pai é o galo", disse ele certa vez. "Agora sou pequeno, agora sou um pintinho. Quando eu ficar maior, vou ser uma galinha. Quando ficar ainda maior, vou ser um galo." Noutra ocasião, ele

---

44. Sobre a substituição da castração pelo cegamento, também contido no mito de Édipo, ver as comunicações de Reitler (1913), Ferenczi (1913 *b*), Rank (1913) e Eder (1913).

quis repentinamente comer uma "mãe em conserva" (por analogia com a galinha em conserva). Ele era bastante generoso com nítidas ameaças de castração a outras pessoas, tal como ele próprio as havia sofrido devido à ocupação onanística com seu membro.

Segundo Ferenczi, não restou dúvida alguma sobre a fonte de seu interesse pelo bulício no galinheiro: "A movimentada atividade sexual do galo e da galinha, a postura de ovos e as novas ninhadas saindo da casca" satisfaziam sua curiosidade sexual, que na verdade dizia respeito à vida familiar humana. Ele deu forma a seus desejos de objeto segundo o modelo da vida das galinhas ao dizer certa vez à vizinha: "Vou me casar com você e com sua irmã e com minhas três primas e com a cozinheira, não, em vez da cozinheira prefiro minha mãe".

Num trecho posterior poderemos completar a apreciação dessa observação; agora destaquemos apenas dois traços, correspondências valiosas com o totemismo: a plena identificação com o animal totêmico[45] e a atitude emocional ambivalente em relação a ele. De acordo com essas observações nos consideramos autorizados a substituir o animal totêmico pelo pai na fórmula do totemismo (no caso de pessoas do sexo masculino). Percebemos então que com isso não demos nenhum passo novo ou especialmente ousado. Os próprios primitivos dizem isso, afinal, e, tanto quanto o sistema totêmico ainda hoje se encontra em vigor, chamam o totem de seu ancestral e pai primordial. Apenas tomamos ao pé da letra um enunciado desses povos com o qual os etnólogos pouco souberam o que fazer e que por isso preferiram empurrar para o segundo plano. A psicaná-

---

45. Na qual, segundo Frazer (1910, vol. 4, p. 5), está dado o essencial do totemismo: "*Totemism is an identification of a man with his totem*". ["O totemismo é uma identificação de um homem com seu totem." (N.T.)]

lise, ao contrário, nos adverte a escolher precisamente esse ponto e ligar a ele a tentativa de explicação do totemismo.[46]

O primeiro resultado de nossa substituição é bastante notável. Se o animal totêmico é o pai, então os dois principais mandamentos do totemismo, as duas prescrições do tabu que constituem seu núcleo – não matar o totem e não usar sexualmente nenhuma mulher que pertença ao totem –, coincidem quanto ao seu conteúdo com os dois crimes de Édipo, que matou seu pai e tomou sua mãe por mulher, e com os dois desejos primordiais da criança, cujo recalcamento insuficiente ou cujo redespertar talvez constituam o núcleo de todas as psiconeuroses. Se essa equação for mais do que uma brincadeira desorientadora do acaso, teria de nos permitir lançar uma luz sobre a origem do totemismo em tempos imemoriais. Em outras palavras, deveríamos conseguir tornar provável que o sistema totêmico resultou das condições do complexo de Édipo tal como a zoofobia do "pequeno Hans" e a perversão aviária do "pequeno Árpád". Para seguir essa possibilidade, estudaremos no que segue uma peculiaridade do sistema totêmico, ou, como podemos dizer, da religião totêmica, que até agora mal pôde ser mencionada.

4

O físico, filólogo, crítico da Bíblia e arqueólogo W. Robertson Smith, falecido em 1894, um homem tão multifacetado quanto perspicaz e livre-pensante, apresentou em sua obra sobre a religião dos semitas[47], publicada em

---

[46]. Devo a Otto Rank a comunicação de um caso de fobia de cachorro num jovem inteligente, cuja explicação de como contraiu sua doença lembra notavelmente a teoria totêmica dos aruntas, acima mencionada (p. 174). Ele afirmou que ficara sabendo por seu pai que certa vez sua mãe se assustou com um cachorro enquanto estava grávida dele.

[47]. W. Robertson Smith, *A religião dos semitas*.

IV – O RETORNO INFANTIL DO TOTEMISMO

1889, a hipótese de que uma cerimônia peculiar, a chamada *refeição totêmica*, teria sido uma parte integrante do sistema totêmico desde os seus mais remotos primórdios. Em apoio a essa hipótese, tinha à sua disposição na época apenas uma única descrição de um ato desse tipo, legada do século V d.C., mas ele soube, pela análise do sistema de sacrifícios dos antigos semitas, elevá-la a um alto grau de probabilidade. Visto que o sacrifício pressupõe uma pessoa divina, trata-se aí de uma dedução que parte de uma fase mais elevada do rito religioso e chega à fase mais baixa do totemismo.

Tentarei agora destacar do excelente livro de Robertson Smith as teses sobre a origem e o significado do rito sacrificial decisivas para nossos interesses, omitindo todos os detalhes, muitas vezes tão interessantes, e, consequentemente, deixando de lado todos os desdobramentos subsequentes. Está inteiramente fora de questão num extrato desse tipo transmitir ao leitor algo da lucidez ou da força probatória da exposição original.

Robertson Smith afirma que o sacrifício no altar foi a peça essencial no rito da religião antiga. Ele desempenha o mesmo papel em todas as religiões, de modo que se tem de atribuir sua origem a causas bastante universais e que atuaram de modo similar em toda parte.

Porém, originalmente o sacrifício – o ato sagrado κατ' ἐξοχήν [por excelência] (*sacrificium*, ἱερουργία) – significava algo diferente do que épocas posteriores entenderam por ele: a oferenda à divindade com o propósito de apaziguá-la ou de obter sua benevolência. (O emprego profano da palavra se originou do sentido secundário de autorrenúncia.) Como se pode demonstrar, de início o sacrifício não era outra coisa senão "*an act of social fellowship between the deity and his worshippers*", um ato de sociabilidade, uma comunhão dos crentes com seu deus.

Eram oferecidas em sacrifício coisas comestíveis e bebíveis; o homem sacrificava ao seu deus as mesmas coisas de que se alimentava: carne, cereais, frutas, vinho e azeite. Apenas em relação à carne sacrificial havia restrições e distinções. O deus se alimentava dos sacrifícios animais junto com seus adoradores; os sacrifícios vegetais eram deixados só para ele. Não resta dúvida de que os sacrifícios animais são os mais antigos, e que certa vez foram os únicos. Os sacrifícios vegetais se originaram da oferenda das primícias de todos os frutos e correspondem a um tributo ao senhor do solo e da terra. O sacrifício animal, porém, é mais antigo do que a agricultura.

Restos linguísticos nos garantem que a parte do sacrifício destinada ao deus era considerada de início como seu verdadeiro alimento. Com a progressiva desmaterialização do ser divino, essa ideia se tornou chocante; ela foi evitada deixando-se ao deus apenas a parte líquida da refeição. Mais tarde, o uso do fogo, que fazia a carne sacrificial sobre o altar se elevar em fumaça, permitiu um preparo dos alimentos humanos pelo qual se tornaram mais apropriados ao ser divino. A substância do sacrifício bebível era originalmente o sangue dos animais sacrificiais; o vinho se tornou mais tarde o substituto do sangue. Para os antigos, o vinho era o "sangue da videira", como nossos poetas ainda hoje o chamam.

A forma mais antiga de sacrifício, mais antiga do que o uso do fogo e o conhecimento da agricultura, era portanto o sacrifício animal, cuja carne e cujo sangue o deus e seus adoradores consumiam em comum. Era essencial que cada um dos participantes recebesse sua parte na refeição.

Tal sacrifício era uma cerimônia pública, a festa de todo um clã. A religião era sobretudo um assunto comum, e o dever religioso, uma parte da obrigação social. Sacrifício e festividade coincidem em todos os povos; todo sacrifício traz consigo uma festa, e nenhuma festa pode ser celebrada sem sacrifício. A festa sacrificial era uma ocasião de alegre elevação acima dos interesses particulares, a acentuação da solidariedade mútua e com a divindade.

A força ética da refeição sacrificial pública se baseava em antiquíssimas ideias sobre o significado de comer e beber em comum. Comer e beber com outra pessoa era ao mesmo tempo um símbolo e uma confirmação da comunhão social e da aceitação de obrigações recíprocas; a refeição sacrificial dava expressão direta ao fato de que o deus e seus adoradores eram *comensais*, e com isso estavam definidas todas as suas demais relações. Costumes ainda hoje em vigor entre os árabes do deserto provam que o elemento de ligação na refeição comum não é um fator religioso, e sim o próprio ato de comer. Quem tiver partilhado o mais ínfimo bocado com um desses beduínos ou tomado um gole de seu leite não precisa mais temê-lo como inimigo, mas pode estar seguro de sua proteção e de seu auxílio. Entretanto, não por toda a eternidade; a rigor, apenas pelo tempo em que a substância consumida em comum, segundo se supõe, permanece em seu corpo. É dessa maneira tão realista que se concebe o laço de união; necessita-se da repetição para reforçá-lo e torná-lo duradouro.

Mas por que se atribui essa força de ligação ao comer e beber em comum? Nas sociedades mais primitivas há apenas um laço que une de maneira incondicional e sem exceções, o laço da comunidade tribal (*kinship*). Os membros dessa comunidade intervêm solidariamente uns em favor dos outros; um *kin* é um grupo de pessoas cujas vidas estão de tal maneira ligadas numa unidade física que se pode considerá-las como partes de uma vida comum. Quando um indivíduo do *kin* é assassinado, não se diz "o sangue deste ou daquele foi derramado", e sim "nosso sangue foi derramado". A fórmula hebraica com a qual se reconhece o parentesco de tribo diz: "Tu és meus ossos e minha carne". Portanto, *kinship* significa ter parte numa substância comum. Logo, é natural que o *kinship* não seja fundado apenas no fato de que se é uma parte da substância de sua mãe, da qual se nasceu e com cujo leite se foi alimentado, mas também que a alimentação que se consome posteriormente, e por meio da qual se restabelece o corpo, pode adquirir e reforçar o *kinship*. O fato de se partilhar a refeição com seu deus expressava a convicção de que se era uma só substância com ele, e não se partilhava refeição alguma com quem fosse reconhecido como estranho.

Portanto, a refeição sacrificial era originalmente um festim entre os parentes de tribo, e obedecia à lei de que apenas os parentes de tribo podiam comer juntos. Em nossa sociedade, a refeição une os membros da família, mas a refeição sacrificial não tem nada a ver com a família. O *kinship* é mais antigo do que a vida familiar; as famílias mais antigas que conhecemos geralmente abrangem pessoas que pertencem a diferentes unidades de parentesco. Os homens se casam com mulheres de outros clãs, as crianças herdam o clã da mãe; não há qualquer parentesco tribal entre o homem e os restantes membros da família. Numa família desse tipo não há refeição em comum. Ainda hoje os selvagens comem à parte e sozinhos, e as proibições alimentares religiosas do totemismo muitas vezes os impossibilitam de se alimentar na companhia de suas mulheres e seus filhos.

Voltemo-nos agora ao animal sacrificial. Como vimos, não havia encontro de tribo sem sacrifício animal, mas – o que é importante – tampouco havia abate de animal a não ser para essa ocasião solene. As pessoas se alimentavam sem restrições de frutas, da caça e do leite de animais domésticos, mas escrúpulos religiosos tornavam impossível ao indivíduo matar um animal doméstico para seu próprio uso. Não há a menor dúvida, afirma Robertson Smith, de

IV – O retorno infantil do totemismo

que todo sacrifício era originalmente um sacrifício clânico, e que *matar um animal sacrificial* estava originalmente entre aquelas ações *que são proibidas ao indivíduo e apenas justificadas quando toda a tribo assume a responsabilidade*. Entre os primitivos, há apenas uma classe de ações para as quais essa caracterização é correta, a saber, as ações que tocam na santidade do sangue comum à tribo. Uma vida que nenhum indivíduo pode tirar, e que apenas pode ser sacrificada mediante o consentimento e com a participação de todos os membros do clã, se encontra no mesmo nível que a vida dos próprios membros da tribo. A regra de que todo participante da refeição sacrificial tem de comer da carne do animal sacrificado tem o mesmo sentido que a prescrição de que a execução de um membro culpado da tribo deve ser efetuada por toda a tribo. Em outras palavras: o animal sacrificial era tratado como parente de tribo; *a comunidade sacrificante, seu deus e o animal sacrificial eram de um só sangue*, membros de um clã.

Com base em evidências abundantes, Robertson Smith identifica o animal sacrificial com o antigo animal totêmico. Na Antiguidade tardia se faziam dois tipos de sacrifício: o sacrifício de animais domésticos, que habitualmente também eram ingeridos, e o sacrifício excepcional de animais que eram proibidos por serem impuros. A investigação mais detalhada mostra que esses animais impuros eram animais sagrados, que eles eram oferecidos em sacrifício aos deuses para os quais eram sagrados, que esses animais eram originalmente idênticos aos próprios deuses e que os crentes acentuavam de alguma maneira durante o sacrifício seu parentesco de sangue com o animal e com o deus. Porém, no que respeita a épocas ainda mais antigas, não ocorre essa distinção entre sacrifícios habituais e "místicos". Originalmente, todos os animais são sagrados, sua carne é proibida e pode ser consumida apenas em ocasiões solenes com a participação de toda a tribo. A imolação do animal equivale ao derramamento de sangue tribal, e tem de ocorrer com as mesmas cautelas e precauções contra repreensões.

A domesticação de animais e o avanço da pecuária parecem ter dado um fim por toda parte ao totemismo puro e rigoroso dos tempos primitivos.[48] Mas o que restou de santidade aos animais domésticos na então religião "pastoral" é nítido o suficiente para revelar o seu caráter totêmico original. Ainda no final do período clássico, o rito prescrevia em vários lugares que o sacrificador fugisse depois de consumado o sacrifício, como que para escapar de um castigo. Na Grécia, a ideia de que a morte de um boi é no fundo um crime deve ter vigorado universalmente no passado. Na festa ateniense das *bufônias*, se instaurava depois do sacrifício um processo formal em que todos os envolvidos eram interrogados. Por fim se concordava em lançar a culpa do assassinato sobre a faca, que então era jogada ao mar.

Apesar do temor que protege a vida do animal sagrado como se fosse um membro da tribo, de tempos em tempos se torna necessário matar esse animal em comunhão solene e partilhar sua carne e seu sangue entre os membros do clã. O motivo que ordena esse ato revela o sentido mais profundo do sistema de sacrifícios. Vimos que em tempos antigos toda refeição em comum, a participação na mesma substância que penetra nos corpos, estabelece um laço sagrado entre os comensais; em tempos mais antigos, esse significado parece caber apenas à participação na substância de uma vítima sagrada. *O mistério sagrado da morte sacrificial se justifica porque é apenas por essa via que se*

---

48. "*The inference is that the domestication to which totemism invariably leads (when there are any animals capable of domestication) is fatal to totemism.*" ["A inferência é que a domesticação à qual o totemismo invariavelmente leva (quando há quaisquer animais capazes de serem domesticados) é fatal ao totemismo." (N.T.)] (Jevons, 1902, p. 120.)

IV – O retorno infantil do totemismo

pode estabelecer o laço sagrado que une os participantes entre si e com seu deus (*ibid.*, p. 313).

Esse laço não é outra coisa senão a vida do animal sacrificial, vida que habita em sua carne e em seu sangue e que por meio da refeição sacrificial é transmitida a todos os participantes. Tal ideia está na base de todos os *pactos de sangue* por meio dos quais, mesmo em épocas posteriores, os homens estabelecem obrigações mútuas. A concepção absolutamente realista da comunhão de sangue como identidade da substância permite compreender a necessidade de renová-la de tempos em tempos por meio do processo físico da refeição sacrificial.

Interrompamos aqui a comunicação das ideias de Robertson Smith a fim de resumir seu núcleo em pouquíssimas palavras: quando surgiu a ideia da propriedade privada, o sacrifício foi concebido como uma dádiva à divindade, como uma transferência da propriedade do homem à do deus. Só que essa interpretação não explica todas as peculiaridades do ritual sacrificial. Em épocas antiquíssimas, o próprio animal sacrificial era sagrado, e sua vida, inviolável; essa vida apenas podia ser tirada com a participação e a cumplicidade de toda a tribo, e na presença do deus, para fornecer a substância sagrada por meio de cujo consumo os membros do clã asseguravam sua identidade substancial entre si e com a divindade. O sacrifício era um sacramento, e o próprio animal sacrificial, um membro da tribo. Esse animal era na verdade o antigo animal totêmico, o próprio deus primitivo, por meio de cuja morte e consumo os membros do clã renovavam e asseguravam sua semelhança com o deus.

Dessa análise do sistema sacrificial, Robertson Smith extraiu a conclusão de que a morte e o consumo periódicos do totem teriam sido uma parte significativa da religião totêmica em épocas *anteriores à veneração de divindades antropomórficas*. O cerimonial dessa refeição totêmica, opina ele, teria sido conservado na descrição de um sacrifício de épocas posteriores. São Nilo relata um costume sacrificial dos beduínos do deserto do Sinai por volta do final do século IV. A vítima, um camelo, era posta amarrada sobre um altar bruto de pedras; o chefe da tribo ordenava aos participantes que dessem três voltas, cantando, em torno do altar, infligia a primeira ferida ao animal e bebia com avidez o sangue que jorrava; depois a comunidade inteira se lançava sobre a vítima, cortava pedaços da carne palpitante com as espadas e os consumia crus com tal rapidez que, no breve intervalo entre o nascer da estrela d'alva, à qual se fazia esse sacrifício, e o seu empalidecer devido aos raios do sol, todo o corpo do animal sacrificial – ossos, pele, carne e entranhas – tinha sido devorado. Esse rito bárbaro, que dá testemunho de extrema antiguidade, não era, segundo todas as provas, um uso isolado, e sim a forma universal e original do sacrifício totêmico, forma que em época posterior experimentou as mais variadas atenuações.

Muitos autores se recusaram a atribuir importância à concepção da refeição totêmica porque ela não pôde ser confirmada pela observação direta no estágio do totemismo. O próprio Robertson Smith ainda indicou os exemplos em que o significado sacramental do sacrifício parece assegurado; por exemplo, nos sacrifícios humanos dos astecas e em outros que lembram as condições da refeição totêmica, como o sacrifício do urso na tribo do urso dos ouataouaks, nos Estados Unidos, e as festas do urso dos ainos, no Japão. Frazer comunicou detalhadamente esses casos e outros semelhantes nos dois últimos volumes publicados de sua grande obra.[49] Uma tribo indígena da Califórnia, que venera uma grande ave de rapina (o busardo), mata-a numa cerimônia solene uma vez por ano, depois disso a pranteia e guarda sua pele

---

49. (1912, vol. 2.)

com as penas. Os índios zunis, do Novo México, procedem do mesmo modo com sua tartaruga sagrada.

Nas cerimônias *intichiuma* das tribos da Austrália central foi observado um traço que se harmoniza de maneira excelente com as hipóteses de Robertson Smith. Toda tribo que pratica a magia para a multiplicação de seu totem, cujo consumo no entanto lhe está proibido, é obrigada a comer um pouco dele durante a cerimônia, antes que ele se torne acessível às outras tribos. Segundo Frazer, o mais belo exemplo de consumo sacramental do totem normalmente proibido se encontra entre os binis, na África ocidental, em ligação com o cerimonial fúnebre dessas tribos (*ibid.*, vol. 2, p. 590).

Nós, porém, queremos seguir Robertson Smith na hipótese de que a morte sacramental e o consumo em comum do animal totêmico, animal normalmente proibido, teria sido um traço significativo da religião totêmica.[50]

5

Imaginemos agora a cena de tal refeição totêmica, dotando-a ainda de alguns traços prováveis que até agora não puderam ser apreciados. O clã mata seu animal totêmico de maneira cruel numa ocasião solene e o devora cru, seu sangue, sua carne e seus ossos; ao fazê-lo, os membros da tribo estão fantasiados à semelhança do totem, imitando seus sons e seus movimentos, como se quisessem acentuar a sua identidade com o totem. Está presente a consciência de que se pratica uma ação proibida a cada um dos indivíduos, que só pode ser justificada pela participação de todos; além disso, ninguém pode deixar de tomar parte

---

50. Não ignoro as objeções que diversos autores (Marillier, Hubert e Mauss, entre outros) apresentaram a essa teoria do sacrifício, mas no essencial elas não prejudicaram a impressão causada pelas teorias de Robertson Smith.

na morte e na refeição. Depois do feito, o animal morto é pranteado e lamentado. O lamento fúnebre é compulsório, imposto pelo medo de uma represália ameaçadora, e seu principal propósito, como Robertson Smith observa em relação a uma ocasião análoga, é eximir os participantes da responsabilidade pela morte (1894, p. 412).

Mas depois desse luto se segue a mais ruidosa alegria festiva, o desencadeamento de todos os impulsos e a permissão para todas as satisfações. Vemos aqui, sem qualquer esforço, a essência da *festa*.

Uma festa é um excesso permitido ou, antes, imposto, a violação solene de uma proibição. Não é por estarem numa disposição alegre devido a alguma prescrição que as pessoas cometem excessos, mas o excesso se encontra na essência da festa; a disposição festiva é gerada pela liberação do que normalmente é proibido.

Mas o que significa o prelúdio a essa alegria festiva, o luto pela morte do animal totêmico? Se as pessoas se alegram com a morte do totem, que normalmente é proibida, por que ela também é pranteada?

Vimos que os membros do clã se santificam mediante o consumo do totem, que se fortalecem em sua identificação com ele e entre si. O fato de terem ingerido a vida sagrada, cuja portadora é a substância do totem, poderia explicar a disposição festiva e tudo o que dela se segue.

A psicanálise nos revelou que o animal totêmico é realmente o substituto do pai, e se harmonizava com isso a contradição de que normalmente é proibido matá-lo e que sua morte se transforme em festividade – que o animal seja morto e, no entanto, pranteado. A atitude emocional ambivalente que ainda hoje caracteriza o complexo paterno em nossas crianças, e que muitas vezes prossegue na vida dos adultos, também se estenderia ao animal totêmico, substituto do pai.

IV – O retorno infantil do totemismo

Porém, se juntarmos a tradução do totem dada pela psicanálise com o fato da refeição totêmica e a hipótese darwiniana sobre o estado primordial da sociedade humana, resulta a possibilidade de uma compreensão mais profunda, a perspectiva de uma hipótese que poderá parecer fantástica, mas que oferece a vantagem de estabelecer uma unidade insuspeitada entre séries de fenômenos até agora separadas.

A horda primordial darwiniana naturalmente não tem espaço para os inícios do totemismo. Um pai violento, ciumento, que conserva todas as fêmeas para si e expulsa os filhos quando crescem, nada mais. Esse estado primordial da sociedade não se tornou objeto de observação em parte alguma. As organizações mais primitivas que encontramos, e que ainda hoje vigoram em certas tribos, são as *associações de homens*, constituídas por membros com os mesmos direitos e submetidas às restrições do sistema totêmico, incluindo a herança por linha materna. Poderá uma coisa ter resultado da outra? E por que caminho isso foi possível?

Podemos dar uma resposta se recorrermos à celebração da refeição totêmica: certo dia[51], os irmãos expulsos se reuniram, mataram o pai e o devoraram, e assim deram um fim à horda paterna. Unidos, eles ousaram e realizaram o que teria sido impossível ao indivíduo. (Talvez um progresso cultural, como a utilização de uma nova arma, tenha lhes dado a sensação de superioridade.) O fato de também devorarem o assassinado é algo óbvio para selvagens canibais. O violento pai primordial era certamente o modelo invejado e temido de cada membro do grupo de irmãos. Agora, no ato de devorá-lo, eles realizam a identificação com ele; cada um se apropria de uma parte da sua força. A

---

51. A essa exposição, que de outro modo poderia levar a mal-entendidos, peço que se acrescentem as frases finais da nota seguinte a título de corretivo.

refeição totêmica, talvez a primeira festa da humanidade, seria a repetição e a comemoração desse ato memorável e criminoso com o qual tantas coisas tiveram o seu início, tais como as organizações sociais, as restrições morais e a religião.[52]

---

52. A essa hipótese, aparentemente monstruosa, da sujeição e assassinato do pai tirânico pela associação dos filhos expulsos, também se rendeu Atkinson, como consequência direta das condições da horda primordial darwiniana. "*A youthful band of brothers living together in forced celibacy, or at most in polyandrous relation with some single female captive. A horde as yet weak in their impubescence they are, but they would, when strength was gained with time, inevitably wrench by combined attacks, renewed again and again, both wife and life from the paternal tyrant.*" ["Um jovem grupo de irmãos vivendo juntos em celibato forçado, ou quando muito numa relação poliândrica com alguma fêmea cativa isolada. Uma horda até então fraca em sua impubescência, mas que, ao ganhar força com o passar do tempo, inevitavelmente arrebataria por meio de ataques conjuntos, repetidos muitas vezes, a mulher e a vida do tirano paterno." (N.T.)] (1903, p. 220-221.) Atkinson, que aliás passou sua vida na Nova Caledônia e teve uma oportunidade extraordinária para estudar os nativos, também se apoia no fato de que as condições da horda primordial supostas por Darwin são facilmente observáveis em rebanhos selvagens de bois e de cavalos, e geralmente levam à morte do animal paterno. Ele também supõe que depois da eliminação do pai ocorre uma desagregação da horda devido à luta renhida entre os filhos vitoriosos. Dessa maneira, nunca se chegaria a uma nova organização da sociedade: "*an ever recurring violent succession to the solitary paternal tyrant by sons, whose parricidal hands were so soon again clenched in fratricidal strife*" ["uma sucessão violenta, sempre repetida, do solitário tirano paterno por filhos *cujas mãos parricidas logo estariam envolvidas numa luta fratricida*" (N.T.)] (*ibid.*, p. 228). Atkinson, que não dispunha das indicações da psicanálise e não conhecia os estudos de Robertson Smith, encontra uma passagem menos violenta da horda primordial ao estágio social seguinte, no qual inúmeros homens convivem em comunidade pacífica. Para ele, o amor materno consegue impor a permanência dos filhos na horda, de início apenas os mais jovens e mais tarde também os outros, e em troca disso esses tolerados reconhecem o privilégio sexual do pai sob a forma da renúncia que praticam em relação à mãe e às irmãs. É o que basta sobre a teoria altamente notável de Atkinson, sua concordância no ponto essencial com a teoria aqui apresentada e sua divergência em relação a ela, que implica a renúncia à conexão com tantas outras coisas. (continua)

IV – O RETORNO INFANTIL DO TOTEMISMO

Para, não considerando seu pressuposto, achar críveis essas consequências, apenas é preciso supor que o grupo amotinado de irmãos era dominado pelos mesmos sentimentos contraditórios em relação ao pai que podemos indicar como conteúdo da ambivalência do complexo paterno em cada uma de nossas crianças e de nossos neuróticos. Eles odiavam o pai, que estorvava tão energicamente sua necessidade de poder e suas pretensões sexuais, mas também o amavam e o admiravam. Depois de eliminá-lo, satisfazer seu ódio e realizar seu desejo de identificação com ele, os sentimentos ternos, subjugados enquanto isso, tinham de se impor.[53] Isso aconteceu sob a forma de arrependimento; surgiu uma consciência de culpa que neste caso coincide com o arrependimento sentido em comum. O morto se tornou mais forte do que o vivo tinha sido; tudo isso são coisas como ainda hoje as vemos nos destinos humanos. O que antes ele impedira por meio de sua existência eles próprios agora se proibiam na situação psíquica da *obediência a posteriori*, que conhecemos tão bem das psicanálises. Eles revogaram o ato cometido ao declarar ilícita a ação de matar o substituto do pai, o totem, e renunciaram aos frutos desse ato ao se privarem das mulheres libertadas. Assim, a partir da *consciência de culpa do filho*, eles criaram os dois tabus fundamentais do totemismo, que justamente por isso tinham de coincidir com

---

(cont.) Posso considerar a imprecisão, a abreviação temporal e a compressão do conteúdo das informações em minha exposição acima como uma abstenção exigida pela natureza do tema. Seria tão absurdo aspirar por exatidão nessa matéria quanto seria injusto exigir certezas.

53. Essa nova atitude emocional também tinha de ser beneficiada pelo fato de que o ato não foi capaz de trazer a satisfação completa a nenhum de seus autores. Em certo sentido, ele tinha acontecido em vão. Nenhum dos filhos, afinal, pôde realizar seu desejo original de ocupar o lugar do pai. Mas o fracasso, como sabemos, é muito mais favorável à reação moral do que a satisfação.

os dois desejos recalcados do complexo de Édipo. Quem agisse contra isso se tornava culpado dos dois únicos crimes que preocupavam a sociedade primitiva.[54]

Os dois tabus do totemismo, com os quais a moralidade dos seres humanos começa, não são psicologicamente equivalentes. Apenas um deles, a consideração pelo animal totêmico, se baseia inteiramente em motivos emocionais; o pai, afinal, fora eliminado, e não havia mais nada a reparar na realidade. Mas o outro, a proibição do incesto, também tinha uma forte fundamentação prática. A necessidade sexual não une os homens, e sim os divide. Por mais que os irmãos tivessem se aliado para subjugar o pai, cada um era rival do outro quanto às mulheres. Cada um teria desejado ter todas para si como o pai, e na luta de todos contra todos a nova organização teria sucumbido. Não havia mais nenhum indivíduo de força superior que pudesse assumir o papel do pai com sucesso. Assim, nada restou aos irmãos, caso quisessem viver juntos, a não ser – talvez após a superação de graves incidentes – instaurar a proibição do incesto, com a qual todos renunciavam ao mesmo tempo às mulheres que cobiçavam, mas devido às quais, sobretudo, tinham eliminado o pai. Assim eles salvaram a organização que os tinha tornado fortes e que podia se basear em sentimentos e atividades homossexuais que talvez tenham surgido entre eles durante o período de expulsão. Talvez também tenha sido essa situação que lançou a semente para as instituições, reconhecidas por Bachofen, do *direito materno*, até que este fosse substituído pela ordem familiar patriarcal.

---

54. "*Murder and incest, or offences of a like kind against the sacred law of blood, are in primitive society the only crimes of which the community as such takes cognizance* (...)." ["O assassinato e o incesto, ou transgressões do mesmo gênero contra a lei sagrada do sangue, são, na sociedade primitiva, os únicos crimes de que a comunidade como tal toma conhecimento (...)." (N.T.)] (Smith, 1894, p. 419.)

IV – O retorno infantil do totemismo

Em compensação, liga-se ao outro tabu, que protege a vida do animal totêmico, a reivindicação do totemismo de ser avaliado como um primeiro ensaio de religião. Se o animal se oferecia à sensibilidade dos filhos como substituto natural e evidente do pai, no tratamento desse animal que lhes fora imposto compulsoriamente, porém, se expressavam mais coisas do que a necessidade de demonstrar seu arrependimento. Com o substituto do pai se podia fazer a tentativa de apaziguar o ardente sentimento de culpa, de fazer uma espécie de reconciliação com o pai. O sistema totêmico era, por assim dizer, um contrato com o pai, pelo qual este prometia tudo aquilo que a fantasia infantil podia esperar dele – proteção, cuidado e consideração –, em troca do que as pessoas se comprometiam a respeitar sua vida, isto é, a não repetir com ele o ato pelo qual o pai real sucumbira. Também havia uma tentativa de justificação no totemismo. "Tivesse o pai nos tratado como o totem, jamais teríamos caído na tentação de matá-lo." Assim, o totemismo ajudou a atenuar as circunstâncias e a fazer esquecer o acontecimento ao qual devia sua origem.

Com isso se criaram traços que desde então se mantiveram determinantes para o caráter da religião. A religião totêmica resultara da consciência de culpa dos filhos como tentativa de atenuar esse sentimento e de apaziguar o pai ultrajado por meio da obediência *a posteriori*. Todas as religiões ulteriores se mostram como tentativas de resolver o mesmo problema, variáveis segundo o estado cultural em que são empreendidas e segundo os caminhos que tomam, mas todas são reações de mesma meta ao mesmo grande acontecimento com o qual a cultura começou e que desde então não dá descanso à humanidade.

Outra característica que a religião conservou fielmente também já se destacou outrora no totemismo. A tensão de ambivalência provavelmente era grande demais para ser compensada por meio de um arranjo qualquer, ou as condições psicológicas absolutamente não são favoráveis à eliminação desses sentimentos opostos. Percebe-se, em todo caso, que a ambivalência inerente ao complexo paterno também prossegue no totemismo e nas religiões em geral. A religião do totem abrange não apenas as manifestações de arrependimento e as tentativas de reconciliação, mas também serve para recordar o triunfo sobre o pai. A satisfação com esse triunfo institui a festa comemorativa da refeição totêmica, por ocasião da qual são abolidas as restrições da obediência *a posteriori*, e transforma em obrigação repetir inúmeras vezes o crime do parricídio no sacrifício do animal totêmico, sempre que o ganho obtido com aquele ato – a apropriação das qualidades do pai – ameaça desaparecer em consequência das influências mutáveis da vida. Não ficaremos surpresos em descobrir que o componente do desafio filial, muitas vezes sob os disfarces e nas inversões mais notáveis, também reaparece em formações religiosas posteriores.

Se até aqui seguimos na religião e na prescrição moral, que no totemismo ainda se separam com pouca nitidez, as consequências da corrente terna em relação ao pai transformada em arrependimento, não podemos negligenciar que no essencial venceram as tendências que impeliram ao parricídio. Os sentimentos sociais fraternos, nos quais a grande reviravolta se apoia, conservaram desde então, por longas eras, a mais profunda influência sobre o desenvolvimento da sociedade. Eles se expressam na santificação do sangue comum, na ênfase da solidariedade entre todas as vidas do mesmo clã. Ao se assegurarem a vida mutuamente dessa maneira, os irmãos afirmam que nenhum deles poderá ser tratado pelo outro como o pai foi tratado por todos eles em conjunto. Eles excluem uma repetição do destino paterno. À proibição religiosamente fundamentada de matar o totem soma-se agora a proibição socialmente fundamentada do fratricídio. Ainda demorará muito tempo até que o mandamento deixe de se restringir aos membros da tribo e assuma este texto simples: "Não matarás". Primeiramente, a *horda paterna* foi substituída pelo *clã de irmãos*, assegurado pelo laço de sangue. A sociedade se apoiava agora na cumplicidade quanto ao crime cometido em comum; a religião, na consciência de culpa e no arrependimento relativos a ele; a moralidade, em parte nas necessidades dessa sociedade e, por outra parte, nas expiações exigidas pela consciência de culpa.

Assim, em oposição às concepções mais recentes sobre o sistema totêmico, e apoiando-se nas mais antigas, a psicanálise nos ordena defender uma relação íntima e uma origem simultânea para o totemismo e a exogamia.

6

Estou sob a influência de um grande número de fortes motivos que me impedirão de tentar descrever o desenvolvimento posterior das religiões, desde o seu começo no totemismo até o seu estágio atual. Quero apenas seguir dois fios ali onde os vejo aparecer de maneira especialmente nítida no tecido: o motivo do sacrifício totêmico e a relação do filho com o pai.[55]

Robertson Smith nos ensinou que a antiga refeição totêmica retorna sob a forma original do sacrifício. O sentido da ação é o mesmo: a santificação por meio da participação na refeição comum; a consciência de culpa também continua presente, e apenas pode ser atenuada pela solidariedade de todos os participantes. O elemento novo

---

55. Ver o trabalho de C.G. Jung (1912), em parte dominado por pontos de vista divergentes.

é a divindade tribal em cuja presença imaginada ocorre o sacrifício, divindade que toma parte na refeição como um membro da tribo e com a qual as pessoas se identificam por meio do consumo da vítima. Como o deus entra nessa situação que lhe é originalmente alheia?

A resposta poderia ser que nesse meio-tempo – não se sabe de onde – surgiu a ideia de deus, ideia que subjugou toda a vida religiosa e, como todas as outras coisas que pretendessem permanecer, a refeição totêmica também teve de conquistar sua inclusão no novo sistema. Porém, a investigação psicanalítica do indivíduo nos ensina com uma ênfase toda especial que para cada pessoa o deus é moldado de acordo com o pai, que sua relação pessoal com deus depende de sua relação com o pai carnal, oscila e se transforma com esta, e que deus, no fundo, não é outra coisa senão um pai elevado. Como no caso do totemismo, também aqui a psicanálise aconselha a dar crédito aos crentes que chamam o deus de pai, assim como chamavam o totem de antepassado. Se a psicanálise merece alguma consideração, então, sem prejuízo de todas as outras origens e significados de deus, sobre os quais a psicanálise não pode lançar nenhuma luz, o componente paterno na ideia de deus tem de ser muito importante. Mas assim o pai estaria representado duas vezes na situação do sacrifício primitivo, uma vez sob a forma do deus e outra sob a forma do animal sacrificial totêmico, e, apesar de tudo que sabemos sobre a pequena variedade das soluções psicanalíticas, temos de perguntar se isso é possível e que sentido pode ter.

Sabemos que existem múltiplas relações entre o deus e o animal sagrado (totem, animal sacrificial): 1. em geral, cada deus tem um animal que lhe é consagrado, não raro inclusive vários; 2. em certos sacrifícios especialmente sagrados, os "místicos", se oferecia em sacrifício ao deus precisamente o animal que lhe era consagrado (Smith,

1894); 3. o deus era muitas vezes venerado sob a forma de um animal, ou, vendo de outra maneira, animais gozavam de veneração divina muito tempo depois da época do totemismo; 4. nos mitos, o deus se transforma com frequência num animal, muitas vezes no animal que lhe é consagrado. Assim, seria natural supor que o próprio deus seria o animal totêmico, tendo evoluído a partir desse animal num estágio posterior da sensibilidade religiosa. Mas a ponderação de que o próprio totem não é outra coisa senão um substituto do pai nos dispensa de toda discussão adicional. Assim, talvez ele seja a primeira forma do substituto do pai, e o deus, uma forma posterior na qual o pai recuperou sua forma humana. Tal criação nova, oriunda da raiz de toda a formação de religiões, a *saudade do pai*, pôde se tornar possível quando, com o passar do tempo, algo essencial se modificou na relação com o pai (e talvez também com o animal).

Tais modificações se deixam descobrir facilmente, mesmo que se queira desconsiderar o início de um afastamento psíquico em relação ao animal e a desagregação do totemismo devido à domesticação. (Ver acima, p. 202.) Na situação criada pela eliminação do pai se encontrava um fator que, com o passar do tempo, tinha de produzir uma intensificação extraordinária da saudade do pai. Cada um dos irmãos que tinha se reunido para o assassinato do pai estava, afinal, animado pelo desejo de se tornar igual a ele, e dera expressão a esse desejo por meio da incorporação de partes de seu substituto na refeição totêmica. Em consequência da pressão que os laços do clã de irmãos exercem sobre cada participante, esse desejo teve de permanecer irrealizado. Ninguém mais podia nem tinha permissão para alcançar a plenitude de poderes do pai, pela qual, no entanto, todos tinham aspirado. Assim, no decorrer de longas eras, o rancor contra o pai, que tinha impelido ao ato, pôde diminuir, e a saudade dele, crescer, e pôde surgir um ideal que tinha por conteúdo a plenitude de poder e a falta de restrições do pai primordial outrora combatido, bem como a disposição a se submeter a ele. A igualdade democrática original entre todos os membros da tribo não podia mais ser mantida em consequência de mudanças culturais drásticas; mostrou-se assim uma tendência, apoiada na veneração de indivíduos que se destacaram dos outros, a reviver o antigo ideal do pai na criação de deuses. Os fatos de um homem se transformar em deus e de um deus morrer, que hoje nos parecem impertinências revoltantes, ainda não eram de forma alguma chocantes para a imaginação da Antiguidade clássica.[56] Porém, a elevação do pai outrora assassinado à categoria de deus, do qual a tribo agora derivava sua origem, era uma tentativa de expiação muito mais séria do que havia sido, a seu tempo, o contrato com o totem.

Onde, nessa evolução, se encontra o lugar das grandes divindades maternas que talvez tenham precedido universalmente as divindades paternas é algo que não sei indicar. Porém, parece certo que a mudança na relação com o pai não se limitou ao âmbito religioso, mas se estendeu de maneira consequente ao outro aspecto da vida humana

---

56. "*To us moderns, for whom the breach which divides the human and the divine has deepened into an impassable gulf, such mimicry may appear impious, but it was otherwise with the ancients. To their thinking gods and men were akin, for many families traced their descent from a divinity, and the deification of a man probably seemed as little extraordinary to them as the canonization of a saint seems to a modern Catholic.*" ["Para nós, modernos, a quem a brecha que separa o humano e o divino se aprofundou a ponto de se transformar num golfo intransponível, tal imitação pode parecer ímpia, mas as coisas eram diferentes entre os antigos. Para o pensamento deles, deuses e homens eram aparentados, já que muitas famílias traçavam sua descendência a partir de uma divindade, e a deificação de um homem provavelmente lhes parecia tão pouco extraordinária quanto a canonização de um santo parece a um católico moderno." (N.T.)] (Frazer, 1911 *a*, vol. 2, p. 177-178.)

influenciado pela eliminação do pai, a organização social. Com a instituição das divindades paternas, a sociedade órfã de pai se transformou pouco a pouco na sociedade organizada de maneira patriarcal. A família foi uma restauração da antiga horda primordial, e também restituiu aos pais uma grande parte de seus antigos direitos. Agora havia pais outra vez, mas as conquistas sociais do clã de irmãos não haviam sido abandonadas, e a distância factual dos novos pais de família em relação ao ilimitado pai primordial da horda era grande o suficiente para assegurar a continuação da necessidade religiosa, a conservação da insaciada saudade do pai.

Portanto, na cena sacrificial diante do deus da tribo, o pai está realmente contido duas vezes, sob a forma de deus e de animal sacrificial totêmico. Mas na tentativa de compreender essa situação tomaremos cautela com interpretações que, numa concepção superficial, pretendem traduzi-la como uma alegoria e nisso esquecem a estratificação histórica. A dupla presença do pai corresponde aos dois significados da cena, um deles substituindo o outro ao longo do tempo. A atitude ambivalente em relação ao pai encontrou aqui expressão plástica, do mesmo modo que a vitória dos sentimentos ternos do filho sobre os hostis. A cena da subjugação do pai, de sua maior humilhação, se transformou aqui em material para uma figuração de seu mais elevado triunfo. O significado que o sacrifício adquiriu de maneira bem geral reside precisamente no fato de oferecer ao pai a reparação pela afronta cometida contra ele na mesma ação que mantém viva a lembrança dessa atrocidade.

Mais tarde, o animal perde sua sacralidade, e o sacrifício, a relação com o festejo totêmico; o sacrifício se transforma numa simples oferenda à divindade, numa autorrenúncia em favor do deus. O próprio Deus está agora tão elevado acima dos homens que só é possível se relacionar com ele pela mediação do sacerdote. Ao mesmo tempo, a ordem social conhece reis semelhantes a deuses que transferem o sistema patriarcal ao Estado. Temos de dizer que a vingança do pai derrubado e reposto se tornou dura; o domínio da autoridade se encontra no seu auge. Os filhos subjugados aproveitaram a nova situação para aliviar ainda mais a sua consciência de culpa. O sacrifício, tal como é agora, sai inteiramente de sua responsabilidade. O próprio deus o exigiu e o ordenou. A essa fase pertencem mitos em que o próprio deus mata o animal que lhe é consagrado, e que na verdade é ele mesmo. Essa é a máxima negação da grande atrocidade com a qual começaram a sociedade e a consciência de culpa. Um segundo significado desta última figuração do sacrifício não pode ser ignorado. Tal significado expressa a satisfação pelo fato de que se abandonou o antigo substituto do pai em favor da ideia de deus, mais elevada. A tradução superficialmente alegórica da cena coincide aqui, aproximadamente, com sua interpretação psicanalítica. Aquela diz: figura-se o fato de o deus superar a parte animal de seu ser.[57]

Seria errôneo, entretanto, se alguém quisesse acreditar que nesses tempos de renovada autoridade paterna os sentimentos hostis pertencentes ao complexo paterno emudecessem inteiramente. Das primeiras fases do domínio das duas novas formações de substitutos paternos, os deuses e os reis, conhecemos, pelo contrário, as manifestações mais

---

57. Nas mitologias, a subjugação de uma geração de deuses por outra significa, como se sabe, o processo histórico da substituição de um sistema religioso por um novo, seja em consequência da conquista por um povo estrangeiro ou pela via da evolução psicológica. No último caso, o mito se aproxima dos "fenômenos funcionais" de H. Silberer. O fato de o deus que mata o animal ser um símbolo da libido, como afirma C.G. Jung (1912), pressupõe outro conceito de libido do que o empregado até agora, e me parece inteiramente questionável.

IV – O RETORNO INFANTIL DO TOTEMISMO

enérgicas dessa ambivalência, que permanece característica da religião.

Em sua grande obra *O ramo dourado*, Frazer apresentou a hipótese de que os primeiros reis das linhagens latinas eram estrangeiros que representavam o papel de uma divindade, e nesse papel eram executados solenemente em determinado dia festivo. O sacrifício anual (variante: autossacrifício) de um deus parece ter sido um traço essencial das religiões semitas. O cerimonial do sacrifício humano nos mais diferentes pontos da terra habitada deixa poucas dúvidas sobre o fato de esses homens encontrarem seu fim como representantes da divindade, e esse uso sacrificial ainda pode ser acompanhado em épocas tardias na substituição do homem vivo por uma imitação inanimada (boneco). O sacrifício teantrópico do deus, do qual infelizmente não posso tratar aqui com a mesma profundidade que do sacrifício animal, lança uma intensa luz retrospectiva sobre o sentido das formas de sacrifício mais antigas. Com uma sinceridade que dificilmente poderá ser ultrapassada, tal sacrifício confessa que o objeto da ação sacrificial sempre foi o mesmo, o mesmo que agora é venerado como deus, ou seja, o pai. A pergunta pela relação entre o sacrifício animal e o humano encontra agora uma solução simples. O sacrifício animal original já era um substituto de um sacrifício humano, do assassinato solene do pai, e quando o substituto do pai recuperou sua forma humana o sacrifício animal também pôde se transformar outra vez no sacrifício humano.

Assim, a lembrança daquele primeiro grande ato sacrificial se mostrou indestrutível apesar de todos os esforços para esquecê-lo, e, precisamente quando se quis o maior afastamento possível dos motivos que a ele conduziram, teve de vir à luz sua repetição indeformada sob a forma do sacrifício do deus. Não é necessário expor neste ponto quais foram os desdobramentos do pensamento religioso que, sob a forma de racionalizações, possibilitaram esse retorno. Robertson Smith, a quem, afinal, é alheia nossa explicação do sacrifício a partir daquele grande acontecimento da pré-história humana, afirma que as cerimônias da festa com que os antigos semitas celebravam a morte de uma divindade eram interpretadas como "*commemoration of a mythical tragedy*" [comemoração de uma tragédia mítica], e que o lamento, aí, não tinha o caráter de uma participação espontânea, mas algo de compulsório, ordenado pelo medo da ira divina.[58] Acreditamos perceber que essa interpretação estava correta, e que os sentimentos dos celebrantes encontravam uma boa explicação na situação subjacente.

Admitimos agora como um fato que também no desenvolvimento posterior das religiões jamais se apagassem os dois fatores impulsores, a consciência de culpa do filho e o desafio filial. Toda tentativa de solução do problema religioso, todo tipo de reconciliação entre as duas forças psíquicas conflitantes caduca pouco a pouco, provavelmente sob a influência combinada de acontecimentos históricos, mudanças culturais e transformações psíquicas internas.

Com nitidez sempre maior, se destaca o anseio do filho de se colocar no lugar do deus pai. Com a introdução da agricultura, aumenta a importância do filho na família patriarcal. Ele se atreve a novas manifestações de sua libido incestuosa, que encontra uma satisfação simbólica no

---

58. (*Ibid.*, p. 412): "*The mourning is not a spontaneous expression of sympathy with the divine tragedy, but obligatory and enforced by fear of supernatural anger. And a chief object of the mourners is to disclaim responsibility for the god's death – a point which has already come before us in connection with theanthropic sacrifices, such as the 'ox-murder at Athens'.*" ["O luto não é uma expressão espontânea de simpatia com a tragédia divina, mas é obrigatório e imposto pelo medo da ira sobrenatural. E um dos principais objetivos dos enlutados é negar a responsabilidade pela morte do deus – um ponto que já vimos em conexão com os sacrifícios teantrópicos, como a 'morte do boi em Atenas'." (N.T.)]

IV – O retorno infantil do totemismo

cultivo da Mãe Terra. Nascem as figuras divinas de Átis, Adônis, Tamuz etc., espíritos da vegetação e, ao mesmo tempo, divindades juvenis que gozam dos favores amorosos de divindades maternas e realizam o incesto com a mãe, desafiando o pai. Porém, a consciência de culpa, que não é atenuada por meio dessas criações, se expressa nos mitos que dão a esses jovens amantes das deusas maternas uma vida breve e lhes infligem o castigo da emasculação ou da ira do deus pai sob a forma de animal. Adônis é morto pelo javali, o animal sagrado de Afrodite; Átis, o amante de Cibele, morre devido à emasculação.[59] O pranto por esses deuses e a alegria pela sua ressurreição passaram ao ritual de outra divindade filial que estava destinada a um sucesso duradouro.

Quando o cristianismo começou a entrar no mundo antigo, encontrou a concorrência da religião de Mitra, e por algum tempo foi duvidoso a que divindade caberia a vitória.

Embora banhada em luz, a figura do jovem deus persa se manteve obscura à nossa compreensão. Talvez seja lícito concluir das imagens em que Mitra aparece matando um touro que ele representa aquele filho que efetuou sozinho o sacrifício do pai, libertando assim os

---

59. O medo da castração desempenha um papel extraordinariamente grande na perturbação da relação com o pai no caso de nossos jovens neuróticos. Na bela observação de Ferenczi (1913 a), vimos como o menino reconhece seu totem no animal que tenta bicar seu pequeno membro. Quando nossos filhos ficam sabendo da circuncisão ritual, equiparam-na à castração. Até onde sei, o paralelo etnopsicológico a esse comportamento das crianças ainda não foi efetuado. A circuncisão, tão frequente na pré-história e entre povos primitivos, tem seu lugar no momento da iniciação masculina, em que tem de encontrar seu significado, e apenas secundariamente foi deslocada para períodos mais precoces da vida. É extremamente interessante que entre os primitivos a circuncisão seja combinada com o corte dos cabelos e a extração de dentes, ou por elas substituída, e que nossos filhos, que nada podem saber desses fatos, em suas reações de medo realmente tratem essas duas operações como equivalentes da castração.

irmãos da cumplicidade opressora ligada ao ato. Havia outro caminho para o apaziguamento dessa consciência de culpa, e este veio a ser trilhado apenas por Cristo. Ele morreu e sacrificou sua própria vida, e assim libertou o grupo de irmãos do pecado original.

A doutrina do pecado original é de origem *órfica*; era recebida nos mistérios e a partir daí se introduziu nas escolas filosóficas da Antiguidade grega (Reinach, 1905-1912, vol. 2, p. 75 e segs.). Os homens eram os descendentes dos titãs que tinham matado e despedaçado o jovem Dioniso Zagreu; a carga desse crime pesava sobre eles. Num fragmento de Anaximandro é dito que a unidade do mundo foi destruída por um crime pré-histórico, e que tudo que daí surgiu tem de suportar o castigo por isso.[60] Se por meio dos traços do ajuntamento, do assassinato e do despedaçamento o ato dos titãs lembra com bastante clareza o sacrifício totêmico descrito por são Nilo – como, aliás, muitos outros mitos da Antiguidade, como a morte do próprio Orfeu, por exemplo –, incomoda-nos aqui, no entanto, a variante de que se comete o assassinato de um deus jovem.

No mito cristão, o pecado original do homem é indubitavelmente um pecado contra Deus Pai. Ora, se Cristo redime os homens do fardo do pecado original ao sacrificar sua própria vida, ele nos obriga a concluir que esse pecado foi um assassinato. Segundo a lei de talião, profundamente enraizada na sensibilidade humana, um assassinato apenas pode ser expiado pelo sacrifício de outra vida; o autossacrifício indica uma culpa de sangue.[61] E se esse sacrifício da própria vida leva à reconciliação

---

60. "*Une sorte de péché proethnique*" ["*Uma espécie de pecado proétnico*" (N.T.)] (Reinach, 1905-1912, vol. 2, p. 76).
61. Os impulsos suicidas [*Selbstmordimpulse*] de nossos neuróticos se mostram em geral como autopunições por desejos de morte dirigidos a outras pessoas.

com Deus Pai, o crime a ser expiado não pode ter sido outro senão o assassinato do pai.

Assim, na doutrina cristã a humanidade confessa da maneira mais clara o ato pleno de culpa dos tempos primitivos, pois agora, na morte sacrificial do filho unigênito, encontrou a expiação mais generosa para ele. A reconciliação com o pai é tão mais radical porque simultaneamente a esse sacrifício ocorre a completa renúncia à mulher, em razão da qual acontecera a revolta contra o pai. Mas agora a fatalidade psicológica da ambivalência também exige seus direitos. Com o mesmo ato que oferece ao pai a maior expiação possível, o filho também alcança a meta de seus desejos contra o pai. Ele próprio se transforma em deus ao lado do pai, na verdade no lugar do pai. A religião do filho substitui a religião do pai. Como sinal dessa substituição, a antiga refeição totêmica é reanimada sob a forma de comunhão, na qual, agora, o grupo de irmãos consome a carne e o sangue do filho, não mais do pai, se santifica por meio desse consumo e se identifica com o filho. Nosso olhar acompanha ao longo das épocas a identidade entre a refeição totêmica e o sacrifício animal, o sacrifício humano teantrópico e a eucaristia cristã, e reconhece em todas essas solenidades a repercussão daquele crime que tanto oprimiu os seres humanos, e do qual, no entanto, tinham de estar tão orgulhosos. Mas a comunhão cristã é no fundo uma nova eliminação do pai, uma repetição do ato a ser expiado. Percebemos o quanto é justificada a afirmação de Frazer de que "*the Christian communion has absorbed within itself a sacrament which is doubtless far older than Christianity*".[62]

---

62. "A comunhão cristã assimilou um sacramento que é sem dúvida muito mais antigo do que a cristandade." (N.T.) Frazer (1912, vol. 2, p. 51). – Ninguém que esteja familiarizado com a literatura sobre o assunto irá supor que derivar a comunhão cristã da refeição totêmica seja uma ideia do autor deste ensaio.

7

Um acontecimento como a eliminação do pai primordial pelo grupo de irmãos tinha de deixar traços indeléveis na história da humanidade e se expressar em formações substitutivas tão mais numerosas quanto menos ele próprio devia ser lembrado.[63] Resisto à tentação de indicar esses traços na mitologia, em que não são difíceis de encontrar, e me volto a outro campo ao seguir uma indicação de S. Reinach num ensaio substancial sobre a morte de Orfeu.[64]

Na história da arte grega há uma situação que mostra semelhanças notáveis e diferenças não menos profundas com a cena da refeição totêmica reconhecida por Robertson Smith. É a situação da tragédia grega mais antiga. Um grupo de pessoas, todas com o mesmo nome e a mesma roupa, rodeia um único indivíduo, de cujas falas e ações todas dependem: trata-se do coro e do ator que representa o herói, ator que originalmente era um só. Desenvolvimentos posteriores trouxeram um segundo e um terceiro ator para representar antagonistas e dissociações do herói, mas o caráter deste, assim como sua relação com o coro, permaneceram os mesmos. O herói da tragédia tinha de sofrer; este é ainda hoje o conteúdo essencial de uma tragédia. Ele tinha sobre seus ombros a chamada "culpa trágica", que

---

63. Ariel em *A tempestade* (ato 1, cena 2): "*Full fathom five thy father lies: / Of his bones are coral made; / Those are pearls that were his eyes: / Nothing of him that doth fade, / But doth suffer a sea-change / Into something rich and strange*". Na bela tradução de Schlegel: "*Fünf Faden tief liegt Vater dein. / Sein Gebein wird zu Korallen, / Perlen sind die Augen sein. / Nichts an ihm, das soll verfallen, / Das nicht wandelt Meeres-Hut / In ein reich und seltnes Gut*". [Na tradução de Beatriz Viégas-Faria (L&PM, 2002): A trinta pés repousa teu pai; / Seus ossos agora são corais; / Seus olhos, um par de pérolas. / E nada estraga, e nem se perde: / Tudo nele se transforma, no mar, / Em algo mui rico e singular. (N.T.)]

64. "A morte de Orfeu", no livro muitas vezes aqui citado: *Cultos, mitos e religiões* (1905-1912, vol. 2, p. 100 e segs.).

nem sempre é fácil de fundamentar; muitas vezes, não é uma culpa no sentido da vida civil. Na maioria das vezes, ela consistia na rebelião contra uma autoridade divina ou humana, e o coro acompanhava o herói com sentimentos de simpatia, buscando impedi-lo, adverti-lo e moderá-lo, e lamentando-o depois que tinha encontrado o merecido castigo pelo seu ousado empreendimento.

Mas por que o herói da tragédia tem de sofrer, e o que significa sua culpa "trágica"? Queremos interromper a discussão por meio de uma resposta rápida. Ele tem de sofrer porque é o pai primordial, o herói daquela grande tragédia pré-histórica que aqui encontra uma repetição tendenciosa, e a culpa trágica é aquela que ele tem de tomar sobre si para aliviar o coro de sua culpa. A cena no palco se derivou da cena histórica por meio de uma distorção conveniente, ou, como poderíamos dizer, a serviço de uma refinada hipocrisia. Naquela realidade antiga, foram precisamente os membros do coro que causaram o sofrimento do herói; mas aqui eles se esgotam em simpatia e pesar, e o próprio herói é culpado pelo seu sofrimento. O crime que lhe é atribuído, a arrogância e a rebelião contra uma grande autoridade, é precisamente o mesmo que na realidade oprime os membros do coro, o grupo de irmãos. E assim o herói trágico – contra sua vontade – foi transformado em redentor do coro.

Se especialmente na tragédia grega os sofrimentos do bode divino, Dioniso, e o lamento do séquito de bodes que com ele se identificava eram o conteúdo da representação, então é fácil compreender que o drama já extinto se reacendesse durante a Idade Média na Paixão de Cristo.

Assim, para concluir essa investigação extremamente resumida, gostaria de apresentar o resultado de que no complexo de Édipo coincidem os inícios da religião, da moralidade, da sociedade e da arte, em completa concordância com a constatação da psicanálise de que esse complexo constitui o núcleo de todas as neuroses, tanto quanto até agora elas cederam à nossa compreensão. Parece-me uma grande surpresa que também esses problemas da vida psíquica dos povos admitam uma solução a partir de um único ponto concreto como é a relação com o pai. Talvez seja o caso de incluir outro problema psicológico nessa concatenação. Tivemos muitas ocasiões de indicar a ambivalência de sentimentos no sentido próprio, ou seja, a coincidência de amor e ódio em relação ao mesmo objeto, na raiz de importantes formações culturais. Nada sabemos sobre a origem dessa ambivalência. Pode-se supor que ela é um fenômeno fundamental de nossa vida emocional. Mas também me parece digna de atenção a possibilidade de que ela, originalmente alheia à vida emocional, tenha sido adquirida pela humanidade devido ao complexo paterno[65], no qual a investigação psicanalítica do indivíduo hoje ainda indica sua expressão mais forte.[66]

Antes de terminar, tenho de dar lugar à observação de que o alto grau de convergência em direção a uma concatenação abrangente atingido nessas explanações não pode nos cegar para as incertezas de nossas hipóteses nem para as dificuldades ligadas a nossos resultados. Quero tratar de

---

65. Ou, antes, ao complexo parental.
66. Habituado aos mal-entendidos, não considero supérfluo destacar expressamente que as explicações dadas aqui de forma alguma esqueceram a natureza complexa dos fenômenos cuja causa cabe determinar, e que elas apenas pretendem acrescentar um novo fator às já conhecidas ou ainda não reconhecidas origens da religião, da moralidade e da sociedade, fator que resulta da consideração pelas exigências psicanalíticas. Tenho de deixar a outros a síntese num todo explicativo. Mas, desta vez, resulta da natureza dessa nova contribuição que em tal síntese ela não poderia ocupar outro papel senão o central, embora se requeresse a superação de grandes resistências afetivas antes de lhe conceder tal importância.

apenas duas dessas dificuldades, que muitos leitores talvez tenham percebido.

Em primeiro lugar, não poderá ter escapado a ninguém que sempre nos baseamos na hipótese de uma psique de massa na qual os processos psíquicos transcorrem como na vida psíquica de um indivíduo. Supomos, sobretudo, que a consciência de culpa referente a um ato pode sobreviver por muitos milênios e permanecer eficaz em gerações que nada podiam saber desse ato. Supomos que um processo emocional, tal como pôde surgir em gerações de filhos que foram maltratados pelo pai, prossegue em novas gerações que escaparam de tal tratamento precisamente devido à eliminação do pai. Tais objeções sem dúvida parecem graves, e qualquer outra explicação que possa evitar tais hipóteses parece preferível.

Porém, uma reflexão mais atenta nos mostra que não precisamos carregar sozinhos a responsabilidade por tal ousadia. Sem a hipótese de uma psique de massa, de uma continuidade na vida emocional dos seres humanos que permita desconsiderar as interrupções dos atos psíquicos causadas pelo desaparecimento dos indivíduos, a etnopsicologia não poderia absolutamente existir. Se os processos psíquicos de uma geração não continuam na seguinte, se cada geração tivesse de adquirir novamente sua atitude diante da vida, não haveria qualquer progresso nesse campo e praticamente nenhuma evolução. Surgem, então, duas novas questões: o quanto se pode atribuir à continuidade psíquica nas séries de gerações, e de que meios e caminhos uma geração se serve para transferir seus estados psíquicos à seguinte. Não afirmarei que esses problemas estejam suficientemente esclarecidos ou que a comunicação direta e a tradição, nas quais logo se pensa, satisfaçam a exigência. Em geral, a etnopsicologia se preocupa pouco com a maneira pela qual se produz a exigida continuidade na vida psíquica das gerações que se sucedem. Uma parte da tarefa parece resolvida pela herança de disposições psíquicas, que, no entanto, necessitam de certas incitações na vida individual para que despertem e se tornem eficazes. Talvez seja esse o sentido das palavras do poeta:

O que herdaste de teus pais,
adquire-o para que o possuas.[67]

O problema pareceria ainda mais difícil se pudéssemos admitir que existem moções psíquicas que podem ser reprimidas de maneira tão radical que não deixam nenhum fenômeno residual. Só que isso não ocorre. A mais forte repressão tem de dar lugar a moções substitutivas distorcidas e às reações que delas se seguem. Mas então estamos autorizados a supor que nenhuma geração é capaz de ocultar da seguinte seus processos psíquicos mais significativos. É que a psicanálise nos ensinou que cada ser humano possui um aparelho em sua atividade mental inconsciente que lhe permite interpretar as reações de outros seres humanos, isto é, desfazer as distorções que o outro empreendeu na expressão de seus sentimentos. Por essa via da compreensão inconsciente de todos os costumes, cerimônias e normas deixados pela relação original com o pai primordial, mesmo as gerações mais tardias poderiam ter sido bem-sucedidas na recepção daquela herança emocional.

Outra objeção poderia ser levantada justamente por parte do modo de pensar analítico.

Compreendemos as primeiras prescrições e restrições morais da sociedade primitiva como reação a um ato que deu a seus autores o conceito de crime. Eles se arrependeram desse ato e decidiram que ele não deveria mais ser repetido e que sua execução não poderia ter trazido ganho

---

67. Goethe, *Fausto*, parte I, cena 1 ("Noite"). (N.T.)

algum. Essa criadora consciência de culpa não se apagou entre nós. Podemos encontrá-la atuando de maneira associal nos neuróticos com a finalidade de produzir novas prescrições morais e limitações contínuas sob a forma de expiação pelas más ações cometidas e de precaução frente a novas más ações que ainda serão cometidas.[68] Mas quando investigamos esses neuróticos em busca dos atos que despertaram tais reações, ficamos decepcionados. Não encontramos atos, e sim apenas impulsos [*Impulse*] e sentimentos que almejam o mal, mas cuja execução foi impedida. A consciência de culpa dos neuróticos se baseia apenas em realidades psíquicas, não em realidades factuais. A neurose é caracterizada pelo fato de colocar a realidade psíquica acima da factual, por reagir a pensamentos com a mesma seriedade com que as pessoas normais reagem apenas a realidades.

Será que as coisas não poderiam ter sido parecidas entre os primitivos? Estamos autorizados a lhes atribuir uma supervalorização extraordinária de seus atos psíquicos como fenômeno parcial de sua organização narcísica.[69] De acordo com isso, os meros impulsos [*Impulse*] de hostilidade contra o pai, a existência da fantasia de desejo de matá-lo e devorá-lo, poderiam ter bastado para produzir aquela reação moral que criou o totemismo e o tabu. Escaparíamos assim à necessidade de atribuir o começo de nosso patrimônio cultural, do qual estamos com razão tão orgulhosos, a um crime horrendo que ofende todos os nossos sentimentos. A conexão causal, que vai daquele começo até o nosso presente, não sofreria nenhum prejuízo, pois a realidade psíquica seria significativa o bastante para carregar todas essas consequências. A isso se objetará que, afinal, realmente ocorreu uma modificação da sociedade,

---

68. Ver o ensaio sobre o tabu, o segundo desta série.

69. Ver o ensaio "Animismo, magia e onipotência dos pensamentos".

que passou da forma da horda paterna à do clã de irmãos. Esse é um argumento forte, mas não é decisivo. A modificação poderia ter sido alcançada de uma maneira menos violenta e, no entanto, ter contido dentro de si a condição para o surgimento da reação moral. Enquanto a pressão do pai primordial se fazia sentir, os sentimentos hostis contra ele eram justificados, e o arrependimento devido a eles tinha de esperar por outro momento. Tampouco é válida uma segunda objeção, a de que tudo que se deriva da relação ambivalente com o pai – o tabu e a prescrição sacrificial – carrega em si o caráter da máxima seriedade e da mais completa realidade. O cerimonial e as inibições dos neuróticos obsessivos também mostram esse caráter e, no entanto, se derivam apenas da realidade psíquica, do propósito, e não de execuções. Temos de nos resguardar de, a partir de nosso mundo prosaico repleto de valores materiais, introduzir no mundo do primitivo e do neurótico, um mundo rico apenas interiormente, o desdém pelo meramente pensado e desejado.

Encontramo-nos aqui diante de uma decisão que realmente não é fácil. Comecemos confessando, porém, que a diferença que a outros pode parecer fundamental não atinge, a nosso juízo, o essencial do assunto. Se, para os primitivos, desejos e impulsos [*Impulse*] têm o pleno valor de fatos, é nossa tarefa observar compreensivamente tal concepção, em vez de corrigi-la segundo nossos critérios. Mas então tratemos de considerar com mais acuidade o próprio modelo da neurose, que nos colocou nessa dúvida. Não é correto que os neuróticos obsessivos que hoje se encontram sob a pressão de uma hipermoral apenas se defendam da realidade psíquica das tentações e se punam devido a impulsos [*Impulse*] meramente sentidos. Também há uma parcela de realidade histórica mesclada aí; em sua infância, essas pessoas não tinham outra coisa senão impulsos [*Impulse*] maus, e na medida em que a impotência da criança o permitiu, também converteram esses impulsos [*Impulse*] em ações. Cada um desses indivíduos hiperbons teve na infância seu período mau, uma fase perversa como precursora e pressuposto da fase hipermoral posterior. Assim, a analogia entre os primitivos e os neuróticos é estabelecida de maneira muito mais radical se supormos que também no caso dos primeiros a realidade psíquica, cuja conformação não deixa dúvidas, inicialmente coincidia com a realidade factual; que os primitivos realmente fizeram o que, segundo todos os testemunhos, tinham a intenção de fazer.

Mas também não podemos permitir que a analogia com os neuróticos influencie demais nosso julgamento sobre os primitivos. Cabe levar em conta também as diferenças. Não há dúvida de que para ambos, tanto selvagens quanto neuróticos, não existem as separações nítidas entre o pensar e o fazer tal como as traçamos. Só que o neurótico é inibido sobretudo no agir; para ele, o pensamento é o substituto pleno do ato. O primitivo é desinibido; o pensamento se converte facilmente em ato; para ele, o ato é, por assim dizer, antes um substituto do pensamento, e por isso, mesmo sem defender a certeza última da decisão, penso que no caso que discutimos se está autorizado a supor que: "No princípio era o ato".[70]

---

70. Goethe, *Fausto*, parte I, cena 3 ("Gabinete de estudo"). Essa é a "tradução" dada por Fausto às primeiras palavras do versículo inicial do Evangelho segundo João, "No princípio era o Verbo". (N.T.)

BIBLIOGRAFIA[1]

ABEL, K. *Über den Gegensinn der Urworte* [*Sobre o sentido antitético das palavras primitivas*]. Leipzig, 1884. (117)

ABRAHAM, K. "Über die determinierende Kraft des Namens" ["Sobre a força determinante do nome"]. *Zentbl. Psychoanal.*, vol. 2, p. 133, 1911. (105)

_____. "Über Einschränkungen und Umwandlungen der Schaulust bei den Psychoneurotikern" ["Sobre limitações e transformações da curiosidade nos psiconeuróticos"]. *Jb. Psychoanalyse.*, vol. 6, p. 25, 1914. (190-191)

ATKINSON, J.J. *Primal Law* [*Lei primordial*]. Londres, 1903. (Incluso em LANG, A., *Social Origins* [*Origens sociais*].) (188, 208-209)

BACHOFEN, J.J. *Das Mutterrecht* [*O direito materno*]. Stuttgart, 1861. (210)

BASTIAN, A. *Die deutsche Expedition an der Loango-Küste* [*A expedição alemã à costa de Loango*]. 2 vols. Iena, 1874-1875. (91, 93)

BLEULER, E. "Vortrag über Ambivalenz" ["Conferência sobre a ambivalência"]. Informe em *Zentbl. Psychoanal.*, vol. 1, p. 266. (72)

BOAS, F. "The Central Eskimo" ["Os esquimós centrais"]. *Sixth Ann. Rep. Bur. Amer., Ethn.*, p. 399, 1888. (107)

BROWN, W. *New Zealand and its Aborigines* [*A Nova Zelândia e seus aborígines*]. Londres, 1845. (88)

CODRINGTON, R.H. *The Melanesians* [*Os melanésios*]. Oxford, 1891. (49)

CRAWLEY, E. *The Mystic Rose* [*A rosa mística*]. Londres, 1902. (52-53)

DARWIN, C. *The Descent of Man* [*A origem do homem*]. 2. vols. Londres, 1871. (188-189, 207-208)

_____. *The Variation of Animals and Plants under Domestication* [*A variação de animais e plantas sob domesticação*]. 2. vols. 2. ed. Londres, 1875. (187)

---

1. As abreviaturas de títulos de periódicos correspondem a *World List of Scientific Periodicals* (Londres, 1963-1965). Os números entre parênteses no final de cada entrada indicam a(s) página(s) em que a referida obra é mencionada neste livro. No caso de autores com várias obras, estas se encontram ordenadas cronologicamente. (N.T.)

DOBRIZHOFFER, M. *Historia de Abiponibus* [*História dos abipones*]. 3. vols. Viena, 1784. (104)

DORSEY, J.O. "An Account of the War Customs of the Osages" ["Um relato sobre os costumes guerreiros dos osages"]. *Amer. Nat.*, vol. 18, p. 113, 1884. (82)

DURKHEIM, E. "La prohibition de l'inceste et ses origines" ["A proibição do incesto e suas origens"]. *Année sociolog.*, vol. 1, p. 1, 1898. (176, 181, 186)

_____. "Sur le totémisme" ["Sobre o totemismo"]. *Année sociolog.*, vol. 5, p. 82, 1902. (176, 181)

_____. "Sur l'organisation matrimoniale des sociétés australiennes" ["Sobre a organização matrimonial das sociedades australianas"]. *Année sociolog.*, vol. 8, p. 118, 1905. (176, 181)

_____. *Les formes élémentaires de la vie religieuse: Le système totémique en Australie* [*As formas elementares da vida religiosa: o sistema totêmico na Austrália*]. Paris, 1912. (172)

EDER, M.D. "Augenträume" ["Sonhos oculares"]. *Int. Z. ärztl. Psychoanal.*, vol. 1, p. 157, 1913. (194)

ELLIS, H. *Studies in the Psychology of Sex*, vol. IV: *Sexual Selection in Man* [*Estudos sobre a psicologia do sexo*, vol. 4: *a seleção sexual no ser humano*]. Filadélfia, 1914. (184)

ENCYCLOPAEDIA BRITANNICA. 11. ed. Cambridge, 1910-1911. (59, 128)

FERENCZI, S. "Ein kleiner Hahnemann" ["Um pequeno homem-galo"]. *Int. Z. ärztl. Psychoanal.*, vol. 1, p. 240, 1913 *a*. (193-196, 221)

_____. "Zur Augensymbolik" ["Sobre o simbolismo ocular"]. *Int. Z. ärztl. Psychoanal.*, vol. 1, p. 161, 1913 *b*. (194)

FISON, L. "The Nanga" ["Os nangas"]. *J. anthrop. Inst.*, vol. 14, p. 14, 1885. (49)

_____. e HOWITT, A.W. *Kamilaroi und Kurnai* [*Kamilaroi e kurnai*]. Melbourne, 1880. (52, 56, 170)

FRAZER, J.G. *Totemism and Exogamy* [*Totemismo e exogamia*]. 4 vols. Londres, 1910. (39-42, 49-52, 158-166, 173-187, 195, 205)

_____. *The Magic Art* (*The Golden Bough*, 3. ed., Parte I) [*A arte mágica* (*O ramo dourado*, 3. ed., Parte I)]. 2 vols. Londres, 1911 *a*. (87, 98, 131-136, 216, 219)

_____. *Taboo and the Perils of the Soul* (*The Golden Bough*, 3. ed., Parte II) [*O tabu e os perigos da alma* (*O ramo dourado*, 3. ed., Parte II)]. Londres, 1911 *b*. (70, 80-94, 96, 99-106, 153-155)

_____. *Spirits of the Corn and of the Wild.* (2 vols.) (*The Golden Bough*, 3. ed., Parte V) [*Os espíritos dos cereais e da selva.*

(2 vols.) (*O ramo dourado*, 3. ed., Parte V)]. Londres, 1912. (204-205, 223)

_____. *Adonis, Attis, Osiris* (*The Golden Bough*, 3. ed., Parte IV) [*Adônis, Átis, Osíris* (*O ramo dourado*, 3. ed., Parte IV)]. 2 vols. Londres, 1914. (81-82)

FREUD, S. *Drei Abhandlungen zur Sexualtheorie* [*Três ensaios de teoria sexual*]. 1905 *d*. (*Gesammelte Werke*, vol. 5, p. 29; *Studienausgabe*, vol. 5, p. 37) (142)

_____. "Analyse der Phobie eines fünfjährigen Knaben" ["Análise da fobia de um menino de cinco anos"]. 1909 *b*. (*GW*, vol. 7, p. 243; *SA*, vol. 8, p. 9) (192-193, 196)

_____. "Bemerkungen über einen Fall von Zwangsneurose" ["Observações sobre um caso de neurose obsessiva"]. 1909 *d*. (*GW*, vol. 7, p. 381; *SA*, vol. 7, p. 31) (139)

_____. "'Über den Gegensinn der Urworte'" ["'Sobre o sentido antitético das palavras primitivas'"]. 1910 *e*. (*GW*, vol. 8, p. 214; *SA*, vol. 4, p. 227) (117)

_____. "Formulierungen über die zwei Prinzipien des psychischen Geschehens" ["Formulações sobre os dois princípios do processo psíquico"]. 1911 *b*. (*GW*, vol. 8, p. 230; *SA*, vol. 3, p. 13) (137)

_____. "Psychoanalytische Bemerkungen über einen autobiographisch beschriebenen Fall von Paranoia (*Dementia paranoides*)" ["Observações psicanalíticas sobre um caso de paranoia descrito autobiograficamente (*Dementia paranoides*)"]. 1911 *c*. (*GW*, vol. 8, p. 240; *SA*, vol. 7, p. 133) (147)

_____. "A Note on the Unconscious in Psycho-Analysis" ["Uma observação sobre o inconsciente na psicanálise"]. 1912 *g*. (*GW*, vol. 8, p. 340; *SA*, vol. 3, p. 25; tradução alemã de Hanns Sachs) (149)

GOLDENWEISER, A. "Totemism, an Analytical Study" ["Totemismo, um estudo analítico"]. *J. Am. Folklore*, vol. 23, p. 179. (167-168)

HADDON, A.C. "Presidential Address to the Anthropological Section" ["Discurso presidencial à seção de antropologia"]. *Report of the Seventy-Second Meeting of the British Association*, p. 738. (172-173, 175)

HAEBERLIN, P. "Sexualgespenster" ["Fantasmas sexuais"]. *Sexualprobleme*, vol. 8, p. 96, 1912. (115)

HOWITT, A.W. *The Native Tribes of South-East Australia* [*As tribos nativas do sudeste da Austrália*]. Londres, 1904. (183)

HUBERT, H. e MAUSS, M. "Essai sur la nature et le fonction du sacrifice" ["Ensaio sobre a natureza e a função do sacrifício"]. *Année sociolog.*, vol. 2, p. 29, 1899. (205)

_____. "Esquisse d'une théorie générale de la magie" ["Esboço de uma teoria geral da magia"]. *Année sociolog.*, vol. 7, p. 1, 1904. (130)

Jevons, F.B. *An Introduction to the History of Religion* [*Uma introdução à história da religião*]. 2. ed. Londres, 1902. (202)

Jung, C.G. *Wandlungen und Symbole der Libido* [*Transformações e símbolos da libido*]. Leipzig e Viena, 1912. (31, 213, 218)

_____. "Versuch einer Darstellung der psychoanalytischen Theorie" ["Uma tentativa de exposição da teoria psicanalítica"]. *Jb. psychoanalyt. psychopath. Forsch.*, vol. 5, p. 307, 1913. (31)

Junod, H.A. *Les Ba-Ronga* [*Os barongos*]. Neuchâtel, 1898. (50)

Kaempfer, E. *The History of Japan* [*História do Japão*]. 2 vols. Londres, 1727. (91)

Keane, A.H. *Man, Past and Present* [*O homem: passado e presente*]. Cambridge, 1899. (168)

Kleinpaul, R. *Die Lebendigen und die Toten in Volksglauben, Religion und Sage* [*Os vivos e os mortos na crença popular, na religião e na lenda*]. Leipzig, 1898. (107-108)

Lang, A. *Social Origins* [*Origens sociais*]. Londres, 1903. (Contendo Atkinson, J.J., *Primal Law* [*Lei primordial*].) (168, 170, 176, 188)

_____. *The Secret of the Totem* [*O segredo do totem*]. Londres, 1905. (39, 167-172, 176, 179, 182, 189)

_____. "Totemism" ["Totemismo"]. *Encyclopaedia Britannica*, 11. ed., vol. 27, p. 79, 1910-1911. (47)

_____. "Lord Avebury on Marriage, Totemism, and Religion" ["O casamento, o totemismo e a religião segundo Lord Avebury"]. *Folk-Lore*, vol. 22, p. 402, 1911. (189)

Leslie, D. *Among the Zulus and Amatongas* [*Entre os zulus e os amatongas*]. 2. ed. Edimburgo, 1895. (53)

Low, H. *Sarawak* [*Sarawak*]. Londres, 1848. (81)

Lubbock, J. *The Origin of Civilisation* [*A origem da civilização*]. Londres, 1870. (53, 169)

McLennan, J.F. "Primitive Marriage" ["O casamento primitivo"]. Edimburgo, 1865. (168, 182-183)

_____. "The Worship of Animals and Plants" ["A adoração de animais e plantas"]. *Fortnightly Rev.*, N.S. vol. 6, p. 407 e 562; N.S. vol. 7, p. 194, 1869-1870. (40, 156, 168)

Maori, A. Pakeha (Maning, F.E.). *Old New Zealand* [*Velha Nova Zelândia*]. Londres, 1884. (87-88)

BIBLIOGRAFIA

MARETT, R.R. "Pre-Animistic Religion" ["Religião pré-animista"]. *Folk-Lore*, vol. 11, p. 162, 1900. (144, 146)

MARILLIER, L. "La place du totémisme dans l'evolution religieuse" ["O lugar do totemismo na evolução religiosa"]. *Rev. Hist. Relig.*, vol. 37, p. 204, 1898. (205)

MARINER, W. *An Account of the Natives of the Tonga Islands* [*Um relato sobre os nativos do arquipélago de Tonga*]. 2. ed. 2 vols. Londres, 1818. (100)

MAX-MÜLLER, F. *Contributions to the Science of Mythology* [*Contribuições à ciência da mitologia*]. Londres, 1897. 2. vols. (169)

MORGAN, L.H. *Ancient Society* [*A sociedade antiga*]. Londres, 1877. (44, 183)

MÜLLER, S. *Reizen en Onderzoekingen in den Indischen Archipel* [*Viagens e explorações na Insulíndia*]. Amsterdã, 1857. (83)

PAULITSCHKE, P. *Ethnographie Nordost-Afrikas*. [*Etnografia do nordeste da África*]. 2 vols. Berlim, 1893-1896. (81)

PECKEL, P.G. "Die Verwandschaftsnamen des mittleren Neumecklenburg" ["As denominações de parentesco na Nova Mecklenburgo Central"]. *Anthropos*, vol. 3, p. 456. (49)

PICKLER, J. e SOMLÓ, F. *Der Ursprung des Totemismus* [*A origem do totemismo*]. Berlim, 1900. (169)

RANK, O. "Eine noch nicht beschriebene Form des Ödipus-Traumes" ["Uma forma ainda não descrita de sonho edipiano"]. *Int. Z. ärztl. Psychoanal.*, vol. 1, p. 151, 1913. (194)

REINACH, S. *Cultes, mythes et religions* [*Cultos, mitos e religiões*]. 4 vols. Paris, 1905-1912. (130, 145, 157-158, 172, 222, 224)

REITLER, R. "Zur Augensymbolik" ["Sobre o simbolismo ocular"]. *Int. Z. ärztl. Psychoanal.*, vol. 1, p. 159, 1913. (194)

RIBBE, C. *Zwei Jahre unter den Kannibalen der Salomo-Inseln* [*Dois anos entre os canibais das Ilhas Salomão*]. Dresden, 1903. (51)

RIVERS, W.H.R. "Totemism in Polynesia and Melanesia" ("O totemismo na Polinésia e na Melanésia"). *J.R. Anthrop. Inst.*, vol. 39, p. 156, 1909. (178)

SCHREBER, D.P. *Denkwürdigkeiten eines Nervenkranken* [*Memórias de um doente dos nervos*]. Leipzig, 1903. (147)

SILBERER, H. "Bericht über eine Methode, gewisse symbolische Halluzinations-Erscheinungen hervorzurufen und zu beobachten" ["Relatório sobre um método de produzir e observar certos fenômenos alucinatórios simbólicos"]. *Jb. psychoanalyt. psychopath. Forsch.*, vol. 1, p. 513, 1909. (218)

SMITH, W.R. *Lectures on the Religion of the Semites* [*Conferências sobre a religião dos semitas*]. 2. ed. Londres, 1894. (196-205, 208, 210, 213-215, 220, 224)

SPENCER, B. e GILLEN, F.J. *The Native Tribes of Central Australia* [*As tribos nativas da Austrália central*]. Londres, 1899. (45, 173, 177, 183)

SPENCER, H. *The Origin of Animal Worship* [*A origem da adoração de animais*]. *Fortnightly Rev.*, N.S., vol. 7, p. 535, 1870. (169)

_____. *The Principles of Sociology* [*Princípios de sociologia*]. 3. ed. vol. 1. Londres, 1893. (128, 148, 169)

STEKEL, W. "Die Verpflichtung des Namens" ("O compromisso do nome"). *Z. Psychother. med. Psychol.*, vol. 3, p. 110, 1911. (105)

STORFER, A.J. *Zur Sonderstellung des Vatermordes* [*Sobre a posição especial do parricídio*]. Viena, 1911. (47)

THOMAS, N.W. "Magic" ["Magia"]. *Encyclopaedia Britannica*, 11. ed., vol. 17, p. 304, 1910-1911 a. (136)

_____. "Taboo" ["Tabu"]. *Encyclopaedia Britannica*, 11. ed., vol. 26, p. 337, 1910-1911 a. (59-62)

TYLOR, E.B. "A Method of Investigating the Development of Institutions" ["Um método para investigar o desenvolvimento de instituições"]. *J. anthrop. Inst.*, vol. 18, p. 245, 1889. (53)

_____. *Primitive Culture* [*Cultura primitiva*]. 3. ed. 2 vols. Londres, 1891. (126, 128, 130, 135)

WESTERMARCK, E. *The History of Human Marriage* [*A história do casamento humano*]. 3. ed. Londres, 1902. (45)

_____. *The Origin and Development of the Moral Ideas* [*A origem e o desenvolvimento dos conceitos morais*]. 2 vols. Londres, 1906-1908 (tradução alemã: 1907-1909). (107, 108, 111, 184)

WILKEN, G.A. "Het animisme bij de volken van den Indischen Archipel" ["O animismo nos povos da Insulíndia"]. *Ind. Gids*, vol. 6 (parte I), p. 925, 1884. (179)

WULFF, M. [WOOLF, M.] "Beiträge zur infantilen Sexualität" ("Contribuições sobre a sexualidade infantil"). *Zentbl. Psychoanal.*, vol. 2, p. 6, 1912. (191-192)

WUNDT, W. *Mythus und Religion*, Teil II (*Völkerpsychologie*, Bd. 2) [*Mito e religião*, Parte II (*Etnopsicologia*, vol. 2)]. Leipzig, 1906. (40, 59, 64-67, 106, 115, 126-128, 146)

_____. *Elemente der Völkerpsychologie* [*Elementos de etnopsicologia*]. Leipzig, 1912. (157, 163-164, 180)

ZWEIFEL, J. e MOUSTIER, M. *Voyage aux sources du Niger* [*Viagem às nascentes do rio Níger*]. Marselha, 1880. (96)

ÍNDICE

abasia 152
abate do animal sacrificial 200
abipones 104
aborígenes australianos 37, 107
ação sintomática e tabu 155
ações obsessivas 71
Adelaide Bay 103
Adônis 221
África oriental inglesa 50
Afrodite 221
agorafobia 152
ἄγος 58
agutainos 101
ainos 102, 132, 204
akambas 50, 102
alegoria 218
Allen, Grant 107
ambivalência
    da relação com a sogra 54-56
    da relação com um objeto 72
    desejo de que pessoas amadas morram 109-111
    dos sentimentos e o tabu 58-125
    medida da ~ emocional entre os primitivos 116
    modelo da 226
amnésia 72
amuletos *churinga* 174
'Ανάγχη e criações culturais 148
Anaximandro 222
animais
    atitude da criança em relação aos 190
    fobia de *ver* fobia
animal totêmico
    atitude ambivalente em relação ao 195
    identificação com o 195
animalismo 126
animatismo 126, 146
animismo 114, 126-155
antepassado da estirpe como totem 39
apache 85
Apepi 131
Ariel (*A tempestade*) 224
Árpád, o pequeno 193-196
arrependimento 73, 209
arte
    e onipotência dos pensamentos 144
    – histeria 125
    magia da 144
aruntas 173-179, 196
árvore totêmica, proibição de sentar-se à sombra da 182
assassinato 80, 85, 103, 108, 111, 157, 162, 202, 215, 219, 222-223
associações de homens 207
astecas 204

atenção 114
Átis 221
atitude ambivalente em relação ao pai 193, 209
ato substitutivo 73
ausência de filhos, consequências psíquicas da 55
autoerotismo 142
autossacrifício 222
avoidances 48

Bacon, Francis 135
barongos 50
basogas 52
battas 49
beduínos 199, 204
Berna, ursos no fosso de 161
binis 205
Boas, F. 180
Book of Rights na Irlanda 92
Bornéu 81, 102
brincadeira e satisfação alucinatória de desejo 137
bufônias 202

cabo Padron 91
caçadores de cabeças 80-81
caçadores de escalpos 84
Camboja 93
canguru, totem (exemplo) 42
canibalismo 134, 207
"carnífice" 85
carrasco 85
Carus, V. 188
casamento grupal 44-45
casamento por rapto 53
castigo e tabu 60, 75, 76, 122
categórico, imperativo 32, 64

censuras obsessivas em relação à morte de uma pessoa querida 109
cerimônia da puberdade e a relação com parentes 48
cerimonial
  da corte 88, 98
  de purificação 61
  e neurose obsessiva 69, 71
  e tabu 61, 62
  obsessivo 68-71
Cervantes 98
choctaw 82, 84
churinga 174
Cibele 221
ciências humanas e psicanálise 31-33, 126
clã 38
classes matrimoniais 45-47, 52, 174, 183
"clube" nas Novas Hébridas 48
Colúmbia Britânica 101
comensais, sacrificantes e deus na condição de 199
complexo de Édipo *ver* Édipo
complexo nuclear da neurose e desejos incestuosos 57
compreensão inconsciente 228
compulsão de lavar-se 71
comunhão 197, 223
concepção, teoria da ~ dos aruntas 174
consciência de culpa, criadora 229
consciência moral e consciência moral do tabu 118
contradesejo e desejo 79
contrafeitiço e feitiço 141
coro na tragédia grega 224-225

ÍNDICE

corte, etiqueta da 88, 98
costumes na relação entre parentes 48
cristianismo 221
Cristo 222
culpa trágica 224-225

dayaks 81, 83, 133
de mortuis nil nisi bene 116
Delagoa, baía de 50
délire de toucher 69, 71, 77, 124
delírio de perseguição 97
delírio paranoico – sistema filosófico 125
demônios
    crença em 63-66, 82, 106-116, 127, 141, 146
    proteção contra os 60
designações de parentesco nas tribos australianas 44
deslocamento
    a uma coisa ínfima 141
    mecanismo de ~ do inconsciente 121
Deus filho 223
Deus Pai 222-223
dieri 45
Dioniso 222, 225
divindades maternas 216, 221
doença obsessiva 68-73
dualismo corpo-espírito 148
dúvida como expressão da tendência ao recalcamento 137

Édipo 118, 132, 194, 196
    complexo de 192-196, 210, 225
elaboração secundária e formação de sistema 115, 150

emanações, investimentos objetais enquanto ~ da libido do eu 143
emu, totem (exemplo) 42
encantamentos para produzir chuva 132
Encounter Bay 103
escrofulose 87
"espírito" 149
espírito protetor como totem 39
espíritos, crença em 63, 82, 106, 115, 126-127, 148
espíritos da vegetação 221
esquimós 107
estágio pré-animista 146
estirpes 38
etiqueta da corte 88, 97
etnologia e psicanálise 32
etnopsicologia 31, 227
"evitações" na relação com parentes 48, 56
exogamia *ver também* incesto
    definição do conceito 40
    e proibição do incesto 42-43, 181, 183
    e totemismo 163-164, 180-231
    origem da 180-231
    punição pela violação da exigência de 41

feitiçaria 130
feitiço e contrafeitiço 141
fenômeno funcional 218
ferida – arma 134-135
fertilidade, encantamentos para estimular a 132
festa 198-199, 206
fetiche 160
Filipinas 101, 102

filosofar e animismo 129
filosofia da natureza 127
fixação 72
Flamen Dialis 92
flamínica 92
fobia
   de animais 190-193
   de cães 191, 196
   de cavalos 192-193
   de contato 69, 71, 77, 124
   de um menino de cinco anos 192
   de vespas 190
   determinantes de uma 152
folclore e psicanálise 32
força mágica e tabu 61
formação de sistema e elaboração secundária 115, 150
fórmulas protetoras da neurose obsessiva 141
fratrias e subfratrias 45

gallas 81
Garcilaso de la Vega 168
gilyak 133
gorila 188
grupal, casamento *ver* casamento grupal
guaicurus 103
guerreiro 61, 80, 84, 88, 153
gueux, les 172

Hamlet 138
"Hans, o pequeno" 192-193
Havaí 100
herança de disposições psíquicas 228
Hill-Tout 180
histeria – arte 125

"homem-galo, um pequeno" 193-195
horda primordial 188, 207-208, 217
hostilidade inconsciente contra os mortos 109, 113
Hume 128

idade do ouro 176
ideia de deus 214-218
ideias de alma 126-128, 141, 147
identificação dos pais com os filhos 55
Igreja Católica e proibição de casamento entre primos 47
Ilha dos Leprosos 48
Ilha Selvagem 93
Ilhas Banks 51, 178
Ilhas Fiji 49
Ilhas Nicobar 102, 106
Ilhas Salomão 51
imaculada concepção 179
imortalidade 128
imperativo categórico 32, 64
"impossibilidade" na neurose obsessiva 69-70, 102
impulsos suicidas dos neuróticos 222
incas 168
incesto
   e infertilidade dos campos 132
   horror ao 37-57, 183-187
   horror ao ~ na relação com a sogra 55
   o tema do ~ na poesia 57
   proibição do ~ e exogamia 42
   proibição do ~ para animais domésticos 52
   sensibilidade ao 43

ÍNDICE

inconsciente
  compreensão 228
  e "alma" 149
infantilismo do neurótico 57
inibição do caminhar 152
insígnias heráldicas 168
intichiuma, cerimônia 174-176, 205
Irlanda 92
"irmãos em Apolo" 44
irmãos, grupo de 207-210, 213, 222-225
"irmãs em Cristo" 44

Java 132
juramento 162

Kant, I. 32
kin 199
King's Evil, The 87
kinship 199-200
kodausch 59
Kukulu 91

l'art pour l'art 145
lavagens 84
lavar-se, compulsão de 71
lealdade 95
leis de associação e relações mágicas 136
linguística e psicanálise 32, 44, 103
literatura, personificações de impulsos na 115
Loango 91
Logea 83
Long, J. 39
luto
  e tabu dos nomes 105-106
  pessoa trajando 102
  usos durante o 100-102

Macbeth 82
Madagascar 58, 102
Mãe Terra 221
magia 126-155
  contagiosa 134-135
  contato como princípio mais geral da 138
  da arte 144
  definição do conceito de 130
  dos nomes 134
  e feitiçaria 130
  homeopática 133
  imitativa 133, 136
  para a chuva 132
  para a fertilidade 132
mágicas, relações
  e leis de associação 136
  entre ferida e arma 134-135
mana 59-61, 76, 77
manismo 126
maoris 70, 88, 99, 107, 151
massa, psique de 227
massais 103
masturbação, proibição da 191
maternas, divindades 216, 221
materno, direito 210
medo
  da castração 193, 221
  da consciência moral 119
  de fantasmas 115
Mekeo 101
Melanésia, relações entre parentes na 48
micado 90
mito 128-129
  da idade do ouro *ver* idade do ouro
  da imaculada concepção *ver* imaculada concepção

Mitra, religião de 221
modificações linguísticas em consequência da proibição de nomes 103
"moeda neurótica" 140
mongóis 102
monumbos 84
morte
 após o consumo de um animal tabu 62
 causas da ~ na opinião dos primitivos 108
 ideia da 128, 141, 147
motumotu 84

nandis 102
narcisismo 143, 148
 intelectual 144
nascimento, teoria do ~ dos aruntas 174
natchez 84
navalha em uma neurose 151-152
neurose e infantilismo 56-57
neurose obsessiva
 e religião 125
 e superstição 139
 exemplo da navalha 70, 151-152
 fórmulas protetoras da 141
neuróticos e povos naturais 37
Niue 93
noa 58-59
nomes, magia dos 134
 e tabu dos nomes 102-106
 e totem *ver* totemismo, teorias nominalistas do
 zombaria e injúria 172
Norwich 135

Nova Caledônia 49, 208
Nova Guiné 83, 84
Nova Guiné Britânica 101
Nova Mecklenburgo 49
Novas Hébridas 48
nubas 86

obediência *a posteriori* 209
objeto, escolha de 55, 56, 142
objeto substitutivo 73
onipotência dos pensamentos 126-155
 e a arte 144
 e as visões de mundo 142
 origem da expressão 139
ordálios 162
Orfeu, morte de 222, 224
órficos, mistérios 222
organização da tribo e totemismo 164
orgias sagradas 49
originalidade dos primitivos 40
ouataouaks 204

pacto de sangue 203
pai primordial 207, 216, 217, 224, 225, 228, 230
 animal totêmico na condição de 195
Paixão de Cristo 225
Palawan 101
palus 81
Paraguai 103, 104
paranoia persecutoria 97
parricídio 207-213, 215, 223
 como realidade psíquica 229
"pastoral", religião 202
patriarcal, sociedade 217
pavor nocturnus 192

ÍNDICE

pecado original 222
pecuária e totemismo 202
pensamento
   e representações de palavra 114
   supervalorização do 137
pimas 85
Plínio 135
Port Patteson 51
povos naturais e neuróticos 37
povos selvagens e semisselvagens 37
pré-animista, estágio 146
primitivo
   e o homem pré-histórico 37
   ~s e sua questionável originalidade 40
procissões para implorar chuva 133
proibição da investigação histórica entre primitivos 104
proibição de casamento entre primos e Igreja Católica 47
proibições obsessivas, falta de justificação das 69
projeção
   de desejos de morte 110-113
   na paranoia 146-147
   no animismo 146
promiscuidade e horda primordial 188
psicanálise e ciências humanas 31-32, 126

Ra 131
raios divinos 147
rapto, casamento por *ver* casamento por rapto
rapto de mulheres 182

realidade psíquica do sentimento de culpa 229
recalcamento de desejos incestuosos 57
redentor 222, 225
refeição totêmica 197, 204-217, 223, 224
regressão e infantilismo 57
rei
   poder do 89
   semelhante a deus 218
rei-sacerdote 86, 91, 93
relação entre parentes, costumes na 48
religião, gênese da 156, 208
religião – neurose obsessiva 125
renascimento, teoria do ~ dos aruntas 174
renúncia aos impulsos e progresso cultural 154
repulsa 67
Ricardo III 82
ritos expiatórios 61, 76
Roma, lobos na jaula do Capitólio em 161

sacerdote 59, 61, 92, 131, 218
sacrifício 197-205
   animal 198
   bebível 198
   do rei 219
   do urso 204
   humano 204, 219, 223
   místico 201
   teantrópico 219
   vegetal 198
samoiedos 102
Sancho Pança 98
são Nilo 204, 222

Sarawak 81
satisfação alucinatória de desejo 137
saudade do pai 215-217
Savage, dr. 188
Schlegel 224
Schopenhauer 141
Schreber 147
semitas, sistema de sacrifícios dos 197
sentido antitético da palavra "tabu" 58, 63, 66, 116
sentimento de culpa
    do neurótico obsessivo 140
    e parricídio 209
    e violação do tabu 118
Serra Leoa 93, 96
Shark Point 91
shuswaps 101
sinistro 139
sistema classificatório das designações de parentesco 44
sistema filosófico – delírio paranoico 125
sociedade órfã de pai 217
Sófocles 132
sogra
    ambivalência da relação com a 53-55
    horror ao incesto na relação com a 55
    piadas de 54
    relação ~-genro em povos civilizados 54-56
    tabu da 51-54
sogro, tabu do 51
solidariedade no clã 212
sonho, elaboração secundária no 150

subfratrias 45
Sumatra 49
superstições 62, 82, 129, 139, 141, 153, 155, 171, 177

tabu
    castigos para a transgressão do 60, 75, 76, 122
    comunicado 59
    consciência moral do 118
    contra danos 60
    das crianças 60, 76
    das mulheres 60, 76
    das pessoas importantes 60, 76, 86-98
    definição do conceito 58-62
    doença do 68
    dos animais 64
    dos mortos 99-113
    dos nomes 102-106
    e ação sintomática 155
    e ambivalência dos sentimentos 58-125
    e cerimonial 62
    e força mágica 61
    e o imperativo categórico 32, 64
    e sentimento de culpa 118
    força do efeito do 61
    história das proibições do 73-75
    natural 59
    o transgressor do ~ é contagioso 75, 122
    para a proteção contra os demônios 60, 65-66, 106-113
    para os assassinos 80-86
    para viúvas 100-102
    permanente 61

proibições do ~ "inatas"? 74
quanto à investigação histórica 104
quanto a pronunciar o nome de um falecido 102-104
relativo aos inimigos 80-86
relativo aos soberanos 86-98
renúncia em obediência ao 78
sentido antitético da palavra 58, 63, 66, 116
temporário 61
transmissibilidade do 59-61, 77

talião, lei de 222
Tamuz 221
tatuagem 168
teantrópico, sacrifício 219
telepatia 133
tempestade, A 224
tentação 75, 102
medo da ~ frente aos mortos 111
teoria sexual dos aruntas 174
ternura exagerada na neurose 95
terra, cultivo da 221
"tia" na linguagem das crianças 44
timmes 96
Timor 80, 83
tinguanas 102
"tio" na linguagem das crianças 44
toaripi 84
todas 102
Tonga 100
tories 172
totam 39
totem
animal como 38, 64
antepassado como 39
como decisor sobre questões de descendência e de autenticidade 162
como insígnia heráldica 168
da tribo 160
definição do conceito 38-39, 163
disfarçar-se de 162
do clã 160
do sexo 160
e consanguinidade 39, 160
e pertencimento à tribo 39
espírito protetor como 39
festas para celebrar o 39
herdabilidade do 39, 180
individual 160
planta como 39
proibição de comer o 39, 74, 157-161, 165
proibição de matar o 39, 74, 157-161

totemismo
a origem do 167-180
definição do conceito de 157-158, 163-164
e exogamia *ver* exogamia
e organização da tribo 164
entre os australianos 37-47
entre os índios da América do Norte 40
na África 40
nas ilhas da Oceania 40
nas Índias Orientais 40
numa criança 193
o retorno infantil do 156-231
restrições sociais ligadas ao 162
teorias nominalistas do 168-172

teorias psicológicas do 176-180
teorias sobre o 40, 168-180
teorias sociológicas do 172-176
tragédia 224-225
tragédia grega 224-225
tuaregues 102, 106

urabuna 45

vampiro 108
Vanua Lava 51
veneração 67
dos antepassados 116, 195

vespas, fobia de 190
Victoria 103
vida sexual dos aborígenes australianos 38
visões de mundo, onipotência dos pensamentos nas 142
viúvas, tabus das 100-102

wakambas 50
whigs 172

zulus 51, 53
zunis 205
Zurique, escola psicanalítica de 31

Coleção L&PM POCKET

600. **Crime e castigo** – Dostoiévski
601. **Mistério no Caribe** – Agatha Christie
602. **Odisseia (2): Regresso** – Homero
603. **Piadas para sempre (2)** – Visconde da Casa Verde
604. **À sombra do vulcão** – Malcolm Lowry
605(8). **Kerouac** – Yves Buin
606. **E agora são cinzas** – Angeli
607. **As mil e uma noites** – Paulo Caruso
608. **Um assassino entre nós** – Ruth Rendell
609. **Crack-up** – F. Scott Fitzgerald
610. **Do amor** – Stendhal
611. **Cartas do Yage** – William Burroughs e Allen Ginsberg
612. **Striptiras (2)** – Laerte
613. **Henry & June** – Anaïs Nin
614. **A piscina mortal** – Ross Macdonald
615. **Geraldão (2)** – Glauco
616. **Tempo de delicadeza** – A. R. de Sant'Anna
617. **Tiros na noite 2: Medo de tiro** – Dashiell Hammett
618. **Snoopy em Assim é a vida, Charlie Brown! (3)** – Schulz
619. **1954 – Um tiro no coração** – Hélio Silva
620. **Sobre a inspiração poética (Íon) e ...** – Platão
621. **Garfield e seus amigos (8)** – Jim Davis
622. **Odisseia (3): Ítaca** – Homero
623. **A louca matança** – Chester Himes
624. **Factótum** – Bukowski
625. **Guerra e Paz: volume 1** – Tolstói
626. **Guerra e Paz: volume 2** – Tolstói
627. **Guerra e Paz: volume 3** – Tolstói
628. **Guerra e Paz: volume 4** – Tolstói
629(9). **Shakespeare** – Claude Mourthé
630. **Bem está o que bem acaba** – Shakespeare
631. **O contrato social** – Rousseau
632. **Geração Beat** – Jack Kerouac
633. **Snoopy: É Natal! (4)** – Charles Schulz
634. **Testemunha da acusação** – Agatha Christie
635. **Um elefante no caos** – Millôr Fernandes
636. **Guia de leitura (100 autores que você precisa ler)** – Organização de Léa Masina
637. **Pistoleiros também mandam flores** – David Coimbra
638. **O prazer das palavras** – vol. 1 – Cláudio Moreno
639. **O prazer das palavras** – vol. 2 – Cláudio Moreno
640. **Novíssimo testamento; com Deus e o diabo, a dupla da criação** – Iotti
641. **Literatura Brasileira: modos de usar** – Luís Augusto Fischer
642. **Dicionário de Porto-Alegrês** – Luís A. Fischer
643. **Clô Dias & Noites** – Sérgio Jockymann
644. **Memorial de Isla Negra** – Pablo Neruda
645. **Um homem extraordinário e outras histórias** – Tchékhov
646. **Ana sem terra** – Alcy Cheuiche
647. **Adultérios** – Woody Allen
651. **Snoopy: Posso fazer uma pergunta, professora? (5)** – Charles Schulz
652(10). **Luís XVI** – Bernard Vincent
653. **O mercador de Veneza** – Shakespeare
654. **Cancioneiro** – Fernando Pessoa
655. **Non-Stop** – Martha Medeiros
656. **Carpinteiros, levantem bem alto a cumeeira & Seymour, uma apresentação** – J.D.Salinger
657. **Ensaios céticos** – Bertrand Russell
658. **O melhor de Hagar 5** – Dik e Chris Browne
659. **Primeiro amor** – Ivan Turguêniev
660. **A trégua** – Mario Benedetti
661. **Um parque de diversões da cabeça** – Lawrence Ferlinghetti
662. **Aprendendo a viver** – Sêneca
663. **Garfield, um gato em apuros (9)** – Jim Davis
665. **Dilbert (1)** – Scott Adams
666. **A imaginação** – Jean-Paul Sartre
667. **O ladrão e os cães** – Naguib Mahfuz
669. **A volta do parafuso** *seguido de* **Daisy Miller** – Henry James
670. **Notas do subsolo** – Dostoiévski
671. **Abobrinhas da Brasilônia** – Glauco
672. **Geraldão (3)** – Glauco
673. **Piadas para sempre (3)** – Visconde da Casa Verde
674. **Duas viagens ao Brasil** – Hans Staden
676. **A arte da guerra** – Maquiavel
677. **Além do bem e do mal** – Nietzsche
678. **O coronel Chabert** *seguido de* **A mulher abandonada** – Balzac
679. **O sorriso de marfim** – Ross Macdonald
680. **100 receitas de pescados** – Silvio Lancellotti
681. **O juiz e seu carrasco** – Friedrich Dürrenmatt
682. **Noites brancas** – Dostoiévski
683. **Quadras ao gosto popular** – Fernando Pessoa
685. **Kaos** – Millôr Fernandes
686. **A pele de onagro** – Balzac
687. **As ligações perigosas** – Choderlos de Laclos
689. **Os Lusíadas** – Luis Vaz de Camões
690(11). **Átila** – Éric Deschodt
691. **Um jeito tranquilo de matar** – Chester Himes
692. **A felicidade conjugal** *seguido de* **O diabo** – Tolstói
693. **Viagem de um naturalista ao redor do mundo** – vol. 1 – Charles Darwin
694. **Viagem de um naturalista ao redor do mundo** – vol. 2 – Charles Darwin
695. **Memórias da casa dos mortos** – Dostoiévski
696. **A Celestina** – Fernando de Rojas
697. **Snoopy: Como você é azarado, Charlie Brown! (6)** – Charles Schulz
698. **Dez (quase) amores** – Claudia Tajes
699. **Poirot sempre espera** – Agatha Christie
701. **Apologia de Sócrates** *precedido de* **Êutifron** e *seguido de* **Críton** – Platão

702. **Wood & Stock** – Angeli
703. **Striptiras** (3) – Laerte
704. **Discurso sobre a origem e os fundamentos da desigualdade entre os homens** – Rousseau
705. **Os duelistas** – Joseph Conrad
706. **Dilbert** (2) – Scott Adams
707. **Viver e escrever** (vol. 1) – Edla van Steen
708. **Viver e escrever** (vol. 2) – Edla van Steen
709. **Viver e escrever** (vol. 3) – Edla van Steen
710. **A teia da aranha** – Agatha Christie
711. **O banquete** – Platão
712. **Os belos e malditos** – F. Scott Fitzgerald
713. **Libelo contra a arte moderna** – Salvador Dalí
714. **Akropolis** – Valerio Massimo Manfredi
715. **Devoradores de mortos** – Michael Crichton
716. **Sob o sol da Toscana** – Frances Mayes
717. **Batom na cueca** – Nani
718. **Vida dura** – Claudia Tajes
719. **Carne trêmula** – Ruth Rendell
720. **Cris, a fera** – David Coimbra
721. **O anticristo** – Nietzsche
722. **Como um romance** – Daniel Pennac
723. **Emboscada no Forte Bragg** – Tom Wolfe
724. **Assédio sexual** – Michael Crichton
725. **O espírito do Zen** – Alan W. Watts
726. **Um bonde chamado desejo** – Tennessee Williams
727. **Como gostais** seguido de **Conto de inverno** – Shakespeare
728. **Tratado sobre a tolerância** – Voltaire
729. **Snoopy: Doces ou travessuras?** (7) – Charles Schulz
730. **Cardápios do Anonymus Gourmet** – J.A. Pinheiro Machado
731. **100 receitas com lata** – J.A. Pinheiro Machado
732. **Conhece o Mário?** vol.2 – Santiago
733. **Dilbert** (3) – Scott Adams
734. **História de um louco amor** seguido de **Passado amor** – Horacio Quiroga
735. (11).**Sexo: muito prazer** – Laura Meyer da Silva
736. (12).**Para entender o adolescente** – Dr. Ronald Pagnoncelli
737. (13).**Desembarcando a tristeza** – Dr. Fernando Lucchese
738. **Poirot e o mistério da arca espanhola & outras histórias** – Agatha Christie
739. **A última legião** – Valerio Massimo Manfredi
741. **Sol nascente** – Michael Crichton
742. **Duzentos ladrões** – Dalton Trevisan
743. **Os devaneios do caminhante solitário** – Rousseau
744. **Garfield, o rei da preguiça** (10) – Jim Davis
745. **Os magnatas** – Charles R. Morris
746. **Pulp** – Charles Bukowski
747. **Enquanto agonizo** – William Faulkner
748. **Aline: viciada em sexo** (3) – Adão Iturrusgarai
749. **A dama do cachorrinho** – Anton Tchékhov
750. **Tito Andrônico** – Shakespeare
751. **Antologia poética** – Anna Akhmátova
752. **O melhor de Hagar 6** – Dik e Chris Browne
753. (12).**Michelangelo** – Nadine Sautel
754. **Dilbert** (4) – Scott Adams
755. **O jardim das cerejeiras** seguido de **Tio Vânia** – Tchékhov
756. **Geração Beat** – Claudio Willer
757. **Santos Dumont** – Alcy Cheuiche
758. **Budismo** – Claude B. Levenson
759. **Cléopatra** – Christian-Georges Schwentzel
760. **Revolução Francesa** – Frédéric Bluche, Stéphane Rials e Jean Tulard
761. **A crise de 1929** – Bernard Gazier
762. **Sigmund Freud** – Edson Sousa e Paulo Endo
763. **Império Romano** – Patrick Le Roux
764. **Cruzadas** – Cécile Morrisson
765. **O mistério do Trem Azul** – Agatha Christie
768. **Senso comum** – Thomas Paine
769. **O parque dos dinossauros** – Michael Crichton
770. **Trilogia da paixão** – Goethe
773. **Snoopy: No mundo da lua!** (8) – Charles Schulz
774. **Os Quatro Grandes** – Agatha Christie
775. **Um brinde de cianureto** – Agatha Christie
776. **Súplicas atendidas** – Truman Capote
779. **A viúva imortal** – Millôr Fernandes
780. **Cabala** – Roland Goetschel
781. **Capitalismo** – Claude Jessua
782. **Mitologia grega** – Pierre Grimal
783. **Economia: 100 palavras-chave** – Jean-Paul Betbèze
784. **Marxismo** – Henri Lefebvre
785. **Punição para a inocência** – Agatha Christie
786. **A extravagância do morto** – Agatha Christie
787. (13).**Cézanne** – Bernard Fauconnier
788. **A identidade Bourne** – Robert Ludlum
789. **Da tranquilidade da alma** – Sêneca
790. **Um artista da fome** seguido de **Na colônia penal e outras histórias** – Kafka
791. **Histórias de fantasmas** – Charles Dickens
796. **O Uraguai** – Basílio da Gama
797. **A mão misteriosa** – Agatha Christie
798. **Testemunha ocular do crime** – Agatha Christie
799. **Crepúsculo dos ídolos** – Friedrich Nietzsche
802. **O grande golpe** – Dashiell Hammett
803. **Humor barra pesada** – Nani
804. **Vinho** – Jean-François Gautier
805. **Egito Antigo** – Sophie Desplancques
806. (14).**Baudelaire** – Jean-Baptiste Baronian
807. **Caminho da sabedoria, caminho da paz** – Dalai Lama e Felizitas von Schönborn
808. **Senhor e servo e outras histórias** – Tolstói
809. **Os cadernos de Malte Laurids Brigge** – Rilke
810. **Dilbert** (5) – Scott Adams
811. **Big Sur** – Jack Kerouac
812. **Seguindo a correnteza** – Agatha Christie
813. **O álibi** – Sandra Brown
814. **Montanha-russa** – Martha Medeiros
815. **Coisas da vida** – Martha Medeiros
816. **A cantada infalível** seguido de **A mulher do centroavante** – David Coimbra
819. **Snoopy: Pausa para a soneca** (9) – Charles Schulz
820. **De pernas pro ar** – Eduardo Galeano

821. **Tragédias gregas** – Pascal Thiercy
822. **Existencialismo** – Jacques Colette
823. **Nietzsche** – Jean Granier
824. **Amar ou depender?** – Walter Riso
825. **Darmapada: A doutrina budista em versos**
826. **J'Accuse...! – a verdade em marcha** – Zola
827. **Os crimes ABC** – Agatha Christie
828. **Um gato entre os pombos** – Agatha Christie
831. **Dicionário de teatro** – Luiz Paulo Vasconcellos
832. **Cartas extraviadas** – Martha Medeiros
833. **A longa viagem de prazer** – J. J. Morosoli
834. **Receitas fáceis** – J. A. Pinheiro Machado
835. (14).**Mais fatos & mitos** Dr. Fernando Lucchese
836. (15).**Boa viagem!** Dr. Fernando Lucchese
837. **Aline: Finalmente nua!!!** (4) – Adão Iturrusgarai
838. **Mônica tem uma novidade!** – Mauricio de Sousa
839. **Cebolinha em apuros!** – Mauricio de Sousa
840. **Sócios no crime** – Agatha Christie
841. **Bocas do tempo** – Eduardo Galeano
842. **Orgulho e preconceito** – Jane Austen
843. **Impressionismo** – Dominique Lobstein
844. **Escrita chinesa** – Viviane Alleton
845. **Paris: uma história** – Yvan Combeau
846. (15).**Van Gogh** – David Haziot
848. **Portal do destino** – Agatha Christie
849. **O futuro de uma ilusão** – Freud
850. **O mal-estar na cultura** – Freud
853. **Um crime adormecido** – Agatha Christie
854. **Satori em Paris** – Jack Kerouac
855. **Medo e delírio em Las Vegas** – Hunter Thompson
856. **Um negócio fracassado e outros contos de humor** – Tchékhov
857. **Mônica está de férias!** – Mauricio de Sousa
858. **De quem é esse coelho?** – Mauricio de Sousa
860. **O mistério Sittaford** – Agatha Christie
861. **Manhã transfigurada** – L. A. de Assis Brasil
862. **Alexandre, o Grande** – Pierre Briant
863. **Jesus** – Charles Perrot
864. **Islã** – Paul Balta
865. **Guerra da Secessão** – Farid Ameur
866. **Um rio que vem da Grécia** – Cláudio Moreno
868. **Assassinato na casa do pastor** – Agatha Christie
869. **Manual do líder** – Napoleão Bonaparte
870. (16).**Billie Holiday** – Sylvia Fol
871. **Bidu arrasando!** – Mauricio de Sousa
872. **Os Sousa: Desventuras em família** – Mauricio de Sousa
874. **E no final a morte** – Agatha Christie
875. **Guia prático do Português correto – vol. 4** – Cláudio Moreno
876. **Dilbert (6)** – Scott Adams
877. (17).**Leonardo da Vinci** – Sophie Chauveau
878. **Bella Toscana** – Frances Mayes
879. **A arte da ficção** – David Lodge
880. **Striptiras (4)** – Laerte
881. **Skrotinhos** – Angeli
882. **Depois do funeral** – Agatha Christie
883. **Radicci 7** – Iotti
884. **Walden** – H. D. Thoreau
885. **Lincoln** – Allen C. Guelzo
886. **Primeira Guerra Mundial** – Michael Howard
887. **A linha de sombra** – Joseph Conrad
888. **O amor é um cão dos diabos** – Bukowski
890. **Despertar: uma vida de Buda** – Jack Kerouac
891. (18).**Albert Einstein** – Laurent Seksik
892. **Hell's Angels** – Hunter Thompson
893. **Ausência na primavera** – Agatha Christie
894. **Dilbert (7)** – Scott Adams
895. **Ao sul de lugar nenhum** – Bukowski
896. **Maquiavel** – Quentin Skinner
897. **Sócrates** – C.C.W. Taylor
899. **O Natal de Poirot** – Agatha Christie
900. **As veias abertas da América Latina** – Eduardo Galeano
901. **Snoopy: Sempre alerta! (10)** – Charles Schulz
902. **Chico Bento: Plantando confusão** – Mauricio de Sousa
903. **Penadinho: Quem é morto sempre aparece** – Mauricio de Sousa
904. **A vida sexual da mulher feia** – Claudia Tajes
905. **100 segredos de liquidificador** – José Antonio Pinheiro Machado
906. **Sexo muito prazer 2** – Laura Meyer da Silva
907. **Os nascimentos** – Eduardo Galeano
908. **As caras e as máscaras** – Eduardo Galeano
909. **O século do vento** – Eduardo Galeano
910. **Poirot perde uma cliente** – Agatha Christie
911. **Cérebro** – Michael O'Shea
912. **O escaravelho de ouro e outras histórias** – Edgar Allan Poe
913. **Piadas para sempre (4)** – Visconde da Casa Verde
914. **100 receitas de massas light** – Helena Tonetto
915. (19).**Oscar Wilde** – Daniel Salvatore Schiffer
916. **Uma breve história do mundo** – H. G. Wells
917. **A Casa do Penhasco** – Agatha Christie
918. **John M. Keynes** – Bernard Gazier
919. (20).**Virginia Woolf** – Alexandra Lemasson
921. **Peter e Wendy seguido de Peter Pan em Kensington Gardens** – J. M. Barrie
922. **Aline: numas de colegial (5)** – Adão Iturrusgarai
923. **Uma dose mortal** – Agatha Christie
924. **Os trabalhos de Hércules** – Agatha Christie
926. **Kant** – Roger Scruton
927. **A inocência do Padre Brown** – G.K. Chesterton
928. **Casa Velha** – Machado de Assis
929. **Marcas de nascença** – Nancy Huston
930. **Aulete de bolso**
931. **Hora Zero** – Agatha Christie
932. **Morte na Mesopotâmia** – Agatha Christie
934. **Nem te conto, João** – Dalton Trevisan
935. **As aventuras de Huckleberry Finn** – Mark Twain
936. (21).**Marilyn Monroe** – Anne Plantagenet
937. **China moderna** – Rana Mitter
938. **Dinossauros** – David Norman
939. **Louca por homem** – Claudia Tajes
940. **Amores de alto risco** – Walter Riso
941. **Jogo de damas** – David Coimbra
942. **Filha é filha** – Agatha Christie
943. **M ou N?** – Agatha Christie
945. **Bidu: diversão em dobro!** – Mauricio de Sousa

946. **Fogo** – Anaïs Nin
947. **Rum: diário de um jornalista bêbado** – Hunter Thompson
948. **Persuasão** – Jane Austen
949. **Lágrimas na chuva** – Sergio Faraco
950. **Mulheres** – Bukowski
951. **Um pressentimento funesto** – Agatha Christie
952. **Cartas na mesa** – Agatha Christie
954. **O lobo do mar** – Jack London
955. **Os gatos** – Patricia Highsmith
956(22).**Jesus** – Christiane Rancé
957. **História da medicina** – William Bynum
958. **O Morro dos Ventos Uivantes** – Emily Brontë
959. **A filosofia na era trágica dos gregos** – Nietzsche
960. **Os treze problemas** – Agatha Christie
961. **A massagista japonesa** – Moacyr Scliar
963. **Humor do miserê** – Nani
964. **Todo o mundo tem dúvida, inclusive você** – Édison de Oliveira
965. **A dama do Bar Nevada** – Sergio Faraco
969. **O psicopata americano** – Bret Easton Ellis
970. **Ensaios de amor** – Alain de Botton
971. **O grande Gatsby** – F. Scott Fitzgerald
972. **Por que não sou cristão** – Bertrand Russell
973. **A Casa Torta** – Agatha Christie
974. **Encontro com a morte** – Agatha Christie
975(23).**Rimbaud** – Jean-Baptiste Baronian
976. **Cartas na rua** – Bukowski
977. **Memória** – Jonathan K. Foster
978. **A abadia de Northanger** – Jane Austen
979. **As pernas de Úrsula** – Claudia Tajes
980. **Retrato inacabado** – Agatha Christie
981. **Solanin (1)** – Inio Asano
982. **Solanin (2)** – Inio Asano
983. **Aventuras de menino** – Mitsuru Adachi
984(16).**Fatos & mitos sobre sua alimentação** – Dr. Fernando Lucchese
985. **Teoria quântica** – John Polkinghorne
986. **O eterno marido** – Fiódor Dostoiévski
987. **Um safado em Dublin** – J. P. Donleavy
988. **Mirinha** – Dalton Trevisan
989. **Akhenaton e Nefertiti** – Carmen Seganfredo e A. S. Franchini
990. **On the Road – o manuscrito original** – Jack Kerouac
991. **Relatividade** – Russell Stannard
992. **Abaixo de zero** – Bret Easton Ellis
993(24).**Andy Warhol** – Mériam Korichi
995. **Os últimos casos de Miss Marple** – Agatha Christie
996. **Nico Demo: Aí vem encrenca** – Mauricio de Sousa
998. **Rousseau** – Robert Wokler
999. **Noite sem fim** – Agatha Christie
1000. **Diários de Andy Warhol (1)** – Editado por Pat Hackett
1001. **Diários de Andy Warhol (2)** – Editado por Pat Hackett
1002. **Cartier-Bresson: o olhar do século** – Pierre Assouline
1003. **As melhores histórias da mitologia: vol. 1** – A.S. Franchini e Carmen Seganfredo
1004. **As melhores histórias da mitologia: vol. 2** – A.S. Franchini e Carmen Seganfredo
1005. **Assassinato no beco** – Agatha Christie
1006. **Convite para um homicídio** – Agatha Christie
1008. **História da vida** – Michael J. Benton
1009. **Jung** – Anthony Stevens
1010. **Arsène Lupin, ladrão de casaca** – Maurice Leblanc
1011. **Dublinenses** – James Joyce
1012. **120 tirinhas da Turma da Mônica** – Mauricio de Sousa
1013. **Antologia poética** – Fernando Pessoa
1014. **A aventura de um cliente ilustre** *seguido de* **O último adeus de Sherlock Holmes** – Sir Arthur Conan Doyle
1015. **Cenas de Nova York** – Jack Kerouac
1016. **A corista** – Anton Tchékhov
1017. **O diabo** – Leon Tolstói
1018. **Fábulas chinesas** – Sérgio Capparelli e Márcia Schmaltz
1019. **O gato do Brasil** – Sir Arthur Conan Doyle
1020. **Missa do Galo** – Machado de Assis
1021. **O mistério de Marie Rogêt** – Edgar Allan Poe
1022. **A mulher mais linda da cidade** – Bukowski
1023. **O retrato** – Nicolai Gogol
1024. **O conflito** – Agatha Christie
1025. **Os primeiros casos de Poirot** – Agatha Christie
1027(25).**Beethoven** – Bernard Fauconnier
1028. **Platão** – Julia Annas
1029. **Cleo e Daniel** – Roberto Freire
1030. **Til** – José de Alencar
1031. **Viagens na minha terra** – Almeida Garrett
1032. **Profissões para mulheres e outros artigos feministas** – Virginia Woolf
1033. **Mrs. Dalloway** – Virginia Woolf
1034. **O cão da morte** – Agatha Christie
1035. **Tragédia em três atos** – Agatha Christie
1037. **O fantasma da Ópera** – Gaston Leroux
1038. **Evolução** – Brian e Deborah Charlesworth
1039. **Medida por medida** – Shakespeare
1040. **Razão e sentimento** – Jane Austen
1041. **A obra-prima ignorada** *seguido de* **Um episódio durante o Terror** – Balzac
1042. **A fugitiva** – Anaïs Nin
1043. **As grandes histórias da mitologia greco-romana** – A. S. Franchini
1044. **O corno de si mesmo & outras historietas** – Marquês de Sade
1045. **Da felicidade** *seguido de* **Da vida retirada** – Sêneca
1046. **O horror em Red Hook e outras histórias** – H. P. Lovecraft
1047. **Noite em claro** – Martha Medeiros
1048. **Poemas clássicos chineses** – Li Bai, Du Fu e Wang Wei
1049. **A terceira moça** – Agatha Christie
1050. **Um destino ignorado** – Agatha Christie
1051(26).**Buda** – Sophie Royer
1052. **Guerra Fria** – Robert J. McMahon
1053. **Simons's Cat: as aventuras de um gato travesso e comilão – vol. 1** – Simon Tofield
1054. **Simons's Cat: as aventuras de um gato travesso e comilão – vol. 2** – Simon Tofield
1055. **Só as mulheres e as baratas sobreviverão** – Claudia Tajes
1057. **Pré-história** – Chris Gosden
1058. **Pintou sujeira!** – Mauricio de Sousa
1059. **Contos de Mamãe Gansa** – Charles Perrault
1060. **A interpretação dos sonhos: vol. 1** – Freud

1061. **A interpretação dos sonhos: vol. 2** – Freud
1062. **Frufru Rataplã Dolores** – Dalton Trevisan
1063. **As melhores histórias da mitologia egípcia** – Carmem Seganfredo e A.S. Franchini
1064. **Infância. Adolescência. Juventude** – Tolstói
1065. **As consolações da filosofia** – Alain de Botton
1066. **Diários de Jack Kerouac – 1947-1954**
1067. **Revolução Francesa – vol. 1** – Max Gallo
1068. **Revolução Francesa – vol. 2** – Max Gallo
1069. **O detetive Parker Pyne** – Agatha Christie
1070. **Memórias do esquecimento** – Flávio Tavares
1071. **Drogas** – Leslie Iversen
1072. **Manual de ecologia (vol.2)** – J. Lutzenberger
1073. **Como andar no labirinto** – Affonso Romano de Sant'Anna
1074. **A orquídea e o serial killer** – Juremir Machado da Silva
1075. **Amor nos tempos de fúria** – Lawrence Ferlinghetti
1076. **A aventura do pudim de Natal** – Agatha Christie
1078. **Amores que matam** – Patricia Faur
1079. **Histórias de pescador** – Mauricio de Sousa
1080. **Pedaços de um caderno manchado de vinho** – Bukowski
1081. **A ferro e fogo: tempo de solidão (vol.1)** – Josué Guimarães
1082. **A ferro e fogo: tempo de guerra (vol.2)** – Josué Guimarães
1084(17). **Desembarcando o Alzheimer** – Dr. Fernando Lucchese e Dra. Ana Hartmann
1085. **A maldição do espelho** – Agatha Christie
1086. **Uma breve história da filosofia** – Nigel Warburton
1088. **Heróis da História** – Will Durant
1089. **Concerto campestre** – L. A. de Assis Brasil
1090. **Morte nas nuvens** – Agatha Christie
1092. **Aventura em Bagdá** – Agatha Christie
1093. **O cavalo amarelo** – Agatha Christie
1094. **O método de interpretação dos sonhos** – Freud
1095. **Sonetos de amor e desamor** – Vários
1096. **120 tirinhas do Dilbert** – Scott Adams
1097. **200 fábulas de Esopo**
1098. **O curioso caso de Benjamin Button** – F. Scott Fitzgerald
1099. **Piadas para sempre: uma antologia para morrer de rir** – Visconde da Casa Verde
1100. **Hamlet (Mangá)** – Shakespeare
1101. **A arte da guerra (Mangá)** – Sun Tzu
1104. **As melhores histórias da Bíblia (vol.1)** – A. S. Franchini e Carmen Seganfredo
1105. **As melhores histórias da Bíblia (vol.2)** – A. S. Franchini e Carmen Seganfredo
1106. **Psicologia das massas e análise do eu** – Freud
1107. **Guerra Civil Espanhola** – Helen Graham
1108. **A autoestrada do sul e outras histórias** – Julio Cortázar
1109. **O mistério dos sete relógios** – Agatha Christie
1110. **Peanuts: Ninguém gosta de mim... (amor)** – Charles Schulz
1111. **Cadê o bolo?** – Mauricio de Sousa
1112. **O filósofo ignorante** – Voltaire
1113. **Totem e tabu** – Freud
1114. **Filosofia pré-socrática** – Catherine Osborne
1115. **Desejo de status** – Alain de Botton
1118. **Passageiro para Frankfurt** – Agatha Christie
1120. **Kill All Enemies** – Melvin Burgess
1121. **A morte da sra. McGinty** – Agatha Christie
1122. **Revolução Russa** – S. A. Smith
1123. **Até você, Capitu?** – Dalton Trevisan
1124. **O grande Gatsby (Mangá)** – F. S. Fitzgerald
1125. **Assim falou Zaratustra (Mangá)** – Nietzsche
1126. **Peanuts: É para isso que servem os amigos (amizade)** – Charles Schulz
1127(27). **Nietzsche** – Dorian Astor
1128. **Bidu: Hora do banho** – Mauricio de Sousa
1129. **O melhor do Macanudo Taurino** – Santiago
1130. **Radicci 30 anos** – Iotti
1131. **Show de sabores** – J.A. Pinheiro Machado
1132. **O prazer das palavras** – vol. 3 – Cláudio Moreno
1133. **Morte na praia** – Agatha Christie
1134. **O fardo** – Agatha Christie
1135. **Manifesto do Partido Comunista (Mangá)** – Marx & Engels
1136. **A metamorfose (Mangá)** – Franz Kafka
1137. **Por que você não se casou... ainda** – Tracy McMillan
1138. **Textos autobiográficos** – Bukowski
1139. **A importância de ser prudente** – Oscar Wilde
1140. **Sobre a vontade na natureza** – Arthur Schopenhauer
1141. **Dilbert (8)** – Scott Adams
1142. **Entre dois amores** – Agatha Christie
1143. **Cipreste triste** – Agatha Christie
1144. **Alguém viu uma assombração?** – Mauricio de Sousa
1145. **Mandela** – Elleke Boehmer
1146. **Retrato do artista quando jovem** – James Joyce
1147. **Zadig ou o destino** – Voltaire
1148. **O contrato social (Mangá)** – J.-J. Rousseau
1149. **Garfield fenomenal** – Jim Davis
1150. **A queda da América** – Allen Ginsberg
1151. **Música na noite & outros ensaios** – Aldous Huxley
1152. **Poesias inéditas & Poemas dramáticos** – Fernando Pessoa
1153. **Peanuts: Felicidade é...** – Charles M. Schulz
1154. **Mate-me por favor** – Legs McNeil e Gillian McCain
1155. **Assassinato no Expresso Oriente** – Agatha Christie
1156. **Um punhado de centeio** – Agatha Christie
1157. **A interpretação dos sonhos (Mangá)** – Freud
1158. **Peanuts: Você não entende o sentido da vida** – Charles M. Schulz
1159. **A dinastia Rothschild** – Herbert R. Lottman
1160. **A Mansão Hollow** – Agatha Christie
1161. **Nas montanhas da loucura** – H.P. Lovecraft
1162(28). **Napoleão Bonaparte** – Pascale Fautrier
1163. **Um corpo na biblioteca** – Agatha Christie
1164. **Inovação** – Mark Dodgson e David Gann
1165. **O que toda mulher deve saber sobre os homens: a afetividade masculina** – Walter Riso
1166. **O amor está no ar** – Mauricio de Sousa
1167. **Testemunha de acusação & outras histórias** – Agatha Christie
1168. **Etiqueta de bolso** – Celia Ribeiro
1169. **Poesia reunida (volume 3)** – Affonso Romano de Sant'Anna

1170. **Emma** – Jane Austen
1171. **Que seja em segredo** – Ana Miranda
1172. **Garfield sem apetite** – Jim Davis
1173. **Garfield: Foi mal...** – Jim Davis
1174. **Os irmãos Karamázov (Mangá)** – Dostoiévski
1175. **O Pequeno Príncipe** – Antoine de Saint-Exupéry
1176. **Peanuts: Ninguém mais tem o espírito aventureiro** – Charles M. Schulz
1177. **Assim falou Zaratustra** – Nietzsche
1178. **Morte no Nilo** – Agatha Christie
1179. **Ê, soneca boa** – Mauricio de Sousa
1180. **Garfield a todo o vapor** – Jim Davis
1181. **Em busca do tempo perdido (Mangá)** – Proust
1182. **Cai o pano: o último caso de Poirot** – Agatha Christie
1183. **Livro para colorir e relaxar** – Livro 1
1184. **Para colorir sem parar**
1185. **Os elefantes não esquecem** – Agatha Christie
1186. **Teoria da relatividade** – Albert Einstein
1187. **Compêndio da psicanálise** – Freud
1188. **Visões de Gerard** – Jack Kerouac
1189. **Fim de verão** – Mohiro Kitoh
1190. **Procurando diversão** – Mauricio de Sousa
1191. **E não sobrou nenhum e outras peças** – Agatha Christie
1192. **Ansiedade** – Daniel Freeman & Jason Freeman
1193. **Garfield: pausa para o almoço** – Jim Davis
1194. **Contos do dia e da noite** – Guy de Maupassant
1195. **O melhor de Hagar 7** – Dik Browne
1196.(29). **Lou Andreas-Salomé** – Dorian Astor
1197.(30). **Pasolini** – René de Ceccatty
1198. **O caso do Hotel Bertram** – Agatha Christie
1199. **Crônicas de motel** – Sam Shepard
1200. **Pequena filosofia da paz interior** – Catherine Rambert
1201. **Os sertões** – Euclides da Cunha
1202. **Treze à mesa** – Agatha Christie
1203. **Bíblia** – John Riches
1204. **Anjos** – David Albert Jones
1205. **As tirinhas do Guri de Uruguaiana 1** – Jair Kobe
1206. **Entre aspas (vol.1)** – Fernando Eichenberg
1207. **Escrita** – Andrew Robinson
1208. **O spleen de Paris: pequenos poemas em prosa** – Charles Baudelaire
1209. **Satíricon** – Petrônio
1210. **O avarento** – Molière
1211. **Queimando na água, afogando-se na chama** – Bukowski
1212. **Miscelânea septuagenária: contos e poemas** – Bukowski
1213. **Que filosofar é aprender a morrer e outros ensaios** – Montaigne
1214. **Da amizade e outros ensaios** – Montaigne
1215. **O medo à espreita e outras histórias** – H.P. Lovecraft
1216. **A obra de arte na era de sua reprodutibilidade técnica** – Walter Benjamin
1217. **Sobre a liberdade** – John Stuart Mill
1218. **O segredo de Chimneys** – Agatha Christie
1219. **Morte na rua Hickory** – Agatha Christie
1220. **Ulisses (Mangá)** – James Joyce
1221. **Ateísmo** – Julian Baggini
1222. **Os melhores contos de Katherine Mansfield** – Katherine Mansfield
1223.(31). **Martin Luther King** – Alain Foix
1224. **Millôr Definitivo: uma antologia de *A Bíblia do Caos*** – Millôr Fernandes
1225. **O Clube das Terças-Feiras e outras histórias** – Agatha Christie
1226. **Por que sou tão sábio** – Nietzsche
1227. **Sobre a mentira** – Platão
1228. **Sobre a leitura *seguido do* Depoimento de Céleste Albaret** – Proust
1229. **O homem do terno marrom** – Agatha Christie
1230.(32). **Jimi Hendrix** – Franck Médioni
1231. **Amor e amizade e outras histórias** – Jane Austen
1232. **Lady Susan, Os Watson e Sanditon** – Jane Austen
1233. **Uma breve história da ciência** – William Bynum
1234. **Macunaíma: o herói sem nenhum caráter** – Mário de Andrade
1235. **A máquina do tempo** – H.G. Wells
1236. **O homem invisível** – H.G. Wells
1237. **Os 36 estratagemas: manual secreto da arte da guerra** – Anônimo
1238. **A mina de ouro e outras histórias** – Agatha Christie
1239. **Pic** – Jack Kerouac
1240. **O habitante da escuridão e outros contos** – H.P. Lovecraft
1241. **O chamado de Cthulhu e outros contos** – H.P. Lovecraft
1242. **O melhor de Meu reino por um cavalo!** – Edição de Ivan Pinheiro Machado
1243. **A guerra dos mundos** – H.G. Wells
1244. **O caso da criada perfeita e outras histórias** – Agatha Christie
1245. **Morte por afogamento e outras histórias** – Agatha Christie
1246. **Assassinato no Comitê Central** – Manuel Vázquez Montalbán
1247. **O papai é pop** – Marcos Piangers
1248. **O papai é pop 2** – Marcos Piangers
1249. **A mamãe é rock** – Ana Cardoso
1250. **Paris boêmia** – Dan Franck
1251. **Paris libertária** – Dan Franck
1252. **Paris ocupada** – Dan Franck
1253. **Uma anedota infame** – Dostoiévski
1254. **O último dia de um condenado** – Victor Hugo
1255. **Nem só de caviar vive o homem** – J.M. Simmel
1256. **Amanhã é outro dia** – J.M. Simmel
1257. **Mulherzinhas** – Louisa May Alcott
1258. **Reforma Protestante** – Peter Marshall
1259. **História econômica global** – Robert C. Allen
1260.(33). **Che Guevara** – Alain Foix
1261. **Câncer** – Nicholas James
1262. **Akhenaton** – Agatha Christie
1263. **Aforismos para a sabedoria de vida** – Arthur Schopenhauer
1264. **Uma história do mundo** – David Coimbra
1265. **Ame e não sofra** – Walter Riso
1266. **Desapegue-se!** – Walter Riso

1267. **Os Sousa: Uma família do barulho** – Mauricio de Sousa
1268. **Nico Demo: O rei da travessura** – Mauricio de Sousa
1269. **Testemunha de acusação e outras peças** – Agatha Christie
1270. (34). **Dostoiévski** – Virgil Tanase
1271. **O melhor de Hagar 8** – Dik Browne
1272. **O melhor de Hagar 9** – Dik Browne
1273. **O melhor de Hagar 10** – Dik e Chris Browne
1274. **Considerações sobre o governo representativo** – John Stuart Mill
1275. **O homem Moisés e a religião monoteísta** – Freud
1276. **Inibição, sintoma e medo** – Freud
1277. **Além do princípio do prazer** – Freud
1278. **O direito de dizer não!** – Walter Riso
1279. **A arte de ser flexível** – Walter Riso
1280. **Casados e descasados** – August Strindberg
1281. **Da Terra à Lua** – Júlio Verne
1282. **Minhas galerias e meus pintores** – Kahnweiler
1283. **A arte do romance** – Virginia Woolf
1284. **Teatro completo v. 1: As aves da noite** *seguido de* **O visitante** – Hilda Hilst
1285. **Teatro completo v. 2: O verdugo** *seguido de* **A morte do patriarca** – Hilda Hilst
1286. **Teatro completo v. 3: O rato no muro** *seguido de* **Auto da barca de Camiri** – Hilda Hilst
1287. **Teatro completo v. 4: A empresa** *seguido de* **O novo sistema** – Hilda Hilst
1289. **Fora de mim** – Martha Medeiros
1290. **Divã** – Martha Medeiros
1291. **Sobre a genealogia da moral: um escrito polêmico** – Nietzsche
1292. **A consciência de Zeno** – Italo Svevo
1293. **Células-tronco** – Jonathan Slack
1294. **O fim do ciúme e outros contos** – Proust
1295. **A jangada** – Júlio Verne
1296. **A ilha do dr. Moreau** – H.G. Wells
1297. **Ninho de fidalgos** – Ivan Turguêniev
1298. **Jane Eyre** – Charlotte Brontë
1299. **Sobre gatos** – Bukowski
1300. **Sobre o amor** – Bukowski
1301. **Escrever para não enlouquecer** – Bukowski
1302. **222 receitas** – J. A. Pinheiro Machado
1303. **Reinações de Narizinho** – Monteiro Lobato
1304. **O Saci** – Monteiro Lobato
1305. **Memórias da Emília** – Monteiro Lobato
1306. **O Picapau Amarelo** – Monteiro Lobato
1307. **A reforma da Natureza** – Monteiro Lobato
1308. **Fábulas** *seguido de* **Histórias diversas** – Monteiro Lobato
1309. **Aventuras de Hans Staden** – Monteiro Lobato
1310. **Peter Pan** – Monteiro Lobato
1311. **Dom Quixote das crianças** – Monteiro Lobato
1312. **O Minotauro** – Monteiro Lobato
1313. **Um quarto só seu** – Virginia Woolf
1314. **Sonetos** – Shakespeare
1315. (35). **Thoreau** – Marie Berthoumieu e Laura El Makki
1316. **Teoria da arte** – Cynthia Freeland
1317. **A arte da prudência** – Baltasar Gracián
1318. **O louco** *seguido de* **Areia e espuma** – Khalil Gibran
1319. **O profeta** *seguido de* **O jardim do profeta** – Khalil Gibran
1320. **Jesus, o Filho do Homem** – Khalil Gibran
1321. **A luta** – Norman Mailer
1322. **Sobre o sofrimento do mundo e outros ensaios** – Schopenhauer
1323. **Epidemiologia** – Rodolfo Sacacci
1324. **Japão moderno** – Christopher Goto-Jones
1325. **A arte da meditação** – Matthieu Ricard
1326. **O adversário secreto** – Agatha Christie
1327. **Pollyanna** – Eleanor H. Porter
1328. **Espelhos** – Eduardo Galeano
1329. **A Vênus das peles** – Sacher-Masoch
1330. **O 18 de brumário de Luís Bonaparte** – Karl Marx
1331. **Um jogo para os vivos** – Patricia Highsmith
1332. **A tristeza pode esperar** – J.J. Camargo
1333. **Vinte poemas de amor e uma canção desesperada** – Pablo Neruda
1334. **Judaísmo** – Norman Solomon
1335. **Esquizofrenia** – Christopher Frith & Eve Johnstone
1336. **Seis personagens em busca de um autor** – Luigi Pirandello
1337. **A Fazenda dos Animais** – George Orwell
1338. **1984** – George Orwell
1339. **Ubu Rei** – Alfred Jarry
1340. **Sobre bêbados e bebidas** – Bukowski
1341. **Tempestade para os vivos e para os mortos** – Bukowski
1342. **Complicado** – Natsume Ono
1343. **Sobre o livre-arbítrio** – Schopenhauer
1344. **Uma breve história da literatura** – John Sutherland
1345. **Você fica tão sozinho às vezes que até faz sentido** – Bukowski
1346. **Um apartamento em Paris** – Guillaume Musso
1347. **Receitas fáceis e saborosas** – José Antonio Pinheiro Machado
1348. **Por que engordamos** – Gary Taubes
1349. **A fabulosa história do hospital** – Jean-Noël Fabiani
1350. **Voo noturno** *seguido de* **Terra dos homens** – Antoine de Saint-Exupéry
1351. **Doutor Sax** – Jack Kerouac
1352. **O livro do Tao e da virtude** – Lao-Tsé
1353. **Pista negra** – Antonio Manzini
1354. **A chave de vidro** – Dashiell Hammett
1355. **Martin Eden** – Jack London
1356. **Já te disse adeus, e agora, como te esqueço?** – Walter Riso
1357. **A viagem do descobrimento** – Eduardo Bueno
1358. **Náufragos, traficantes e degredados** – Eduardo Bueno
1359. **Retrato do Brasil** – Paulo Prado
1360. **Maravilhosamente imperfeito, escandalosamente feliz** – Walter Riso
1361. **É...** – Millôr Fernandes
1362. **Duas tábuas e uma paixão** – Millôr Fernandes
1363. **Selma e Sinatra** – Martha Medeiros
1364. **Tudo que eu queria te dizer** – Martha Medeiros
1365. **Várias histórias** – Machado de Assis

lepmeditores
www.lpm.com.br
o site que conta tudo

IMPRESSÃO:

PALLOTTI
GRÁFICA

Santa Maria - RS | Fone: (55) 3220.4500
www.graficapallotti.com.br